LEF

Life is not a Game

Jeanne Ryan

LEF
Life is not a Game

Uit het Engels vertaald
door Lidwien Biekmann

Van Goor

Voor James, mijn hoofdprijs

ISBN 978 90 00 31399 0
NUR 285
© 2013 Van Goor
Uitgeverij Unieboek | Het Spectrum bv, postbus 97, 3990 DB Houten

oorspronkelijke titel Nerve
oorspronkelijke uitgave © 2012 Dial Books, an imprint of Penguin Group (USA) Inc.,
New York

www.van-goor.nl
www.unieboekspectrum.nl
www.facebook.com/youngadultboeken

tekst Jeanne Ryan
vertaling Lidwien Biekmann
omslagontwerp Erwin van Wanrooy
zetwerk binnenwerk Mat-Zet bv, Soest

Proloog

Ze had er drie dagen op moeten wachten, maar op zondagochtend om vier uur waren alle Kijkers eindelijk weg. Blijkbaar hadden zelfs die gekken zo af en toe slaap nodig. Ze zou zelf ook wel even willen uitrusten, maar ze verlangde nog veel meer naar haar vrijheid. Ze was bijna een hele week haar huis niet uit geweest.

Ze schreef snel een briefje voor haar ouders, gooide wat spullen in haar auto en reed hard weg, waarbij ze in de stad en tijdens de twee uur durende rit naar de Shenandoah steeds in haar achteruitkijkspiegel keek. De talloze keren dat ze deze route met haar familie had gereden, hadden ze de tijd gedood met spelletjes, dvd's kijken, zingen, of soms alleen maar wat dagdromen, maar nu raakte ze steeds meer in paniek.

Haar ouders hadden haar altijd op het hart gedrukt dat ze nooit een natuurpark in mocht gaan zonder zich bij een parkwachter te melden, maar dat negeerde ze nu. Ze parkeerde haar auto bij de meest afgelegen ingang die ze kende en liep een pad in dat bijna helemaal overwoekerd was. Aan het begin van de middag zou ze een plek moeten zoeken om te kamperen, maar voorlopig wilde ze alleen maar verdwijnen in het bos. Als ze de Kijkers nog een tijdje kon ontlopen, zou ze hier eindelijk rust vinden, al was het maar een paar dagen.

Haar rugzak hing zwaar aan haar schouders toen ze de rotsachtige heuvel beklom; ze baande zich een weg door de varens, waar nog dauwdruppels op glinsterden, en ging af op het veelbelovende geruis van een waterval. Dat zou een welkome afleiding zijn van het voortdurende gepieker van de afgelopen drieëntwintig dagen. En van dat afschuwelijke spel.

Ze kwam tegen een laaghangende tak aan en kreeg een lading water en bladeren over zich heen. Nou en. Er was nu toch niemand die haar natte hoofd kon zien waar blaadjes en takjes aan bleven plakken. Maar toen ze aan andere mensen dacht, kreeg ze zonder dat ze het wilde weer nare beelden in haar hoofd. En ze werd bang. De angst die aan de rand van haar bewustzijn sluimerde, werd nu concreet en nam de vorm aan van het geluid van zachte voetstappen op het pad.

Ze bleef stokstijf staan, wachtte af, en bad dat ze zich dat geluid alleen maar had verbeeld. Haar hoofd hield haar de laatste tijd wel vaker voor de gek. Hou op, zei ze tegen zichzelf. Concentreer je. Denk na.

De voetstappen hielden even op, maar gingen daarna verder, nog sneller. Ja, er liep iemand achter haar. Wat nu?

Zou ze zich achter een struik verstoppen en wachten tot ze was ingehaald? Het was vast een toevallige wandelaar die net als zij op zoek was naar rust. Toch leek het haar het beste om zich te verstoppen. Ze rende door om een voorsprong te krijgen en nestelde zich toen in de armen van een weelderige rododendron.

De voetstappen klonken luider. Zo te horen was het iemand die groot en zwaar was. Zou dit de 'strafmaatregel' zijn waarmee die klootzakken die het spel leidden hadden gedreigd als ze zich voor haar fans zou verstoppen? Maar ze konden toch niet van haar verwachten dat ze aardig deed tegen de freaks die haar voortdurend lastigvielen, de engerds die haar zelfs tot op de wc achtervolgden, of de gestoorde figuren die die afschuwelijke website hadden gemaakt waarop zij en de andere spelers te zien waren door de zoeker van een vuurwapen. Toen ze dat had gezien, had ze een ziekte voorgewend en was ze de hele week thuisgebleven. Maar ze kon zich niet voor eeuwig verstoppen. En ze kon ook niet om een straatverbod vragen voor alle mensen ter wereld.

Ze begon sneller en oppervlakkiger te ademen toen haar achtervolger nog dichterbij kwam. De voetstappen klonken ritmisch en afgemeten. Misschien was het geen mens. Gek genoeg was ze minder bang voor een zwarte beer dan voor een mede-wandelaar. Of misschien waren die voetstappen niet eens echt. Misschien was dit een droom, die op dezelfde manier was gemanipuleerd als elke gedachte die ze tijdens het spel en zelfs nog daarna had gehad. Het werd steeds moeilijker om te bepalen wat echt was en wat niet. Zoals dat briefje dat ze in een tijdschrift had gevonden toen ze stiekem naar het winkelcentrum was gevlucht:

Hoe kon iemand nou weten dat ze net die winkel zou binnenlopen en net dat ene tijdschrift in zou kijken? Maar toen ze alle andere tijdschriften in het rek had doorzocht om te zien of daar ook iets in zat, vond ze niets, en kon ze het briefje in het eerste tijdschrift niet meer terugvinden, alsof het er helemaal nooit was geweest. Waarschijnlijk was het gestolen door de 'wij' die haar voortdurend bespioneerden. Dat was nog het ergste, dat ze niet eens wist hoe haar vijand eruitzag, terwijl haar eigen gezicht door ieders handen ging. Als een pervers ruilplaatje.

Nu klonk behalve de voetstappen ook gefluit. Zelfs in haar wildste fantasie kon ze geen scenario bedenken waarin een dier de wijs van 'Somewhere Over the Rainbow' kon fluiten. De tranen sprongen haar in de ogen en ze probeerde uit alle macht te geloven dat het gewoon een wandelaar was met een goed humeur.

De voetstappen stopten. Ze kroop verder weg in de struik toen ze ergens vlakbij geritsel hoorde.

Een lage stem zei: 'Ik weet dat je daar bent.'

Ze werd slap van angst. Ze drukte zich tegen de stam achter zich en wilde dat ze erin geklommen was. Er was in de verre omtrek niemand te bekennen en ze zag op haar mobiel dat ze hier geen bereik had. Logisch. Haar mobiel leverde haar tegenwoordig alleen maar ellende op.

De takken van de rododendron waarin ze zich had verstopt werden opzij gebogen door een man met het gezicht van een pitbull en een adem die naar ranzig spek rook. Ze had toch liever niet geweten hoe haar achtervolger eruitzag. Dit beeld zou haar de rest van haar leven in haar nachtmerries achtervolgen. Al wist ze niet hoe lang dat leven nog zou duren.

Met zijn vlezige handen trok hij de takken verder opzij. 'Kom er toch uit, schatje, dat is voor ons allebei een stuk makkelijker.'

Ze was tot het uiterste gespannen, maar haar knieën voelden slap. De angst die vanuit haar buik opwelde, was erger dan tijdens de laatste ronde van het spel, toen ze in een kamer vol slangen was terechtgekomen. En dan te bedenken dat dat altijd haar grootste angst was geweest.

Hoewel ze trilde als een rietje wist ze op de een of andere manier de kracht te vinden om hem toe te bijten: 'Laat me met rust, klootzak.'

7

Hij schrok. 'Je hoeft niet zo onaardig te doen. Ik ben altijd je grootste fan geweest.'

Haar blik gleed over het donkere struikgewas. Ze had nog één kans, al was het een kleintje. Ze liet haar rugzak van haar schouders glijden en schoot als een pijl uit de boog door het meest open deel van de rododendron terug naar het pad. Er waren daar nog steeds zo veel takken dat ze haar armen eraan openhaalde. Helaas blokkeerde de man de weg terug naar haar auto, dus moest ze wel verder rennen, het heuvelachtige bos in.

Zware voetstappen achtervolgden haar. De geluiden werden al snel overstemd door het donderende geraas van de waterval verderop, die haar gezicht besproeide met fijne waterdruppeltjes toen ze dichter bij het uitkijkpunt kwam. Daar stond een gammel hek omheen. De enige uitweg was een steile afgrond van grote, met mos bedekte rotsblokken.

Achter haar klonk een vals gefluit, dat zo hoog en schril was dat het boven het geraas van het water uit te horen was. Ze draaide zich om naar de man, wiens zakken uitpuilden met hoekige voorwerpen die haar deden denken aan de wapens van het spel Cluedo. Niet dat hij een kandelaar of een mes nodig had met die armen zo dik als boomstammen. Wat wilde hij? Was hij een doorgedraaide fan die had besloten dat hij haar moest straffen omdat ze niet bij de 'epiloog' was geweest, de laatste uitzending gisteravond samen met de andere spelers? Ze had met haar hand voor haar mond zitten kijken naar haar medespelers, die grapjes maakten en lachten, maar ze had de zenuwtrekjes in hun gezicht en de donkere kringen onder hun ogen gezien. Toch had niet één van hen naderhand haar sms'jes beantwoord, alsof zij nu gevaarlijker voor hen was dan degenen die hen achtervolgden. Het was krankzinnig. Toen ze zich had aangemeld voor het spel had niemand iets gezegd over de filmpjes na afloop, of over stalkers.

Ze klom over het hek en probeerde zich aan het gladde metaal vast te houden. Zou ze naar de rivier in de diepte kunnen klauteren zonder haar nek te breken?

'Dat is niet nodig, Abigail,' bromde de man en hij stak zijn hand in zijn zak. 'Kom maar gewoon hier en sluit je bij mij aan. We kunnen iets krijgen wat niemand anders heeft, daar verdienen we zo duizend punten mee.'

Punten? Dit was zeker zo'n gek die zich had aangemeld als Kijker en die filmpjes maakte van de spelers met als enige doel het respect van de andere Kijkers te winnen, wat werd beloond in de vorm van stemmen of punten. Als er een manier was om haar doodsangst te meten, dan had deze kerel de jackpot gewonnen. Daar kickten zulke gestoorde perverselingen op. Maar zou hij nog verder gaan? Bij die gedachte kneep haar keel dicht. Diep ademhalen. Concentreer je. Hoe kom je hier weg?

Hij keek haar aan en hield zijn hoofd scheef, alsof hij de lichtval en de compositie beoordeelde. Was het mogelijk dat hij alleen maar een foto van haar wilde maken? Ze hield haar adem in toen hij langzaam zijn hand uit zijn broekzak haalde. Het enige wat ze dacht was dat het zo raar was dat ze haar leven niet aan zich voorbij zag trekken. In plaats daarvan moest ze denken aan een oude film die ze in de derde klas een keer bij Engels hadden gezien. *The Lady or the Tiger?* Ze had het irritant gevonden dat die film een open einde had. Waarom konden ze niet gewoon laten zien hoe het afliep?

En nu haalde de vreemde man die vlak voor haar stond een camera of een pistool uit zijn zak, afhankelijk van wat hij wilde stelen: haar portret of haar leven. Ze snikte toen het tot haar doordrong dat ze diep in haar hart voor de mogelijkheid koos die ze nooit zou hebben gekozen voordat ze aan dit spel meedeed, alleen maar zodat er een einde zou komen aan de gruwelen die realiteit geworden waren.

Hij haalde zijn hand uit zijn rechterzak. Het was een camera, een kleine, zwarte camera die op een grappig kevertje leek. Ze ademde opgelucht uit en slikte haar tranen weg. Toch een foto dus. Misschien, als ze erg haar best deed, kon ze een glimlach forceren en zou het snel voorbij zijn. Dan kon ze het pad afrennen, als een gek naar huis rijden en zich de rest van de dag op haar kamer verstoppen. Of langer. Uiteindelijk zouden de Kijkers hun belangstelling voor haar verliezen, vooral als er een nieuw spel van start ging, met nieuwe spelers.

'Lach eens,' zei de man met de camera.

Ze staarde hem aan en probeerde haar mondhoeken omhoog te trekken. Er rolde een zweetdruppeltje langs haar wang, gevolgd door een tweede. Nog een paar seconden en dan was het allemaal voorbij.

Klik.

Ze zuchtte opgelucht. Oké, als hij dat wilde, vond ze het prima. Nou ja, niet prima, maar ze kwam er wel overheen.

En toen verscheen er een scheve grijns op het gezicht van de man en stak hij zijn hand in zijn andere broekzak.

1

Ik ben het meisje in de coulissen. Letterlijk. Maar als ik het gordijn voor het tweede bedrijf heb geopend, heb ik drie kwartier lang niks te doen; geen verkledingen, geen schmink, tenzij er bij een van de acteurs snel iets moet worden bijgewerkt. Ik zucht eens diep. Voor een première gaat alles soepel, maar daar maak ik me juist zorgen over. Op de première hoort er altijd iets mis te gaan. Dat is traditie.

Ik twijfel of ik naar de kleedkamer zal gaan, waar de meiden het waarschijnlijk vooral over jongens zullen hebben, of dat ik op de gang zal blijven waar ik die jongens misschien zal tegenkomen. En dan vooral een in het bijzonder. Omdat de jongen die ik bedoel over tien minuten op moet, kies ik voor het laatste en haal mijn mobiel tevoorschijn, ook al heeft mevrouw Santana, onze dramadocente, gedreigd ons te vermoorden als we die tijdens de voorstellingen aanzetten.

Geen nieuw bericht op mijn ThisIsMe-pagina. Geen wonder: bijna al mijn vrienden spelen in het toneelstuk of zitten in de zaal. Ik post een berichtje:

NOG EEN PAAR KAARTJES OVER VOOR KOMENDE TWEE VOORSTELLINGEN! KOOP ER EEN ALS JE ER NOG GEEN HEBT!

Zo, ik heb mijn burgerplicht weer gedaan.

Bij het bericht stuur ik een foto mee die ik voor de voorstelling van mijn beste vriendin Sydney en mezelf heb gemaakt. Die foto lijkt wel zo'n zoek-de-verschillen-plaatje uit een kleuterboek: Sydney is een gouden Hollywood-barbie en ik ben een suffe pop met een bleke huid, bruin haar en ogen die een beetje te groot zijn voor mijn gezicht. Met de metallic oogschaduw uit de make-updoos lijken ze in elk geval wat blauwer dan anders.

Er verschijnt een advertentie van Custom Clothz op mijn beeldscherm die belooft te laten zien hoe fantastisch hun nieuwe zomerjurkjes mij zullen staan. Van zomerkleding kun je in Seattle alleen maar dromen, vooral in april, maar een lavendelkleurig jurkje met een wijde rok is té leuk, dus ik upload een foto van mezelf en geef mijn maat op. Lengte een meter zestig, gewicht eh, iets in de vijftig. Terwijl ik me afvraag welke maten ik nog meer zal opgeven, klinkt uit de jongenskleedkamer een bekende lach, die wordt gevolgd door de jongen van wie die lach is. Matthew. Hij komt naast me staan zodat onze schouders elkaar raken, of eigenlijk mijn schouder en zijn bovenarm met de in het footballteam gevormde spierballen.

Hij buigt zich naar me toe en fluistert in mijn oor: 'Tachtig B zeker, of niet?'

Shit, hoe heeft hij zo snel gelezen wat er op mijn mobieltje staat? Ik verberg het voor hem. 'Gaat je niks aan.' Het is trouwens eerder 75 A, vooral vanavond met de dunne beha die geen wonderen doet voor mijn figuur.

Hij lacht. 'Je was net van plan om het aan een wildvreemde te vertellen, dus waarom mag ik het niet weten?'

Ik zet mijn mobiel uit. 'Ik vertel het niet aan een echt persoon, dat is gewoon voor een stomme advertentie.'

Hij draait zich om zodat we tegenover elkaar staan en zet zijn handen aan weerszijden van mijn hoofd tegen de muur. Dan zegt hij met die zijdezachte stem van hem die altijd klinkt alsof hij me een groot geheim gaat vertellen: 'Kom op, ik wil je wel eens in die jurk zien.'

Ik hou mijn hand achter mijn rug. 'Echt?' Mijn stem klinkt meer als piepend schuimplastic. Heel fijn.

Hij laat zijn hand achter mijn rug glijden en pakt mijn mobiel af. 'Of misschien in iets eh... comfortabelers.' Hij gaat weer naast me staan, tikt iets in op mijn mobiel en houdt hem dan omhoog. Mijn gezicht staat gemonteerd op een foto van een lichaam in witte lingerie. Met een meer dan levensgrote beha, minstens cup D.

Mijn gezicht begint te gloeien. 'Grappig hoor. Zullen we er nu een van jou doen?'

Hij begint zijn overhemd open te knopen. 'Ik wil zelf wel model staan, als je wilt.'

Het is opeens erg warm en benauwd in de gang. Ik schraap mijn keel. 'Eh, jij moet je kostuum aanhouden, dus misschien kunnen we beginnen met een virtuele versie van jou?' Jezus, zou mijn stem misschien nóg onaantrekkelijker kunnen klinken?

Hij krijgt pretlichtjes in zijn ogen, die nog groener lijken dan anders. 'Ja hoor, als we klaar zijn met de virtuele Vey aankleden.'

Terwijl we daar naast elkaar staan, kiest hij verschillende slipjes en bikini's. Steeds als ik mijn mobiel probeer terug te pakken, begint hij te lachen en houdt hem net buiten mijn bereik. Ik probeer een andere tactiek: ik doe alsof het me niet kan schelen. Dat werkt bijna, want ik verras hem door snel over het beeldscherm te vegen. Niet snel genoeg om mijn mobiel terug te pakken, maar ik tik wel op het juiste stukje van het scherm waardoor de kledingsite wordt afgesloten. Nu verschijnt een reclame voor die nieuwe game, LEF. Eigenlijk niks meer of minder dan een spelletje Truth or Dare, maar dan zonder Truth. Onder een knop met de tekst KIJK WIE MEEDOET! staan drie foototjes van mensen die nu opdrachten aan het doen zijn.

Matthews wenkbrauwen gaan omhoog. 'Hé, moet je zien, dat meisje doet die opdracht van de nepwinkeldiefstal.'

Hij draait mijn telefoon om zodat we samen het filmpje kunnen bekijken van een meisje met een gezicht vol piercings dat flesjes nagellak in haar camouflagebroek propt. Ze gaat die niet echt jatten, maar het lijkt mij al strafbaar om in een winkel spullen in je kleren te stoppen. Ik vraag me trouwens af hoe ze ooit door de detectiepoortjes komt met al die veiligheidsspelden in haar wang. Het lijkt of ze mijn sarcastische gedachten kan lezen, want ze draait zich om naar de camera en steekt haar middelvinger op. Ik schrik als de camera inzoomt op haar roofdierachtige ogen. Met een grijns loopt ze de winkel uit naar de parkeerplaats, waar ze met vuurrode nagellak drie x-en op haar voorhoofd zet.

Het beeld gaat op zwart. Matthew geeft het meisje vier van de vijf sterren.

'Ik zou haar er maar drie gegeven hebben, maximaal. Ze moest alleen doen alsof ze die spullen jatte, ze moest het niet écht doen,' zeg ik. 'Welke idioot filmt zichzelf nou terwijl hij een misdaad pleegt?'

Hij lacht. 'Kom op zeg, daar was wel lef voor nodig. En wie zal het haar kwalijk nemen dat ze méér heeft gedaan dan alleen wat er precies in de opdracht stond? Lijkt me vet om haar in de liveshows te zien.'

'Wow, zeg dat maar niet tegen Sydney. Zij wilde zich opgeven voor de ronde van deze maand, totdat ze erachter kwam dat die tegelijk met de laatste voorstelling gepland staat.'

'Dus ze vindt haar rol in het stuk nog niet genoeg?'

Ik verplaats mijn gewicht naar mijn andere voet. Hoewel ik Sydney soms plaag met haar sterallures, zal ik er achter haar rug om nooit iets over zeggen. 'Met een toneelstuk op school kun je niet zulke mooie prijzen winnen.'

Hij haalt zijn schouders op en kijkt weer naar mijn mobiel. 'Kijk, op dat filmpje laat een jongen zijn hond soep uit zijn mond slurpen.'

'Gatver!'

Matthew geeft het filmpje vijf sterren. Zodra hij dat heeft gedaan, verschijnt een tekst op het scherm: UPLOAD NU JE EIGEN FILMPJE EN MAAK KANS OP DEELNAME AAN DE LIVESHOW VAN ZATERDAG. HET KAN NOG NET!

Hij houdt mijn mobiel voor mijn neus. 'Moet je doen, Veytje, echt iets voor jou!'

'Ja, hallo! Zaterdag moet ik jullie schminken, weet je nog?'

'Nee, ik bedoel zo'n auditiefilmpje, gewoon voor de lol. En stel dat je wordt uitgekozen, dan kan iemand anders dat schminken wel van je overnemen.'

Hij denkt zeker dat ik toch niet wordt uitgekozen. En dat in het onwaarschijnlijke geval dat dat wel gebeurt iemand anders ook wel even wat schmink op de acteurs kan smeren. Ik voel me opeens heel klein worden.

Ik trek mijn rok recht. 'Waarom zou ik? Ik zou toch nooit aan het echte spel willen meedoen.' Vorige maand, toen LEF voor het eerst werd gespeeld, hebben we met een stel vrienden geld bij elkaar gelegd en bij mij thuis online naar de liveshow gekeken. Ik vond het al spannend genoeg om Kijker te zijn. De spelers aan de Oostkust, waar het spel toen was, moesten in de finale een halfuur op de dakrand van een wolkenkrabber staan. Mij niet gezien.

Matthew opent een menu op de LEF-site. 'Kijk, hier staat een lijstje met opdrachten waar je uit kunt kiezen: met je handen eten in een chic restaurant, naar een buitenlandse winkel gaan en vragen of ze ook geiten-ballen verkopen...'

'Ik ga dat echt niet doen, hoor.'

Hij tikt iets in op mijn mobiel. 'Weet ik wel. Ik plaag je maar, want je bent zo leuk als je bloost.'

Greta, die verantwoordelijk is voor de rekwisieten, komt aanlopen vanaf de ruimte achter het toneel en tikt op zijn arm. 'Over twee minuten moet je op.'

Hij geeft mijn mobiel terug en is al weggelopen als ik zie dat hij mijn ThisIsMe-status heeft gewijzigd van Single in Hoopvol. Mijn hart maakt een sprongetje. Hoewel ik nog bijna een halfuur heb voordat ik het doek moet laten zakken, loop ik achter hem aan naar de coulissen. Hij loopt de spotlights in, naar Sydney, die links op het podium staat, de plek waar ze samen zullen kletsen, ruziemaken, zoenen en zingen tot aan het einde van het stuk.

Sydney trekt nu alle aandacht zoals ze daar dramatisch uitgelicht in al haar blonde glorie op de planken staat. Ik ben supertrots dat ik haar na-tuurlijke schoonheid met mijn make-up zo goed tot z'n recht heb laten komen. Aan Matthew heb ik nog meer aandacht besteed door elk stukje van zijn gezicht heel teder en zorgvuldig te schminken. Zelfs vanaf deze afstand smelt ik weg als ik de lichtjes in zijn ogen zie.

Een halfuur lang fluister ik de tekst van de acteurs mee tot aan de slot-scène, als de gedwarsboomde minnaars weer samen komen. Matthew pakt Syds hoofd vast en hun lippen ontmoeten elkaar in een kus die een, twee, drie seconden duurt. Ik bijt op mijn onderlip, vecht tegen de opwellende jaloezie, ook al beweert Syd dat Matthew vooral veel buiten-kant en weinig inhoud is. Ze denkt altijd te weten wat voor mij het beste is.

De rest van de cast komt het podium op om het slotlied te zingen en daarna laat ik het doek vallen. Omdat ze het applaus vóór het doek in ont-vangst nemen, zit mijn taak er achter de coulissen op en ga ik naar de kleedkamers om de kostuums te verzamelen. Bij de meisjes hangt een walm van haarlak en er staat een enorm boeket rode rozen. Ik kijk op het kaartje. Voor Syd natuurlijk. Een paar minuten later danst ze samen met de andere meisjes de kleedkamer in, giechelend en buiten adem.

Ik omhels haar, mijn beste vriendin. 'Je was geweldig! Moet je kijken wat je gekregen hebt!'

Ze slaakt een gilletje en kijkt op het kaartje. 'Van een anonieme fan.'

'Anoniem ja, tot hij over twee minuten de eer komt opeisen.' Ik zucht inwendig om deze doorzichtige truc.

Ze ruikt aan de bloemen en lacht, ze is gewend aan zulke aandacht. 'Heb je je ouders nog kunnen ompraten over vanavond?'

Een zwaar gevoel drukt op mijn borst. 'Nee. Maar gelukkig mag ik wel naar het feest op de slotavond.' Ik heb vijf maanden lang precies gedaan wat ze zeiden, maar nu heb ik ze er eindelijk van kunnen overtuigen dat ik mijn vrijheid verdiend heb. Op de slotavond kan ik eindelijk weer met mijn vrienden uit, tenzij je de repetities en uitvoeringen van het toneelstuk en studeren in de bibliotheek onder uitgaan rekent. Voor het eerst sinds 'het incident', dat alleen in de fantasie van mijn ouders een 'incident' was. Hoe ik ze er ook van heb proberen te overtuigen dat er echt helemaal niks aan de hand was: ze geloofden me gewoon niet.

'Dan ga ik ook niet,' zegt Syd.

Ik geef haar een speelse stomp tegen haar arm. 'Doe niet zo gek. Je hebt een leuk feest meer dan verdiend. Pas alleen wel op dat je morgen niet met een kater en wallen onder je ogen aan komt zetten. Ik kan goed schminken, maar ik kan niet alles wegtoveren.'

Ze maakt de veters van haar korset los. 'Weet je het zeker? Van dat feest, bedoel ik. Want ik geloof heilig in jouw schminktalent.'

Ik help haar met de veters op haar rug. 'Tuurlijk. Vertel me morgen maar hoe het was. Of beter nog: mail een paar foto's, oké?'

Als zij en de andere acteurs de kostuums hebben uitgetrokken, verzamel ik ze en controleer ik snel of er voor de voorstelling van morgen nog een vlekje moet worden weggewerkt of dat er nog iets moet worden gestreken. Sydney omhelst me voordat ze met Greta en de anderen weggaat.

Een paar minuten later steekt Matthew zijn hoofd om de hoek van de deur. 'En hoe is het met Vey de durfal?'

Hoewel ik vlinders in mijn buik krijg als ik hem zie, probeer ik niets te laten merken en doe alsof ik de manchetten van een tweed jasje inspecteer. 'Prima.' Wat kan mij dat premièrefeestje schelen nu ik nog even met hem kan kletsen voordat ik naar huis moet. Mijn status zou inderdaad wel eens heel hoopvol kunnen zijn.

'Ga jij met Syd naar het feest bij Ashley?'

'Zij gaat wel, ik niet.'

'Nog steeds huisarrest? Waardeloos zeg. Je moet gewoon beter je best doen op school.' Hij en de meeste vrienden denken dat mijn ouders zo streng zijn omdat ik slechte cijfers haal, wat niet eens zo is. Alleen Sydney kent de echte reden.

'Ik mag gelukkig wel naar het feest na afloop van de slotvoorstelling. Maar ik moet om twaalf uur thuis zijn.' Als ik hem vertel dat ik binnenkort mijn vrijheid weer terugkrijg, wil hij daar zaterdag misschien wel samen met mij eens flink misbruik van maken.

Hij knikt naar de rozen. 'Weet ze al van wie die zijn?'

De adem stokt even in mijn keel. 'Hoe wist jij dat er geen naam op het kaartje staat?'

Hij knipoogt naar me. 'Ik heb zo mijn bronnen. Tot morgen.' Hij kijkt nog eens naar me, schudt langzaam zijn hoofd en zegt dan: 'Hmm, jij bent veel te leuk om achter de schermen te werken.' En hij vertrekt.

Is dat alles? Dit is onze kans om even samen alleen te zijn, en hij gaat gewoon weg. Ik krijg een knoop in mijn maag. En wat konden hem die bloemen eigenlijk schelen? Ik probeer geen overhaaste conclusie te trekken, maar overweeg alle mogelijkheden. Misschien is een vriend van hem verliefd op Sydney en probeert hij namens hem iets aan de weet te komen. Maar in zijn stem had iets onzekers, iets kwetsbaars doorgeklonken. Zou Matthew die bloemen voor haar hebben meegenomen? Alleen omdat ze zijn medespeelster is? Of zou er nog een andere reden zijn? Mijn enige troost is dat Sydney niet de moeite heeft genomen om ze mee naar huis te nemen.

Tandenknarsend haal ik een sleuteltje uit mijn portemonnee. Ik maak een kastje open met het geheime wapen van de mensen achter de coulissen. Een spuitflesje met een mengsel van wodka en water, een wondermiddel voor het opfrissen van kostuums. Mevrouw Santana heeft tegen me gezegd dat ze dit flesje nog nooit eerder aan een leerling heeft toevertrouwd. Ik ben blij dat er tenminste één volwassene is die mij nog vertrouwt, maar als papa en mama dit wisten zouden ze er vast een stokje voor steken.

Op de gang hoor ik voetstappen naderen. Tommy Toth, die de decors heeft ontworpen en over de techniek gaat, steekt zijn hoofd om de hoek van de deur. 'Ging goed vanavond, hè?'

Ik spuit wat vloeistof op een jurk met pailletten die een beetje muf ruikt. 'Ja, supergoed.'

'Iedereen is al weg. Als je klaar bent, loop ik wel even met je naar de auto.' Als er een prijs bestond voor het opvoeden van beleefde kinderen, zouden Tommy's ouders dik winnen. Toen we in de eerste klas zaten en samen verkeersbrigadier mochten zijn, bood hij al aan om het stopbord voor me te dragen.

Ik ga naar de andere kleedkamer om de kostuums van de jongens te bekijken. 'Dat hoeft niet hoor, ik sta vlak bij de uitgang.'

Hij loopt achter me aan. 'Alles goed?'

Ik vouw de broek van Matthew op die hij over een stoel heeft gegooid. 'Ja hoor. Het is alleen een beetje een drukke week geweest.'

Hij rekt zich uit. 'Ja, wij doen met z'n tweeën zo'n beetje alles wat er achter de schermen moet gebeuren.'

Wij zijn inderdaad de spil van het toneelstuk. Maar we krijgen er geen applaus voor. En ook geen rozen. Ik knipper mijn tranen weg en draai me naar hem om. 'Je hebt fantastisch werk gedaan, Tommy. Niemand zou zulke mooie decors hebben kunnen ontwerpen als jij.' Het podium kon binnen een minuut worden omgetoverd van een Afghaans dorpje in oorlogsgebied tot een dansclub in Tokio. Het toneelstuk is nogal multiculti.

Hij haalt zijn schouders op.

'Niet zo bescheiden. Jij verdient evenveel aandacht en applaus als de acteurs.'

'Het heeft ook zo z'n voordelen om niet midden op het podium te staan.'

Mijn wenkbrauwen schieten omhoog. 'Zoals?'

'Meer privacy.'

Ik lach, maar het klinkt een beetje spottend. 'Is dat dan een voordeel?'

Hij haalt opnieuw zijn schouders op. Ik ben net klaar met opvouwen als mijn mobiel piept. Ik haal hem tevoorschijn en zie dat ik een sms van mijn moeder heb. Of ik niet vergeet dat ik over drie kwartier thuis moet zijn. Zucht. Er wordt weer flink aan mijn halsband getrokken. Ik verwijder de sms en zie dan dat Matthew de LEF-site nog niet heeft afgesloten. Met de opdracht die ik volgens hem toch niet aandurf.

Ik kijk naar Tommy. 'Vind jij dat ik lef heb?'

Hij aarzelt. 'Lef? Hoezo? Ik vind in elk geval dat je veel uitstraling hebt. Weet je nog dat je in de eerste die tekst had bedacht op het schoollied?'

'Is dat waar mensen mij van kennen? Een stomme tekst die niet eens goed rijmde?' Ik laat hem zien wat er op het scherm van mijn mobiel staat. 'Zou jij aan zo'n spel mee willen doen?'

Hij leest de uitleg. 'Dacht het niet. Veel te riskant.'

'En ook niks voor mij zeker?'

'Dat heb ik niet gezegd.'

Ik bekijk de site nog eens. Er staat een lijst op met opdrachten die je kunt doen als je wilt meedingen naar een plek in de liveshows. Verder zijn er veel pop-ups waarin eeuwige roem wordt beloofd, en een filmpje van de winnaars van de vorige maand, die een filmpremière bijwonen en er prachtig uitzien. De twee meisjes die de finale hebben gehaald dragen dure sieraden die ze met hun opdrachten hebben gewonnen. De geluksvogels.

Ik bekijk de lijst. De meeste opdrachten zijn verschrikkelijk, maar er staat er ook een bij die nog wel te doen lijkt. Je moet een koffiebar binnenlopen, water over jezelf heen gooien en roepen: 'Van koud water word ik hot!' Klinkt nogal belachelijk, maar wel minder gevaarlijk dan nagellak stelen of zelfs maar doen alsof. Ik kijk op mijn horloge. Op weg naar huis kom ik langs een Starbucks. Als ik opschiet, kan het nog net. Misschien dat Matthew me dan eindelijk eens serieus neemt en ophoudt met me 'Veytje' te noemen, zelfs als hij me sms't. Sinds we allebei bij toneel zitten, stuurt hij me vaak sms'jes. Grappige en soms flirterige, vooral 's avonds laat.

Ik kijk naar Tommy. 'Heb je zin om iets geks te doen?'

Hij krijgt een kleur. 'Je gaat je toch niet opgeven voor dat spel, hè?'

'Tuurlijk niet. Daar is het volgens mij trouwens toch te laat voor. Maar zou het niet grappig zijn om zo'n opdracht te doen? Gewoon, om eens te kijken hoe dat is.'

'Nou, dat lijkt mij niks.' Hij knippert een paar keer, alsof hij last van zijn lenzen heeft. 'Je weet toch dat ze die filmpjes online zetten zodat iedereen ze kan zien? En voor de filmpjes in de voorrondes hoef je niet eens te betalen, dus die worden door superveel mensen bekeken.'

'Ja, dat lijkt me dus juist zo leuk.'

Hij houdt zijn hoofd een beetje scheef en kijkt me aan. 'Voel je je wel helemaal lekker?'

Ik loop naar de kast om het flesje op te bergen. 'Ik voel me prima. Maar je hoeft niet mee, hoor. Ik dacht alleen dat het wel leuk zou zijn.'

'Misschien wel, ja.' Hij knikt en denkt na. 'Goed. Als je het dan toch echt gaat doen, dan zal ik je wel filmen.'

O ja. Ik had er helemaal niet aan gedacht dat ik daar natuurlijk wel iemand voor nodig heb. Ik pak mijn tas en loop langs hem heen. Nu voel ik me net Lara Croft. 'Gaaf. Kom mee.'

Hij loopt snel achter me aan en kan me bijna niet bijhouden. 'We kunnen wel met mijn auto gaan.' Hij heeft van zijn ouders een Audi voor zijn verjaardag gekregen, een auto die in een actiefilm niet zou misstaan.

'Nee, ik ga liever met de mijne,' zeg ik. Het is tenslotte mijn opdracht.

Buiten motregent het een beetje, terwijl het eerder die avond droog was. Ik heb geen zin om nat te worden, en dat terwijl ik zo meteen een kan water over mezelf heen moet gooien. We rennen naar mijn auto, een tien jaar oude Subaru met een stuur dat rammelt als ik op de rem trap. Maar hij is van mij en het is een gezellige auto. We stappen in, ik rij.

Ik probeer mee te neuriën met een hip-hopliedje op de radio, maar ik ben schor. 'Denk je dat ze bij de Starbucks snappen dat ik een opdracht voor LEF doe?'

Hij kijkt naar het dashboard, alsof daar iets interessanters te zien is dan alleen een sticker op de volumeknop van de goedkope stereo met daarop de tekst PUMP UP THE VOLUME!

'Ik geloof niet dat die klanten tot de doelgroep van LEF behoren.'

Grappig hoe makkelijk het woord 'doelgroep' over zijn lippen komt, alsof hij bij een reclamebureau werkt. Mijn vader zou zoiets ook kunnen zeggen. Ik krijg opeens een vervelend gevoel als ik weer het bleke gezicht van mijn vader voor me zie toen hij een paar maanden geleden in het ziekenhuis naast mijn bed zat en hoofdschuddend zei dat hij het nooit van mij had verwacht. Dat meisjes zoals ik niet met draaiende motor in een afgesloten garage zaten. Inderdaad, had ik geantwoord.

Ik zet de gedachte van me af. 'Dus ik moet mezelf voor schut zetten voor mensen die geen idee hebben dat het voor een spel is. Heel fijn.' Vorige maand zei de presentator van de liveshow tijdens het programma dat de deelnemers tegen niemand mochten zeggen dat ze aan een spel meededen.

Tommy kijkt me met opgetrokken wenkbrauwen aan, maar hij is te beleefd om 'ja, duh' te zeggen. In plaats daarvan vertelt hij me over een documentaire die hij heeft gezien over een bedrijfskundeopleiding in Japan waar de studenten in drukke winkelstraten liedjes moeten zingen om over hun verlegenheid heen te komen.

'Misschien steek je er nog iets van op,' zegt hij.

Ik kijk eens goed naar hem. Eigenlijk is hij best knap, knapper dan ik eigenlijk dacht, hoewel we nooit meer dan alleen goede vrienden zullen zijn. Met zijn frisse hoofd, zijn energieke manier van doen en zijn ouders die rijk zijn geworden op de beurs, zal hij het waarschijnlijk nog voor de schoolreünie over tien jaar helemaal hebben gemaakt in de politiek.

Opeens schiet me te binnen dat ik nog niet al mijn gegevens op de LEF-site heb ingevuld en ik vraag of hij dat even voor me wil doen.

Hij zet zijn mobiel aan en leest de vragen voor. Ik dicteer mijn adres, telefoonnummer, e-mailadres en geboortedatum (24 december, net een dag te vroeg dus). Als contactpersonen in geval van nood, wat me een tikje overdreven lijkt voor een opdracht die nog geen twee minuten zal gaan duren, vul ik Sydney, Liv, Eulie en Tommy in. En Matthew ook nog, voor de grap.

Vijf minuten later, nadat ik twee keer een rondje heb gereden om een parkeerplaats te vinden, zie ik een eindje voorbij de Starbucks eindelijk een plekje. Het is inmiddels behoorlijk afgekoeld, dus ik zal het wel koud krijgen als ik straks kletsnat terug naar de auto moet lopen. Als ik het tenminste echt ga doen, want ik begin een beetje te twijfelen.

Ik geef mijn jas aan Tommy. 'Wil jij deze voor me vasthouden? Dan heb ik straks iets droogs om aan te trekken.'

'Zal ik voor de zekerheid je tas ook maar nemen, dan heb je je handen vrij.'

Welke andere jongen zou zo attent zijn en eraan denken om op mijn spullen te passen? 'Ja, goed idee.'

Hij houdt mijn tas en jas voorzichtig vast, alsof hij bang is dat er iets mee gebeurt. Wat niet eens een ramp zou zijn, want ik heb alles voor de helft van de prijs gekocht bij Vintage Love, de winkel waar ik een baantje heb.

We lopen de Starbucks in. Ik krijg hartkloppingen als ik zie hoe vol het er is. Een opdracht kiezen uit een lijstje op je telefoon is nog wel even iets anders dan het ook echt doen. In de schijnwerpers staan, dat is dus precies wat ik niet durf. Bij de audities voor het toneelstuk van school ben ik weggelopen, en als ik een presentatie moet houden op school, sta ik te zweten voor de klas en kan ik wel door de grond zakken. Dus waarom wil ik dan in vredesnaam aan zo'n spel meedoen?

Ik haal diep adem en zie weer voor me dat Matthew op het toneel Sydney kust terwijl ik in de coulissen sta toe te kijken. Ik doe dit natuurlijk om iets te bewijzen, denk ik. Ik kan zo als voorbeeld in een psychologieboek.

Tommy ziet twee lege stoelen aan de grote leestafel in het midden van de zaak en legt daar onze spullen neer. Dan prutst hij aan zijn telefoon. 'Op die site staat dat ik het filmpje live moet uploaden zodat we niet met de opname kunnen knoeien. Zeg maar wanneer je er klaar voor bent, dan begin ik te filmen.'

'Oké.' Ik loop langzaam naar de rij voor de bar en vecht tegen het akelige gevoel dat mijn benen het elk moment kunnen begeven. Ik moet echt mijn best doen om de ene voet voor de andere te zetten; het is alsof ik door een zwembad vol stroop moet lopen. Ademhalen, denk ik, gewoon doorgaan met ademhalen. Rook het hier maar niet zo sterk naar koffie. Er is hier vast iets mis met de ventilatie. Mijn kleren en mijn haar zullen er zeker naar gaan stinken. Zal mijn moeder dat niet merken?

Het stel voor mij overlegt of ze 's avonds wel chai-thee moeten nemen, omdat daar cafeïne in zit, en de vrouwen die voor hen staan bestoken het barmeisje met vragen over het aantal calorieën. Hun geklep irriteert me. Ik krijg zin om te roepen dat mensen die zich druk maken over calorieën beter niet in een zaak kunnen komen waar tien soorten gebak te koop zijn.

Ik zwaai naar een van de jongens achter de bar om zijn aandacht te trekken. Hij glimlacht alleen maar naar me en gaat door met zijn espresso's. Ik zie op de klok dat het 21.37 uur is. Shit, over drieëntwintig minuten moet ik thuis zijn, en het dringt opeens tot me door dat ik Tommy ook nog naar zijn auto moet brengen. Ik dring naar voren, wat me een paar geïrriteerde opmerkingen oplevert van de andere klanten. Als ze zien wat ik ga doen, houden ze vast hun mond. Niemand bemoeit zich graag met een gestoorde gek. Op de bar staan een kan water en een stapel plastic bekers. Ik pak de kan en loop terug naar Tommy, waarbij ik probeer om niet te knoeien, wat niet makkelijk is, want ik tril als een rietje.

Negen over half. Ik haal diep adem en knik naar Tommy, die op zijn telefoon wijst en iets zegt wat ik niet kan verstaan. Een paar mensen om ons heen trekken verbaasd hun wenkbrauwen op of werpen me boze blikken toe. Tommy grijnst naar me en steekt zijn duim op, waardoor er een dankbaar gevoel door me heen golft. Dit had ik in m'n eentje nooit kunnen doen. Maar misschien kan ik het nog steeds niet. Ik blijf maar bibberen en ik vecht tegen mijn tranen. Shit, wat ben ik toch een schijterd. Geen wonder dat ik bij de toneelauditie geen woord kon uitbrengen.

Ik staar naar de klok en krijg opeens een soort tunnelvisie. Alles om me heen wordt donker. Ik zie alleen nog die klok, die doortikt als de klok in het verhaal van Edgar Allan Poe dat we laatst op school hebben gelezen. *Het verraderlijke hart.* Dit is belachelijk: ik hoef alleen maar één kannetje water over me heen te gooien en één zinnetje op te zeggen. Syd zou zó een hele emmer water over haar hoofd kieperen en daarna haar lievelingslied uit *Les Miserables* zingen. Maar ja, ik ben Syd niet.

Mijn hart begint steeds sneller te bonzen en ik word een beetje duizelig. Elke vezel in mijn lijf staat gespannen en ik wil het liefst wegrennen. Of gaan gillen. Of allebei. Ik zeg tegen mezelf dat ik rustig moet blijven ademhalen. Die opdracht is zo voorbij, nog maar een paar afschuwelijke seconden. Ik strijk over mijn wang. De klok springt op 9.40 uur en ik schraap mijn keel.

Zou ik het echt kunnen? Dat vraag ik me nog steeds af terwijl ik de kan boven mijn hoofd hou. Ongelofelijk dat mijn arm me gehoorzaamt. Met een stem die nauwelijks harder klinkt dan gefluister zeg ik: 'Van koud water word ik hot!' En ik giet een paar druppels op mijn hoofd.

Tommy kijkt alsof hij me niet goed heeft verstaan.

Ik schraap mijn keel en zeg dan harder: 'Van koud water word ik hot!' Ik giet de rest van het water over mijn hoofd. Door de plotselinge kou wordt mijn hoofd weer helder. O god, ik heb het echt gedaan! Nu ik sta te druppen wilde ik meer dan ooit dat ik door de grond kon zakken.

Een vrouw gilt en deinst naar achteren. 'Wat doe jij?!'

'Sorry,' zeg ik, terwijl het water van mijn neus drupt. Ik weet dat ik iets moet doen, maar ik sta als aan de grond genageld. Alleen mijn ogen functioneren nog en zien elk detail, elke spottende blik. Met uiterste krachtsinspanning doorbreek ik mijn verlamming en veeg het water van mijn gezicht. Een jongen vlak bij me maakt een foto. Ik kijk hem boos aan en dan maakt hij er nog een.

Tommy legt zijn mobiel neer en staart me met grote ogen aan. 'Eh, Vey, je shirt...' Hij wijst geschrokken naar mijn borst. Ik kijk naar beneden, maar dan komt een barman op me af met een dweil. Hij kijkt vol afkeuring naar de plas water op de grond.

'Ik doe het wel,' zeg ik, en ik wil de dweil pakken. Waarom heb ik er niet aan gedacht om een paar servetten van de bar mee te nemen?

Hij houdt de dweil buiten mijn bereik. 'Ik dacht het niet,' zegt hij vol wantrouwen. 'Ga alsjeblieft aan de kant. En als je toch niks koopt, kun je vertrekken.'

Gelul. Hij doet net alsof ik in zijn blender heb gespuugd of zo. 'Sorry.' Ik loop snel naar de uitgang. De buitenlucht slaat me tegen de borst. Het lijkt wel alsof ik in Lake Washington ben gesprongen.

Tommy haalt me in en geeft me mijn jas. 'Trek aan, nu!'

Ik kijk in het licht van de lantaarn naar mijn shirt en schrik. Toen ik dat water over me heen gooide, had ik er niet aan gedacht dat ik een wit katoenen shirtje aanheb. Met daaronder een dunne zijden beha. Ik weet alles van toneelkostuums, ik werk zelfs in een kledingzaak, dus ik had toch moeten weten wat het effect is als die stof doornat wordt. Het is alsof ik aan een *wet t-shirt*-wedstrijd meedoe. Terwijl ik werd gefilmd.

Hoe heb ik in godsnaam zó stom kunnen zijn?

2

Ik gris Tommy's mobiel weg. 'Je moet dat filmpje verwijderen!'

'Dat kan niet. Het was een *livestream*.'

Ik hou mijn jas voor mijn borst. 'Waarom stopte je niet met filmen toen je zag dat ik zowat in mijn blootje stond!'

Hij krabt op zijn achterhoofd. 'Ik was zo druk met proberen om jou in beeld te houden dat ik het pas zag toen ik mijn mobiel wegdeed. Maar geen paniek, oké? Op film ziet het er vast heel anders uit, mijn camera is niet zo scherp en bovendien was het daarbinnen een beetje schemerig.' Maar hij kijkt niet erg overtuigd.

'Kun je het niet nagaan of zo?' Shit, denk ik, waarom heb ik nou uitgerekend vandaag mijn roze beha niet aangedaan, die voorgevormde?

'Nee, mijn mobiel bewaart geen kopie van videochats. Kost te veel geheugen.'

We stappen in mijn auto en ik trek met veel moeite en met mijn rug naar hem toegekeerd mijn jas aan. Eigenlijk wil ik hier blijven om een oplossing te bedenken, alsof er een oplossing bestaat. Maar over een kwartier moet ik thuis zijn. Ik start, zet de verwarming op de hoogste stand, en rij terug naar het theater.

Tommy doet iets op zijn telefoon. 'Misschien kan ik je aanmelding nog ongedaan maken.'

'Ja, doe maar! Zeg dat ik geen toestemming geef!'

Na een paar minuten schraapt hij zijn keel. 'Hier staat dat alle inzendingen hun eigendom zijn. Door je aan te melden voor het spel, heb je je rechten afgestaan.'

Ik sla op het dashboard. 'Shit!'

Daarna zeggen we tot aan de parkeerplaats niets meer. Voordat hij uitstapt zegt hij: 'Er staan vast duizenden filmpjes op die site, en de meeste zijn waarschijnlijk nog veel en veel erger. Mensen doen echt rare dingen om te worden uitgekozen voor die liveshows.'

'Ik hoop maar dat je gelijk hebt. Ik moet trouwens weg, ik moet over negen minuten thuis zijn, anders... Nou ja, dat moet gewoon.'

'Ik beloof dat ik het aan niemand zal vertellen.' Hij legt zijn hand op zijn hart en doet het portier dicht.

Met een verdoofd gevoel rij ik weg. Hoe heb ik zo stom kunnen zijn? Het is helemaal niks voor mij om zoiets onbezonnens te doen. Verlegen, hardwerkend, trouw; ik heb al die typische eigenschappen van het sterrenbeeld Steenbok.

Ik rij keihard naar huis, ook al iets wat ik anders nooit doe. Maar toch nog niet hard genoeg. Als ik de gang binnenkom tussen onze garage en de achterkant van ons huis is het twee minuten over tien.

Mama zit als een politieagent te wachten. 'Waar kom jij vandaan?'

'Uit het theater. Er was iets met de kraan van de wastafel in de kleedkamer, ik ben helemaal natgespetterd. Ik moest me eerst nog afdrogen, sorry dat ik ietsje te laat ben.' Ik word misselijk van mijn eigen leugens, maar niemand heeft er iets aan als ik zeg wat er werkelijk is gebeurd.

Ze kijkt me streng aan. 'Je hebt beloofd dat je om tien uur thuis zou zijn.'

'Mam, toe! Het was een ongelukje!' Terwijl ik het zeg, besef ik dat ik dat beter niet had kunnen doen. Mijn ouders slaan meteen op tilt bij het woord 'ongeluk', zelfs nu nog, na vijf maanden.

Mijn vader komt vanuit de keuken de kamer binnen. 'Alles goed?' Niet normaal gewoon, dat ouders om tien uur 's avonds al ongerust op hun dochter van zestien jaar zitten te wachten.

Ik trek de rits van mijn jas verder omhoog en strijk mijn haar naar achteren. 'Ja hoor, alleen natgespetterd bij de wastafel. Sorry.'

Mijn vaders stem is ontspannen, maar zijn gezicht niet. 'Waarom heb je niet even gebeld?'

'Ik dacht dat ik wel op tijd zou zijn. Maar ik had net één rood stoplicht te veel.' Hopelijk kunnen ze niet nagaan hoeveel stoplichten er 's avonds onderweg van school naar huis op rood staan en kunnen ze me niet op deze nieuwe leugen betrappen.

Hij gaat naast mijn moeder staan. Ik sta een meter voor ze en wil niets liever dan mijn natte kleren uittrekken. Ze kijken elkaar aan.

Ik doe mijn armen over elkaar. 'Al mijn vrienden zijn nu op dat feest. Ik moest de kostuums nog controleren en die wastafel repareren. Is dat niet al genoeg straf voor die twee minuten dat ik te laat ben?'

Opnieuw kijken ze elkaar aan. Dan slaakt mijn vader een zucht. 'Oké. We geloven je.' Ik krijg opnieuw een schuldgevoel, maar eigenlijk heb ik niet echt iets verkeerd gedaan. Tenzij jezelf te kijk zetten voor god mag weten hoeveel online kijkers verkeerd is.

'Bedankt. Ik ga maar eens naar bed. Morgen weer naar school.' Ik hou mijn adem in en hoop van harte dat ik niet al te overdreven mijn rol van brave verantwoordelijke dochter speel.

'Truste, lieverd,' zeggen ze tegelijk, waarna ze me allebei omhelzen. Soms denk ik wel eens dat alles een stuk simpeler zou zijn als ik geen enig kind was. Zouden ze te oud zijn om er nog een te maken? Getver, daar moet ik maar niet te veel over nadenken.

Terwijl ik boven mijn pyjama aantrek en mijn tanden poets, denk ik terug aan de gebeurtenissen van die avond. Hopelijk heeft Tommy gelijk en valt mijn filmpje in het niet bij de stortvloed aan inzendingen. Toch lig ik de hele nacht onrustig te woelen; ik kan niet in slaap komen en geef het tenslotte om vijf uur 's ochtends maar op. Nu heb ik nog twee extra uren voordat ik me klaar moet maken om naar school te gaan, dus genoeg tijd om huiswerk te maken of iets anders nuttigs te doen. Maar het eerste wat ik doe als ik uit bed stap is mijn mobiel aanzetten. Of wacht, ik kan die filmpjes op de site sneller op mijn computer bekijken. Ik ga aan mijn bureau zitten en zet met trillende handen de laptop aan.

Het duurt een tijdje voordat ik op de LEF-site ben en snap hoe alles werkt. Terwijl ik door de menu's klik, verschijnt er een pop-up-schermpje waarin staat dat een jongen die aan de eerste liveshow meedeed een reis naar Italië heeft gewonnen waar hij een week mocht meetrainen met het Italiaanse team van de Tour de France. En dat een van de meisjes naar een sollicitatiegesprek mocht voor een baan bij MTV. Ze laten foto's zien van de lachende winnaars. Niet slecht voor één vervelende avond.

Als ik de site bekijk, klaart mijn humeur op. Meer dan vijfduizend mensen uit het hele land hebben filmpjes ingestuurd om een plaats in de show te bemachtigen. Zaterdagavond, morgen dus, kiest LEF de deelnemers uit twaalf steden en beginnen ze met de liveshows. De vorige keer hebben ze daarna de beste spelers uit de liveshows geselecteerd: de helft mocht meedoen aan de grote finale in New York en de andere helft in Las Vegas.

Ik zie tot mijn opluchting dat de café-opdracht door het kleinste aantal mensen is gekozen. Waarschijnlijk omdat het zo makkelijk leek, en dus het saaist is. Ik klik op de categorie en scroll door de filmpjes tot ik bijna een hartstilstand krijg van schrik.

Ik zie een stilstaand beeld van mijn gezicht, dat vertrokken is van afschuw en glinstert van de waterdruppels. Eronder geeft een klein balkje aan dat er tachtig mensen commentaar op mijn filmpje hebben gegeven. Foute boel. Dat is meer dan twee keer zoveel als voor de andere filmpjes in deze categorie.

Ik haal diep adem en klik op het beeld om het filmpje af te spelen. Daar sta ik. Met een ongelukkig gezicht kijk ik van de klok aan de muur naar Tommy's camera. Wat voel ik me stom! En zo zie ik er ook uit. Hoe ben ik in godsnaam op het idee gekomen om die opdracht te kiezen? Alleen omdat Sydney een bos rozen kreeg en ik niet? Belachelijk. Aan zoiets zou ik inmiddels toch gewend moeten zijn.

Ik hoor Tommy's stem: 'Dit is het liefste en verstandigste meisje dat ik ken. Ze is iets van plan wat heel ver buiten haar comfortzone ligt. Gaat ze het echt doen?'

Ik wist niet dat Tommy commentaar had ingesproken. Op het filmpje aarzel ik, alsof mijn antwoord nee is, natuurlijk ga ik dit niet echt doen. Heel even hoop ik dat het niet echt is gebeurd, dat ik alles heb gedroomd. Maar het meisje op het beeldscherm giet de kan water over haar hoofd en sputtert wat.

'O...' is Tommy's commentaar.

Dan toont het filmpje een kletsnat meisje met kleine borstjes die zich heel duidelijk onder haar dunne, natte shirt aftekenen. Mijn ergste nachtmerrie is werkelijkheid geworden.

Als ik door de commentaren onder het filmpje scroll, word ik misselijk. 'Mooie doperwtjes!' schrijft iemand. En dat is nog aardig vergeleken met sommige andere opmerkingen. Ik klap de laptop dicht, duik weer in bed en trek het dekbed over mijn hoofd.

Een uur later hoor ik dat ik een sms krijg. Ik negeer het, en de volgende ook. Zouden mijn vrienden het filmpje hebben gezien? Ik kruip nog verder weg onder mijn dekbed.

Om halfacht roept mijn moeder me. 'Ben je al wakker, lieverd? Straks kom je te laat!'

'Ja, ik kom er zo aan!'

'Mag ik binnenkomen?'

'Eh, wacht even.' Snel trek ik een spijkerbroek en een shirtje aan, ik onderdruk een geeuw en doe de deur open.

Mijn moeder tuurt over mijn schouder de kamer in, waarschijnlijk om te kijken of ze een heroïnespuit of een crackpijp ziet. 'Ik heb gisteren aspergesoep gemaakt, wil je daar wat van mee naar school in een thermosbeker?'

'Ja, graag. Bedankt.'

Als ze de deur heeft dichtgedaan, ren ik naar mijn mobiel. De sms'jes van Sydney en Liv gaan over het feest van gisteravond, ze zeggen dat ze me gemist hebben. Het laatste sms'je is van Tommy: 'Bel me!'

Dat doe ik. Als hij opneemt, val ik met de deur in huis: 'Ik heb het gezien, het is afschuwelijk. En waarom heb je dat commentaar ingesproken?' Dat commentaar kan me eigenlijk niks schelen; ik begin er alleen over zodat ik niet hoef te vragen wat hij van mijn borsten vond.

'Nou, het leek me wel leuk om iets te zeggen, en bovendien had je dan een goed excuus. Voor het geval dat...'

'Voor het geval ik toch te laf zou zijn?'

'Voor het geval je van gedachten zou veranderen. Dat zou heus geen schande zijn geweest.'

Ik masseer mijn slaap. 'Nou ja, in elk geval bedankt. Wat jij zei was trouwens veel aardiger dan de commentaren die erbij gezet zijn. Heb je die gelezen? Echt afschuwelijk.'

Hij schraapt zijn keel. 'Gewoon negeren. Het is heus niet zo vreselijk als je denkt. Bij sommige opdrachten staan nog veel ergere opmerkingen. Bijvoorbeeld bij die blote billen-opdracht.'

'Kan ik ze niet dwingen om het eraf te halen? Is het niet illegaal om een filmpje te laten zien van een minderjarige waarop je haar eh... waarop ze halfbloot is?'

'Dat zou dan ook voor die blote billen gelden, maar die staan er ook gewoon nog op. Trouwens, op die site van LEF staan alleen inschrijvingsformulieren en die filmpjes, maar verder geen contactgegevens. Ik kan ze zelfs niet via de *hostingsite* vinden. Volgens mij zitten ze in het buitenland en gebruiken ze verschillende servers.'

'Dus dat heb je al geprobeerd? Wauw, bedankt, Tommy.'

'Als wij het geen van beiden aan iemand vertellen, is de kans groot dat niemand die wij kennen dat filmpje ooit zal zien. En als LEF morgen met die liveshows begint, let sowieso niemand er meer op.'

Ik wil niets liever dan hem geloven. Het klinkt logisch wat hij zegt en zijn stem is heel geruststellend. 'Oké. Wat er in de Starbucks is gebeurd, blijft onder ons,' zeg ik.

'Hand op m'n hart.'

Ik bedank hem en hang op. Ik ben nog steeds een beetje bibberig en zenuwachtig als ik naar school ga, maar daar doet iedereen heel gewoon. Voor het eerst ben ik blij dat we op school geen mobieltjes mogen gebruiken, behalve dan in noodgevallen. Ik probeer te vergeten wat er is gebeurd, en tegen de tijd dat het pauze wordt, is de ergste paniek over.

's Middags kom ik Tommy tegen bij de kluisjes. 'Tot nu toe niks aan de hand,' zeg ik zacht.

Na school maak ik snel mijn huiswerk. Ik eet vroeg, ook al heb ik nauwelijks trek, en ik beloof mijn moeder dat ik deze keer echt stipt op tijd thuis zal zijn. Om vijf uur ga ik naar het theater, waar het al gonst van de spanning voor de voorstelling. Als ik op weg ben naar Tommy, die bij het licht en geluid zit, komt Sydney naar me toe met een recensie waarin staat dat er op Chinook High School een paar potentiële sterren zitten, met een foto van Sydney die Matthew een klap geeft.

'Dat vind ik zelf ook zo'n geweldige scène,' zegt ze stralend.

Matthew komt bij ons staan en wrijft over zijn wang, alsof die nog steeds zeer doet. 'Volgens mij iets te geweldig.'

Ik kijk naar ze, en zoek naar tekenen van verliefdheid. Sydney kijkt alleen maar geërgerd en loopt naar de meisjeskleedkamer. Matthew kijkt haar nog wel even na, maar draait zich dan weer naar mij om.

Hij tikt met zijn wijsvinger tegen mijn neus. 'Klaar om mijn make-up te doen, Veytje?'

'Ja hoor.' Ik pak mijn grimeerdoos en ga met hem naar de jongens-kleedkamer, waar verder nog niemand is.

Ik vul een glas water bij de wastafel en pak de foundation. Matthew doet een haarband om. Ik maak een sponsje nat en knijp het uit. Als ik naast hem sta en de foundation aanbreng op zijn gezicht, legt hij zijn hand op mijn heup. Volgens mij kan ik de warmte van zijn hand zelfs door de stof heen voelen.

'Ik heb je gisteren gemist bij Ashley.' Zijn stem klinkt een beetje schor.

Wow, zoiets heeft hij nog nooit eerder tegen me gezegd. Misschien is het tussen ons inderdaad 'hoopvoller' dan ik dacht.

'Ja, balen, ik kon niet. Maar het was toch op een schooldag. Het feest van morgen wordt vast nog leuker.'

'Kun je vanavond dan ook niet? Zelfs niet even mee ergens koffiedrin-ken of zo?' Hij knijpt in mijn heup.

Koffie? Mijn hart slaat van schrik een slag over. Hij zal dat filmpje toch niet hebben gezien?

'Nee, helaas, maar morgen ben ik er weer bij.' Met trillende vingers pak ik de contourcrème voor de zijkanten van zijn neus en zijn kaaklijn.

Ik zou hem het liefst vragen waarom hij opeens over koffiedrinken be-gint, maar dan komen er een paar jongens binnen. Ze pakken hun kos-tuums en verdwijnen achter een gordijn om zich te verkleden. Er komen nog meer mensen binnen, dus de kans op een gesprekje onder vier ogen met Matthew is verkeken. Als ik klaar ben met hem, schmink ik de ande-re acteurs. Daarna ga ik naar de meisjeskleedkamer, maar daar hoef ik al-leen wat laatste details aan te brengen, want de meeste meisjes weten zelf wel wat ze aan hun make-up en hun haar moeten doen. Dat komt goed uit, want ik moet opschieten om op tijd het doek te openen voor het eerste bedrijf. Eigenlijk zou iemand anders dat moeten doen, maar ie-dereen is erg druk met het decor en de rekwisieten voor het Afghaanse dorpje.

Als het toneelstuk is begonnen blijf ik nog even in de coulissen om te kijken of alles goed gaat en iedereen eruitziet zoals de bedoeling is. Daar-na ga ik terug naar de kleedkamers om mijn grimeerdoos op te ruimen. Ashley en Ria staan zacht met elkaar te praten, maar houden daar meteen mee op als ik binnenkom. We zijn geen beste vriendinnen of zo, maar zo raar doen ze anders nooit.

Ik pak de gebruikte sponsjes en gooi ze weg. 'Zo te horen was het feest gisteren erg leuk. Jammer dat ik niet mocht van mijn ouders.'

Ashley knikt. 'Ja, snap ik.' Ze spuit nog wat lak op haar haar, hoewel haar kapsel al stijf staat van de lak. 'Maar eh, verder alles goed met je, Vey?'

Ik schrik. Die vraag stelde iedereen me ook toen ik vijf maanden geleden een week in het ziekenhuis had gelegen. Ik reageer op de automatische piloot. 'Ja hoor, prima. Hoezo?'

'O, zomaar. Je ziet er alleen een beetje moe uit.'

Geweldig, dat is precies wat vrouwen van de leeftijd van mijn moeder tegen elkaar zeggen als ze eigenlijk bedoelen: je ziet er oud uit. 'Nou, dan moet ik zelf ook maar wat schmink opdoen.' Ik lach geforceerd en loop haastig naar de jongenskleedkamer.

Daar kijken John en Max me met een vreemd lachje aan. Of verbeeld ik me dat nou? Ik lijk wel paranoïde; die gasten lachen altijd raar. Ik kijk ze niet aan, ruim mijn spullen op en ga naar de branduitgang, waar dankzij de strenge rookvoorschriften van Seattle niemand is.

Ik pak mijn mobiel en open de LEF-site. Er staan nu honderdvijftig commentaren bij mijn filmpje. Ik weet niet of ik ze wel durf te lezen: van de ene kant ben ik doodsbang wat er nu weer over mij wordt geschreven, maar eigenlijk voel ik me ook wel een beetje gevleid door zo veel aandacht. Toch durf ik het nog niet, dus ik ga naar mijn favoriete internetwinkel en doe een duur haarverzorgingsmiddel in mijn winkelwagentje, hoewel ik eigenlijk beter naar de kapper kan gaan.

Ik huiver als ik eraan denk dat ik zo weer naar binnen moet om het doek te laten vallen voor de pauze. Kan ik niet iemand anders vragen om dat voor me te doen? Maar dat doe ik natuurlijk niet. Daar ben ik veel te verstandig en verantwoordelijk voor, ook al denken mijn ouders de laatste tijd het tegenovergestelde.

Ik haal diep adem en ga weer naar de coulissen. Zodra het bedrijf afgelopen is en ik het doek voor de pauze heb gesloten, haast ik me terug naar de branduitgang, maar Sydney onderschept me. 'Ik wil even met je praten,' zegt ze.

Daar zal je het hebben. Ik loop gewoon door, maar ze gaat met me mee naar buiten en trekt aan mijn arm. 'Matthew zei net tegen me dat jij meedoet aan LEF. Is dat zo?'

De lucht ontsnapt uit mijn longen en mijn knieën worden slap. Ik leun tegen de ruwe bakstenen muur. 'Oké, niet boos worden. Maar ik zat gisteravond zo te balen dat ik niet mee naar Ashley kon, dat ik een van die opdrachten van de voorrondes heb gedaan.'

Het lijkt wel of ze een eindje de lucht in schiet. 'Wát?'

'Ja, stom, ik weet het. En het ging ook helemaal mis. Ik moest water over mijn hoofd gooien, maar de helft ging over mijn shirt, daar kon je toen dwars doorheen kijken en... god, het is echt verschrikkelijk.' Ik sla mijn handen voor mijn gezicht.

'Rustig maar, het valt vast wel mee,' zegt ze. 'We moeten er gewoon iets aan proberen te doen. Waar is je mobiel?'

Ik wijs met mijn elleboog naar mijn broekzak, want ik durf mijn handen niet voor mijn gezicht weg te halen. Ze pakt mijn mobiel en ik hoor dat ze hem aanzet. Ze weet natuurlijk precies waar ze moet kijken, LEF-wannabe die ze is. Heel even ben ik trots dat ik iets heb gedaan wat zij ook wel zou willen, maar dat gevoel ebt snel weg als ik me realiseer dat zij natuurlijk nooit zo stom geweest zou zijn om het zo te laten mislukken.

'Welke opdracht was het?' vraagt ze.

'Die met dat water in het café,' mompel ik.

Het blijft even stil. Dan zegt ze: 'Ja, ik zie het.'

Ik laat mijn handen zakken. 'Ik zei het toch.'

Ze kijkt ernstig. 'Oké, even denken.' Syd is niet alleen blond en mooi, maar ook slim en verstandig.

'Er is toch niks aan te doen. Ik wil alleen nog maar naar huis.'

'Ben je gek, als je wegloopt, lijkt het alleen nog maar erger. Bovendien is dat filmpje nou ook weer niet zó erg. Je bent niet naakt of zo. Trouwens, misschien werkt het nog wel in je voordeel. Er zijn sterren genoeg die beroemd zijn geworden door een uitgelekte sekstape.'

'Ja, maar ik hoef niet bekend te worden door een of andere domme realityshow.'

'Snap ik, maar de meisjes die zoiets is overkomen, hebben het gered door hun rug recht te houden en met opgeheven hoofd verder te gaan.

Dus vooral nooit je excuses aanbieden. Als iemand erover begint, gewoon lachen en je schouders ophalen, zo van: tja, zoiets kan de beste overkomen.'

Ik pak mijn mobiel terug en scroll door de commentaren. En ja hoor, er is er een bij van Matthew: VEYTJE, IK WIST NIET DAT JE HET IN JE HAD!

Heel fijn. Ik sluit de site af en check mijn e-mail. Ik heb een paar mailtjes van vrienden met WTF in de onderwerpregel, en nog een paar mailtjes van mensen die ik vaag ken, met veel vraagtekens en uitroeptekens. Een meisje dat ik niet eens ken, scheldt me uit voor slet. Hoe komt zij aan mijn mailadres? Ik verwijder het mailtje en zet mijn mobiel uit.

Syd houdt de deur voor me open. 'Ben je er klaar voor?'

'Ik hoop het.' Ik probeer mijn rug recht en mijn hoofd opgeheven te houden als we weer de meisjeskleedkamer binnenkomen. Vanuit mijn ooghoeken zie ik dat er gezichten mijn kant op gedraaid worden.

Als we in de kleedkamer staan, zegt Sydney: 'Mijn beste vriendin heeft het lef gehad om mee te doen aan een LEF-game!'

De andere meisjes kijken eerst wat geschrokken, maar als ik glimlach en mijn schouders ophaal, beginnen ze te giechelen en geven me een high five. Echt waar? Ze vragen of ik zenuwachtig was, of ik dat doorkijkshirt expres had aangetrokken, enzovoort. Ik geef op alle vragen eerlijk antwoord, kijk iedereen rustig aan en hou mijn rug recht. Hoe meer ik erover vertel, hoe meer ik me op mijn gemak begin te voelen.

Matthew komt binnen met een wellustige grijns op zijn gezicht. 'Zó, Starbucks-meisje! Doe mij maar een espresso met dubbel slagroom!' Ik laat me door hem stevig omhelzen en vecht tegen mijn schaamte. 'Ik zei toch dat jij op het toneel thuishoort,' fluistert hij in mijn oor.

Als hij me loslaat, pakt hij zijn mobiel en opent de LEF-site. Iedereen gaat om hem heen staan als hij het filmpje laat zien. Ik lach hardop met de anderen mee, maar ik wil niets liever dan dat hij het uitzet. Hou je rug recht, hou je rug recht. Hopelijk zal het me na verloop van tijd in zulke rampzalige situaties beter lukken om te doen alsof ik blaak van zelfvertrouwen. Als Matthew het filmpje twee keer heeft laten zien, komt Tommy met een verbaasd gezicht binnen.

Matthew houdt zijn mobiel omhoog. 'Hé, gast, heb jij Veys filmpje al gezien?'

'Tommy heeft het zelf gefilmd,' zeg ik.

Iedereen kijkt verbaasd en Matthew slaat Tommy op zijn schouder. 'Vet! Straks is de backstage crew nog beroemder dan de cast!'

Iedereen lacht en Matthew laat het filmpje nog een keer zien. Tommy kijkt me vragend aan en ik haal mijn schouders op. Gelukkig gaat het lampje boven de deur knipperen, wat betekent dat de pauze bijna afgelopen is.

Als Matthew de kleedkamer uit loopt, leg ik mijn hand op zijn arm en vraag: 'Hoe heb je dat filmpje trouwens gevonden?'

Hij haalt zijn schouders op. 'Ik kreeg de link doorgestuurd.' En hij loopt gehaast door naar de coulissen.

Daar sta ik in mijn eentje in de kleedkamer, een beetje buiten adem alsof ik net een hardloopwedstrijd heb gelopen. Waarom heeft LEF dat filmpje uitgerekend naar Matthew gestuurd? Opeens dringt het tot me door. Ik had hem ook opgegeven als contactpersoon voor noodgevallen. Raar dat ze die link niet naar Syd en Tommy hebben gestuurd.

Hoewel ik het liefst weer terug wil naar de branduitgang, probeer ik zo gewoon mogelijk te doen en ga ik in de coulissen staan kijken of alles goed gaat. *The show must go on.* En dat gebeurt ook, het gaat zelfs nog beter dan op de première. Bij de toneelkus stel ik me voor dat Matthew mij in zijn armen neemt. En ik weet zeker dat hij naar mij kijkt vlak voordat hun lippen elkaar raken. Eenentwintig, tweeëntwintig, drieëntwintig, en dan laten ze elkaar los. Misschien is het morgen op het feest wel mijn beurt.

Als het toneelstuk afgelopen is, komen mijn vriendinnen Liv en Eulie naar de kleedkamer om iedereen te feliciteren en ongetwijfeld ook om te kijken hoe het met mij gaat, want allebei hebben ze mij een stuk of vijf sms'jes gestuurd met vragen over het filmpje dat LEF ze tijdens de voorstelling heeft gestuurd. Ik druk ze op het hart dat het gewoon een stomme blunder van me was en dat er verder niks aan de hand is. Liv en Eulie zijn serieuzer dan de meeste van mijn andere vriendinnen en volgen een hele hoop extra vakken, en ik krijg het gevoel dat ze sceptischer zijn dan de anderen. Toch gaan ze er verder niet op door. Voorlopig nog niet.

'Heb je zin om nog iets met ons te gaan doen voordat je naar huis gaat?' vraagt Liv.

'Dat zou ik wel willen, maar dan heb ik misschien nog net tien minuten voordat ik weer naar huis moet. Maar jullie komen morgenavond ook, toch?' Ze hebben de posters gemaakt voor de voorstelling en een laaiend enthousiaste aankondiging geschreven in de schoolkrant, en daarom zijn ze ook uitgenodigd voor het slotfeest.

Eulie lacht. 'Liv moest me wel overhalen, maar we komen inderdaad, ja.' Ze doet haar armen over elkaar. Eulie is lang en dun en heeft een saaie spijkerbroek en een trui aan. Als ik iemand graag een make-over zou willen geven, dan is zij het wel. Met goede kleding en make-up zou ze zo voor de zus van Syd door kunnen gaan. Ook al is zij heel verlegen en Syd juist heel extravert.

Ze gaan de anderen feliciteren en ik inspecteer de kostuums. Matthew ploft neer op de schminkstoel en kijkt me doordringend aan. 'Kun je niet een keertje te laat thuiskomen? Ik wil ook best een filmpje van jou maken.'

'Hahaha. Als ik te laat thuiskom, heb ik de rest van mijn leven huisarrest. Maar ik hoef pas over ruim een halfuur thuis te zijn, dus ik heb nog twintig minuten.'

Hij kijkt op zijn mobiel. 'Shit, geen tijd genoeg om bier te gaan drinken dus.'

'Hoeft toch ook niet?'

Hij veegt zijn voorhoofd af. 'Jij misschien niet, Veytje, maar ik sterf van de dorst. En twintig minuten is veel te kort, vind je niet?'

'Ja, eigenlijk wel.'

Zijn vrienden verdringen zich in de deuropening. 'Hé, kom je nog?'

Hij staat op en plant een kus boven op mijn hoofd. 'Ik kan bijna niet wachten tot morgenavond. Dan moeten we maar een niet storen-hanger aan de deur van de kleedkamer hangen, vind je niet?'

Wow, ik weet niet wat hij daar precies mee bedoelt, maar ik zeg alleen: 'Tot morgen'.

Sydney komt naar me toe, met Liv en Eulie in haar kielzog. Ze heeft een minirokje aan dat bijna net zo bloot is als het jurkje dat ze op toneel draagt. 'Volgens mij heb je je er heel goed doorheen geslagen.'

'Dankzij jou. Veel plezier vanavond.' Er zijn geen feestjes gepland, maar het is natuurlijk wel vrijdagavond.

Ze kijkt een beetje zuur. 'Ik zal blij zijn als dat stomme huisarrest van jou eindelijk afgelopen is.'

'Nog maar één dag.'

Ze zwaait waarschuwend met haar wijsvinger. 'Zorg dan maar dat je het niet verpest! Geen LEF-opdrachten meer, oké?'

'Nee, ben je gek? Ik moet trouwens toch zo naar huis.'

Ze omhelst me ten afscheid; Liv en Eulie doen hetzelfde. Daarna ben ik, net als gisteravond, weer alleen en ruim ik alles op. Ik pak mijn mobiel en lees de ruim twintig sms'jes die ik heb gekregen. De meeste zijn verrassend genoeg heel positief en vleiend. Wow.

Een van de laatste sms'jes is van LEF. Ik heb de neiging het meteen te verwijderen, maar het kan toch geen kwaad om het even te lezen? Misschien willen ze me feliciteren omdat ik zo veel reacties heb gekregen op iets wat eigenlijk een saaie opdracht is.

Maar als ik de sms lees, maakt mijn hart een sprongetje.

HA VEY!

JE HEBT SUPERVEEL NIEUWE BEWONDERAARS!

WE WILLEN JOU UITNODIGEN VOOR DE VOLGENDE STAP IN DE VOORRONDES EN WE WETEN ZEKER DAT JE DAT SUPERVET GAAT VINDEN! KIJK MAAR!

Ik klik op de link en zie een stilstaand beeld uit mijn filmpje in de Starbucks, alleen hebben ze er iets mee gedaan, want ik heb opeens de felbegeerde schoenen aan die ik een paar weken geleden op mijn ThisIsMe-pagina heb gezet. Wow, alleen de bruine hebben al een levertijd van drie maanden, en dit zijn de flamingoroze uit de *limited edition*-serie. Hoe wisten ze dat ik die zo graag wil hebben? Zouden ze van iemand toegang tot mijn pagina hebben gekregen?

Ik lees de rest van het LEF-bericht:

JIJ KUNT DEZE SCHOENEN WINNEN! GA VANAVOND TERUG NAAR DE STARBUCKS. DAAR KOMT OM 21:40 UUR EEN JONGEN BINNEN, IAN (FOTO VOLGT). VRAAG OF HIJ EEN *CAFFÈ LATTE* VOOR JE KOOPT. ALS HIJ DAT DOET, GA JIJ MIDDEN IN DE ZAAK STAAN EN ZING JE 'ONE HUNDRED BOTTLES OF BEER ON THE WALL' MET JE OGEN DICHT TOTDAT HIJ TERUGKOMT MET JE LATTE.

Wát? Waarom willen ze dat ik terugga naar de zaak waar ik mezelf compleet voor schut heb gezet? Ja duh, omdat ze me daar natuurlijk nóg meer voor schut kunnen zetten. Leuk geprobeerd, maar ik doe het niet. Geen opdrachten meer. Dat heb ik Sydney beloofd.

Maar die schoenen...

Alles is trouwens best goed afgelopen, toch? En nu hoef ik tenminste niks met water te doen. Ik hoef alleen een dom countryliedje te zingen en ik krijg een *latte* van een jongen. Ik ben zo diep in gedachten verzonken dat ik pas merk dat Tommy binnenkomt als hij al naast me staat. Ik laat hem het berichtje zien.

'Dat ga je toch niet echt doen, hè?' vraagt hij.

Ik kijk hoe laat het is. 'Als ik nu meteen wegga, haal ik het nog net.'

Tommy staat te wiebelen op zijn voeten, alsof hij een spastische aanval krijgt. 'Als je dat spel echt zo leuk vindt, waarom registreer je je morgen dan niet als Kijker?'

'Waarom zou ik geld uitgeven om te mogen kijken terwijl ze mij misschien willen betalen om mee te doen? Ik heb in mijn leven echt wel genoeg realityshows gezien.' Bovendien wil ik die schoenen zo graag hebben dat ik het leer al bijna kan ruiken.

We staan elkaar aan te kijken als twee cowboys in een western. Twee klungels van cowboys die geen idee hebben hoe ze met een pistool moeten schieten of op een paard moeten klimmen, al hangt hun leven ervan af. Maar hoe langer ik over de opdracht nadenk, hoe meer ik me ga afvragen wat er eigenlijk op tegen is. Waarom zou ik het niet gewoon doen?

Tommy heeft vast mijn gedachten geraden, want hij zegt: 'Als ik het je niet uit je hoofd kan praten, ga ik in elk geval mee als cameraman en bodyguard.'

Ik hou mijn lachen in. Een computergek als bodyguard is in elk geval beter dan helemaal geen bodyguard. Ietsje beter dan. En ik heb iemand nodig om het te filmen. We zijn best een goed team samen.

'Maar nu moeten we wel elk met onze eigen auto gaan, dan ben ik sneller thuis,' zeg ik tegen hem.

Terwijl we naar het parkeerterrein lopen, klik ik op de link in mijn sms'je. Ik vul snel een verplicht vragenlijstje in, scroll door de voorwaarden waarmee ik akkoord moet gaan, kruis het toestemmingsvakje aan en stop mijn mobiel in mijn broekzak. Ik heb het opeens heel warm.

Voordat ik instap, vraag ik aan Tommy: 'Denk je niet dat het personeel de politie gaat bellen als ze mij zien?'

Hij fronst zijn wenkbrauwen. 'Vast niet meteen.'

Om de een of andere reden begin ik te giechelen. Niet meteen? Dan moet ik dus zorgen dat ik snel ben.

3

Om 21.36 uur parkeer ik de auto. Terwijl ik naar de ingang loop, kijk ik op mijn mobiel; LEF heeft een foto gestuurd van Ian, de jongen aan wie ze mij hebben gekoppeld voor de volgende opdracht. Hij heeft halflang donkerbruin haar, gevoelige ogen die net zo donker zijn, en een sterke kaaklijn. Kortom: hij is hot.

Dus ik moet aan die leuke jongen vragen of hij een latte voor me gaat halen en dan een suf liedje zingen waarbij ik mijn ogen stijf dicht houd? Dat eerste lukt me nog wel, maar zingen in het openbaar? Misschien kan ik toch maar beter naar huis gaan. Dan maar geen schoenen waar ik een moord voor zou doen, want ik hoef niet nog een keer dood te gaan van schaamte. Hoewel dat na die rare opdracht van gisteravond achteraf eigenlijk best meeviel. En ik heb een hoop bewonderaars gekregen. Oké, dat zijn waarschijnlijk ouwe zuiplappen die niks beters te doen hebben dan op duizenden filmpjes zoeken naar halfblote meiden. Maar toch.

Binnen zie ik Ian nergens, dus ik loop schoorvoetend achter Tommy aan naar het midden van de zaak. Dan komen er een paar jongens op sandalen met sokken de zaak binnenstormen en kijken rond tot ze mij zien. Ze gaan aan een tafeltje in de buurt zitten en staren de hele tijd naar me. Op het eerste gezicht lijken ze doodnormale jongens zoals er zoveel zijn in Seattle: ze hebben wel smartphones, maar absoluut geen kledingsmaak. Als ze hun smartphones op mij richten, dringt het tot me door dat dit waarschijnlijk Kijkers zijn die LEF hierheen heeft gestuurd om mijn opdracht te filmen. Shit. Op zich snap ik wel dat de organisatie wil weten hoe de kandidaten reageren als ze iets moeten doen met publiek erbij, maar ik krijg er buikpijn van. Dat is dus zoals ik erop reageer.

Ik sta nerveus met mijn vingers te friemelen en met mijn voeten te schuifelen en ik staar strak naar de grond. Om de paar seconden kijk ik even naar de deur. Waar blijft Ian? In de opdracht stond duidelijk 21:40 uur. Zouden ze bij LEF ook weten dat ik precies om tien uur thuis moet zijn? Ze wisten het tenslotte ook van die schoenen. Ik heb vast op ThisIs-Me een keer iets over mijn huisarrest gezegd, dus als ze op mijn pagina hebben gekeken, weten ze dat ook. Plus nog een heleboel andere dingen. Nou ja, niet dat er iets geheims op staat.

Het lijkt een eeuwigheid te duren, maar na twee minuten is Ian er eindelijk. Ik zie dat hij me meteen herkent, maar hij zegt niets. Een lang, dun meisje komt tegelijk met hem binnen. Ze filmt hem met haar mobiel en gaat een paar meter verderop staan. Dus hij heeft ook een bodyguard meegenomen.

Hij loopt naar me toe. Ik doe mijn armen over elkaar. Op de foto zag je niet hoe mooi hij loopt in die versleten spijkerbroek die hij draagt, of hoe glad zijn gebruinde wangen zijn. Maar er kan geen lachje af.

'Hoi, jij gaat dus een caffè latte voor me kopen. Hazelnut graag.' Nou, klinkt dat diva-achtig of niet?

Hij kijkt me afkeurend aan. 'Wat?'

Hè? Hij heeft toch wel dezelfde opdracht? Of moet ik het soms anders vragen? Het hem opdragen?

Ik ga in mijn ballerina's op mijn tenen staan en strijk mijn haar naar achteren. 'Hoezo wat? Ik wil een latte. En een beetje vlug graag.'

Hij doet een stap naar voren, waardoor ik naar hem op moet kijken. 'Wie denk je wel dat je voor je hebt?'

Ik snap er niks van. 'Jij bent toch Ian?' vraag ik met een piepstemmetje.

'Ja.'

'Nou, ik ben Vey.'

Zijn lippen krullen op. 'Wat een vreemde naam. Of is het een afkorting ergens van?'

Dat gaat hem niks aan. 'Wat maakt jou dat uit?'

Hij haalt zijn schouders op. 'Niks.' Maar hij maakt nog steeds geen aanstalten om een latte voor me te gaan halen.

Ik zucht hoorbaar. 'Oké, dan verliezen we dus allebei. Of was jouw opdracht soms om zo onbeschoft tegen mij te doen?' Ik draai me om en loop naar de deur.

Hij pakt mijn arm vast. 'Geef je nou al op?'

Ik kijk hem aan. Waar is hij mee bezig? 'Ga je nou een latte voor me kopen of niet?'

'Wat heb je ervoor over?'

Een paar supervette schoenen, sukkel. 'Hoe bedoel je?'

Hij buigt zich naar me toe. 'Of mijn opdracht slaagt, hangt van jou af.'

Aha. 'Hoe dan?'

'Jij moet hardop zeggen dat ik een fantastische minnaar ben.' Hij zegt het zó zacht dat ik hem nauwelijks kan verstaan.

'Wat?'

'Jij moet zeggen dat ik een fantastische minnaar ben. Hardop.'

Is dat echt zijn opdracht? Of zit hij me nou voor de gek te houden? Stel dat ik dat hier hardop ga roepen en hij nog steeds niet die stomme latte voor me haalt? Dan is zijn opdracht wel gelukt, maar de mijne niet. Of wacht, misschien moet hij er juist voor zorgen dat mijn opdracht mislukt. Jezus, ik ben nog maar net met dit spel bezig en nu al haal ik me allerlei samenzweringen in mijn hoofd. Zou dat altijd zo gaan bij LEF?

Ik zet mijn hand op mijn ene heup en draai de andere naar hem toe. Die houding heb ik eindeloos vaak bij Sydney gezien als ze iets duidelijk probeert te maken. 'Ga die latte halen. Daarna zal ik de hele zaak laten weten wat voor geweldige minnaar jij bent.'

Hij kijkt me onderzoekend aan en vraagt zich vast af of hij me kan vertrouwen. 'Deal,' zegt hij dan.

Hij gaat in de rij staan. Ik ben tevreden, maar dan dringt het tot me door dat het ergste onderdeel van mijn opdracht nog moet komen. Ik haal diep adem en doe mijn ogen dicht zodat ik die gluurders niet zie. Ik word weer duizelig en mijn hart bonst onregelmatig. Zou dit een soort paniekaanval zijn? Het voelt allemaal nog veel erger omdat ik niets zie. Ik heb altijd een gruwelijke hekel gehad aan het donker. Mijn fantasie gaat met me op de loop: stel dat iemand anders de opdracht heeft gekregen mij een klap op mijn kop te geven? Of mijn shirt omhoog te trekken? Ik voel me opeens zó kwetsbaar dat de tranen me in de ogen springen. Shit, ik zit hier gewoon een potje te janken terwijl iedereen me kan zien. Dat zullen ze bij LEF wel geweldig vinden. Ik krijg opeens zó'n hekel aan dit spel dat ik dwars door mijn paniek heen heel kwaad word. Mooi zo.

Die boosheid moet ik zien vast te houden, dan durf ik wel te zingen. Ik doe mijn mond open en ben zelf verbaasd dat er iets over mijn lippen komt. Een beetje bibberig en een beetje vals, maar ik zing wel.

Na een couplet dringt het tot me door dat er nog een ander probleem is. Als ik mijn ogen dicht heb, kan ik Ian niet zien aankomen en weet ik dus niet wanneer ik moet roepen dat hij een fantastische minnaar is. Voor zover ik dat al durf. Als ik het te vroeg zeg, geeft hij me die latte misschien niet. Ik druk mijn nagels in mijn handpalmen en zing door.

Overal klinkt gelach. Ik hoop niet dat Ian die koffie over mijn hoofd moet gooien. Ik schrik als ik voel dat er iemand vlak naast me komt staan.

'Hij heeft net besteld,' fluistert Tommy terwijl hij een zakdoekje in mijn hand stopt.

Ik kan hem wel om zijn hals vliegen. 'Bedankt,' zeg ik tussen twee zinnen door. Ik veeg het zweet van mijn voorhoofd en vraag me af waarom ik niet gewoon tussen mijn wimpers door gluur, en hoe Tommy weet dat ik dat niet doe.

Ik krijg alweer wat meer moed als ik bedenk dat mijn opdracht nu bijna is gelukt. Ook al moet ik Ian nog helpen met de zijne. Tenzij ik zo flauw ben om er stiekem tussenuit te knijpen, maar dat doe ik natuurlijk niet. In mijn hart ben ik een echte Steenbok.

Ik knijp mijn ogen nog stijver dicht en roep: 'Ian, jij bent het beste vriendje dat ik ooit heb gehad!' Opnieuw klinkt overal gelach. Met gloeiende wangen zing ik verder. Als ik een paar coupletten verder ben, voel ik dat er nog iemand bij me komt staan en hoor ik dat Ian zegt: 'Een caffè latte hazelnut voor het geweldigste vriendinnetje ter wereld.' En hij begint 'Beautiful Girl' te zingen met een mooie tenorstem waarmee hij absoluut een rol in het toneelstuk van onze school gekregen zou hebben.

Ik doe mijn ogen weer open en neem de warme beker van hem aan terwijl hij doorgaat met zijn serenade. Het is bijna net zo gênant om in het openbaar te worden toegezongen als om zelf iets te moeten zingen. Het meisje dat samen met Ian is binnengekomen, staat ons lachend te filmen. Twee andere meisjes, die naast haar zitten, doen iets op hun telefoon. Zouden ze op ons aan het stemmen zijn? Ik probeer mijn innerlijke Sydney te mobiliseren en zwaai vriendelijk naar ze, ook al ben ik helemaal niet van plan om echt kandidaat voor de liveshows te worden. Ik wil alleen die schoenen. En die heb ik nu verdiend.

Gelukkig, het lied is afgelopen en de opdracht is gelukt. Pfjiew.

Ik hou mijn beker omhoog en toost op Ian. 'Bravo!'

Hij buigt en poseert voor de Kijkers, vooral voor zijn mooie cameravrouw, die waarschijnlijk zijn vriendin is. En hij lacht. Wow. Wat ziet zijn gezicht er opeens anders uit. Zijn tanden zijn superwit en recht en hij krijgt leuke diepe kuiltjes in zijn wangen.

Tommy komt met een gespannen gezicht naar ons toe en werpt een kritische blik op Ian. 'Het is elf voor tien.'

'Dan moet ik snel gaan,' zeg ik tegen Ian. 'Bedankt voor de latte en het liedje.'

Hij zwaait naar de meisjes die nog steeds iets intypen op hun telefoon, en zegt tegen mij: 'Sorry dat ik zo vervelend deed, trouwens. Dat stond ook in mijn opdracht, dat ik je eerst een beetje moest afzeiken voordat ik die vraag stelde over dat minnaargedoe.'

'Dus je bent in het echt helemaal niet zo vervelend? Goed om te weten.'

Hij kijkt me aan alsof hij niet snapt hoe ik dat precies bedoel. Dan zegt hij: 'Je hebt jouw opdracht supergoed gedaan, ik ben echt onder de indruk.'

Ik word helemaal warm vanbinnen. Maar hij heeft gelijk, het ging ook echt goed. 'Jij deed het ook supergoed.'

De barman die gisteren het water van de vloer opdweilde, staat boos naar ons te kijken. Tijd om te vertrekken.

'Succes, Ian!' zeg ik, en dan loop ik met Tommy de zaak uit.

Het is koud buiten; gisteren had ik daar last van, maar nu vind ik het alleen maar verfrissend. Ik heb het gedaan! Ik heb het echt gedaan! Als we lachend naar onze auto's rennen, verlies ik bijna een ballerina. Heel toepasselijk, want ik voel me net Assepoester die haastig naar huis moet na het bal.

4

Tommy schudt zijn hoofd alsof hij het nog steeds niet kan geloven. 'Gefeliciteerd.'

Ik huppel naast hem over de stoep. Wanneer heb ik voor het laatst gehuppeld? Tien jaar geleden? 'Bedankt dat je mijn charmante assistent was, Tommy. Zonder jou was het nooit gelukt. Als je een meisje was, zou ik zeggen dat je de schoenen die ik ermee ga winnen wel een keer mag lenen.'

Zijn gezicht betrekt een beetje. 'Eh, dat is een dank je wel?'

'Je weet wel wat ik bedoel. Je bent geweldig!' Ik stap in mijn auto. 'Ik wou dat we het konden gaan vieren of zo, maar ja, mijn ouders...'

'Ja, snap ik. Tot morgen.' Hij blijft nog even staan, alsof hij aarzelt, of verwacht dat ik nog iets ga zeggen, maar dan haalt hij een beetje verlegen zijn schouders op en doet het autoportier voor me dicht.

Onderweg naar huis zet ik de radio hard en zing ik een countryliedje mee over een vrouw die wraak gaat nemen op de man die haar slecht heeft behandeld. Waarom zijn zulke liedjes altijd zo grappig? Als ik onze garage in rij, ben ik zelfs nog een minuut te vroeg. Perfect. Ik dans door de gang en heb zin om 'Everything's Coming up Roses' van *Gypsy* te brullen, maar daarvan zou ik weer allerlei vragen krijgen van mijn moeder, die op de bank zit en doet alsof ze een boek leest.

Ik geef haar een kus, hopelijk ruik ik niet naar koffie. 'De voorstelling ging geweldig!'

'O, wat fijn, lieverd! Papa en ik hebben ook zó'n zin om morgenavond te komen kijken.'

'De derde avond gaat altijd het best, dus jullie krijgen vast geen spijt dat jullie hebben gewacht.'

Ik dans naar boven, poets neuriënd mijn tanden, trek mijn pyjama aan en val glimlachend in slaap met een liedje uit *West Side Story* in mijn hoofd. Ik vergeet door alle opwinding helemaal om mijn telefoon uit te zetten, maar als die om acht uur de volgende ochtend gaat, draai ik me nog eens fijn om en droom verder over Matthew en over leuke jongens die lattes voor me halen.

Dan gaat mijn telefoon weer. En nog eens. Wie belt me nou op zaterdagochtend zó vroeg al op? Maar dan sper ik mijn ogen open. Zou het over LEF gaan? Ik denk snel terug aan wat er gisteravond is gebeurd. Geen echt gênante dingen volgens mij.

Toch spring ik uit bed en kijk op mijn mobiel.

Het eerste sms'je is van Sydney:

HOE KON JE ZO STOM ZIJN?

O ja, ik had Syd beloofd dat ik geen LEF-opdrachten meer zou doen. Wacht maar tot ze die schoenen ziet. Jammer dat ze een grotere schoenmaat heeft, want ze zou vast snel kalmeren als ze die van me mocht lenen.

De volgende sms'jes zijn ook van haar. En die zijn ook al niet zo aardig. Toch vind ik niet dat ik iets vreselijk gênants heb gedaan, behalve dan nogal vals zingen. Bovendien was het toch ook overduidelijk dat het allemaal niet zo serieus was? Waarom vindt ze het dan zo erg? Opeens dringt het tot me door. Zij had natuurlijk zelf graag aan LEF mee willen doen als serieuze kandidaat voor de liveshows. Ze is gewoon jaloers, en nu wordt ze met de neus op de feiten gedrukt; zij kan niet meer meedoen, in elk geval deze maand niet meer. Maar ze heeft helemaal geen reden om jaloers te zijn, want ik ben echt niet van plan om aan die liveshows mee te doen. Die opdrachten in de voorrondes waren gewoon voor de lol. Nou ja, en voor die schoenen natuurlijk.

Ik wacht tot na het ontbijt voordat ik haar terug-sms en ik stuur de foto mee van LEF waarop ik die schoenen aanheb. Ze reageert door me op te bellen.

Meteen als ik opneem, roept ze: 'Die prijs kan me niks schelen. Je zei dat je niet meer mee zou doen! Stel dat er iets was misgegaan? Wat als er iets was gebeurd dat ik niet zo makkelijk kon oplossen als na die eerste keer?'

46

Ik strijk mijn haar naar achteren. 'Wie zegt dat jij iets voor mij moet oplossen? Het was maar één simpele opdracht. Zonder natte kleren, zonder bloot, dat heb je zelf gezien. Die jongen was achteraf best oké, en bovendien was Tommy bij me.'

'Je snapt het niet, hè? Wat nou als ze andere spelers op je af hadden gestuurd om je lastig te vallen of om iets vreselijks met je te doen? Weet je nog wat ze de vorige keer hebben gedaan met dat meisje dat last had van angststoornissen?'

Ik huiver als ik daaraan denk. 'Dat was in de liveshows. Er is nu verder niets vervelends gebeurd, maar ik heb wel die schoenen gewonnen. En nu is het *game over*.' Ik zie voor me hoe ze hoofdschuddend aan de andere kant van de lijn zit.

'Ik begrijp jou soms niet, Vey. Het lijkt wel of je zelfdestructief bent.'

Zelfdestructief? Ik ben meteen op mijn hoede. 'Heb je het soms over die avond waarop ik zogenaamd mezelf iets probeerde aan te doen? Want uitgerekend jij zou toch moeten weten hoe moe ik toen was, nadat ik jóú had geholpen om je tekst voor de kerstvoorstelling te repeteren? Dat jij nu suggereert dat ik expres de motor aan liet staan, dat vind ik echt ontzettend gemeen.'

'Dat bedoelde ik niet eens.'

'Ja, dat zal wel.'

Het blijft lange tijd stil.

'Ik moet nog van alles doen,' zeg ik.

We hangen zonder verder nog iets te zeggen op. Heel fijn: op de dag van de slotvoorstelling is mijn beste vriendin kwaad op mij. En dat terwijl we plannen zouden moeten maken voor de eerste avond waarop ik eindelijk niet meer zo vroeg thuis moet zijn. Hoe wist ze dat trouwens zo snel van gisteravond? Heeft ze toen ze wakker werd meteen op de LEF-site gekeken? Of heeft ze soms een sms gekregen, net als Matthew na die eerste opdracht?

Ik zet de laptop aan en zoek op de LEF-site de pagina met de filmpjes van de kandidaten die meedoen aan de 'Auditieronde'. Die filmpjes zijn gratis te bekijken, waarschijnlijk om de mensen warm te maken voor de echte liveshows waar wel voor betaald moet worden. Het duurt niet zo lang voordat ik mijn filmpje heb gevonden. Er staan meer dan honderd commentaren bij. Ongelofelijk. Ik vond de opdracht zelf eigenlijk helemaal niet zo spannend. Ik speel het filmpje af. Helemaal aan het begin hoor ik Tommy zeggen dat Ian een geluksvogel zou zijn als ik echt zijn vriendin was. Wat lief. Het is duidelijk te zien dat LEF het filmpje heeft gemonteerd, want meteen hierna komt een stuk van het filmpje van Ian, met een vrouwelijke commentaarstem die vertelt wat ze graag met hem zou willen doen. Met allerlei uitgebreide details. Is dat de stem van het meisje dat samen met hem binnenkwam en hem filmde? Horen ze bij elkaar of zou LEF haar met hem hebben meegestuurd als zijn Kijker?

Daarna komt het stukje waarop ik sta te zingen. Ik schrik als ik zie hoe bang ik er op de film uitzie; bang en – moet ik helaas toegeven – nogal naïef. Misschien komt dat alleen omdat ik naast Ian nogal klein lijk. Toch kom ik best goed over op de film. Maar dat geldt nog veel meer voor Ian, die wel een filmster lijkt met zijn prachtig gevormde gezicht.

Ik lees de commentaren die onder het filmpje staan. Tientallen meisjes smeken LEF om een plekje als onsite Kijker als Ian voor de liveshows wordt uitgekozen, ook al moeten ze daar drie keer zoveel voor betalen als de online Kijkers. Daar staat tegenover dat de onsite Kijkers prijzen kunnen winnen als ze een mooie opname uploaden die ook echt door LEF wordt gebruikt, maar die kans is erg klein.

De rest van de commentaren kunnen worden onderverdeeld naar geslacht: de jongens schrijven dat ik er zo schattig en angstig uitzie en de meisjes dat zij een veel leukere partner voor Ian zouden zijn. Nou, die Ian heeft zo te zien wel erg veel groupies.

Ik wens hem in gedachten veel geluk voor de selectieronde van vanavond. Op hetzelfde moment verschijnt er een advertentie van LEF op mijn computerscherm. DIT ZIJN DE DEELNEMERS! staat er, met een clipje van de eerste kandidaten die al zijn geselecteerd voor de liveshows in Washington en Tampa. Even later verschijnt de volgende advertentie op het scherm: DIT ZIJN DE KIJKERS! met foto's van mensen die zich al hebben ingeschreven als onsite of online Kijkers. Zelfs het publiek wil delen in de roem.

Omdat ik nu met twee opdrachten heb meegedaan, lijkt het me eigenlijk ook wel leuk om de liveshows te zien, en als ik vanavond geen andere plannen had, zou ik me misschien wel aanmelden als Kijker. Maar volgende maand komt er weer een nieuwe liveshow van LEF, en de maand daarna weer een. En vanavond kan ik Matthew zien.

Het is tijd om de computer uit te zetten en iets te gaan doen. Ik begin met mijn wiskundehuiswerk, daarna bak ik drie taarten om mee te nemen naar het feest vanavond, en ik maak een paar schetsen voor de mode-ontwerples. Hoewel ik dus genoeg te doen heb, duurt de dag ontzettend lang.

Precies om vijf uur stap ik in mijn auto. In het theater ga ik meteen druk in de weer met de make-up en de kostuums. Iedereen wil er op de slotavond fantastisch uitzien. Als Syd aan de beurt is, voel ik me heel vreemd. Ze is erg vrolijk, maakt grapjes met iedereen, maar ik merk waarschijnlijk als enige dat ze bijna geen oogcontact met mij maakt. En als een van de andere meisjes zegt dat het zo cool is dat ik weer een LEF-opdracht heb gedaan, begint ze meteen over iets anders.

Er is alweer een enorm boeket voor Syd gebracht en de hele kleedkamer ruikt naar pioenrozen, maar ze wil niet zeggen wie haar anonieme aanbidder is, ook al blijven de andere meisjes daar maar over doorvragen. Meteen nadat ik haar valse oogwimpers heb opgeplakt, loopt ze de kleedkamer uit.

Veel tijd om daarover na te denken heb ik niet, want als ik Matthew schmink, legt hij zijn hand op mijn blote knie. Hij wil mijn LEF-filmpje afspelen terwijl ik bezig ben, maar ik zeg tegen hem dat hij stil moet blijven zitten.

Hij houdt zijn telefoon omhoog met alweer een advertentie voor LEF. 'Ze gaan in Austin nu ook een liveshow doen. Volgens mij zou jij er fantastisch uitzien met een cowboyhoed en rijlaarzen met sporen. Heb je vanavond een beetje lef, Veytje?'

'Ik ben echt niet van plan om weer water over mijn hoofd te gooien, als je dat soms bedoelt.' En hopelijk is hij dat ook niet van plan, want ik heb mijn mooie vintagejasje van brokaat en een zijden minirok aan. Alleen wel jammer dat ik die stomme platte schoenen aan moet voor het werk achter het toneel, want een paar laarzen met hakken zou een stuk mooier zijn geweest. Maar ik heb mijn outfit nog wel gecompleteerd met een *True Blood* T-shirt en een oude button van de verkiezingscampagne van president Jimmy Carter die ik heb gekocht op een rommelmarkt. Niet dat jongens oog hebben voor een mooi samengestelde outfit.

Bijna alle acteurs en de andere leden van de crew geven me een schouderklopje of een high five en feliciteren me omdat ik nu twee LEF-opdrachten heb gedaan. Door alle vrolijkheid neem ik me nog meer voor om te genieten van deze slotavond, waarop we zullen balanceren tussen bitterzoete weemoed omdat het nu voorbij is en een duizelingwekkend gevoel van trots en voldoening. Misschien kunnen Sydney en ik het goedmaken voordat het feest begint; dat lukt vast wel, vooral als ik mijn verontschuldigingen aanbied.

Ook de derde opvoering verloopt vlekkeloos. De voorbereiding van de afgelopen maanden heeft zijn vruchten afgeworpen, ook al blijft van ons werk uiteindelijk niet veel meer over dan de opname en onze herinneringen.

Tijdens het derde bedrijf sta ik in de coulissen. Ik ruik de geur van de oude houten vloer en probeer niet het stoffige doek aan te raken omdat dat vanuit de zaal te zien zou zijn. Ik tuur voorzichtig de zaal in en zie een paar bekende gezichten in het publiek. Liv en Eulie zijn nog een keer naar de voorstelling gekomen. Helemaal rechts meen ik het profiel van mijn moeder te ontwaren. Ja hoor, daar zit ze, naast mijn vader. Hij kijkt onrustig om zich heen, alsof hij bang is dat ik elk moment van een balkon naar beneden zal tuimelen.

Ik zeg in gedachten samen met de acteurs de slotregels van het stuk op; de laatste keer dat ik dat doe, behalve dan op feestjes waarop de andere leden van de crew en de cast herinneringen ophalen. En dan is het tijd voor de slotkus van Matthew en Syd, waar het publiek al anderhalf uur op zit te wachten. Matthew neemt haar gezicht in zijn handen en Syd buigt sierlijk een beetje achterover. Hun lippen trillen en naderen elkaar. Een vrouw op de eerste rij zucht hoorbaar. Iedereen leeft mee met de acteurs.

Eenentwintig, tweeëntwintig, drieëntwintig, vierentwintig, vijfentwintig... Wat is dit? De seconden tikken weg, maar de omhelzing wordt alleen maar steviger, en duurt veel langer dan in het script staat. Ik krijg het er warm van. Matthew houdt Sydney zo stevig vast dat zijn handen vast afdrukken achterlaten op haar lichaam.

Ik strijk met mijn vinger langs het gerafelde dikke koord en krijg zin om het doek voortijdig te laten zakken. Het theater is zo oud dat iedereen zal denken dat het een ongelukje was en ik het niet expres heb gedaan. Maar ja, ik ben een verstandig meisje dat zoiets natuurlijk nooit zou doen.

Sydney en Matthew laten elkaar eindelijk los, maar ze blijven elkaar diep in de ogen kijken terwijl ze aan hun duet beginnen dat uitmondt in een slotlied met de hele cast. De andere acteurs lopen langs me heen naar hun plek op het podium. Sydney zingt uit volle borst de laatste hoge noten van het lied, totdat alleen nog de echo van de melodie blijft hangen die wordt gevolgd door een daverend applaus. Ik bijt op mijn onderlip en laat het doek vallen.

Terwijl de acteurs voor het doek het slotapplaus in ontvangst nemen, ren ik naar de nooduitgang en ga op de ijzeren brandtrap staan. Gelukkig regent het niet, wat in Seattle in het voorjaar een wonder is.

Dit is niet zoals ik me de slotavond had voorgesteld. Na al mijn werk, het uitzoeken van de kostuums, het urenlang schminken, de middagen repeteren met Sydney tot ik haar tekst minstens zo goed kende als zij, en de drie taarten die ik voor het feest van vanavond heb gebakken, vind ik dat ik zo'n lange kus van Matthew meer heb verdiend dan zij.

Ik plof neer op een traptrede die door de dunne stof van mijn zijden rok ijskoud aanvoelt, zet mijn mobiel aan en verander de status op mijn profielpagina van Hoopvol in Op zoek. En ik post KARMA WERKT NIET VOOR MIJ.

Eigenlijk kan ik nu maar beter weggaan. Niet naar dat stomme feest, op de eerste avond dat ik geen huisarrest meer heb. Mijn zogenaamde beste vriendin kan er blijkbaar niet tegen dat ik ook eens een keer in de belangstelling sta. Alsof zij minder aandacht heeft gekregen door de opdrachten die ik heb gedaan. Zij is wel de enige die twee keer een bos bloemen heeft gekregen. Zouden die van Matthew zijn geweest? En zou zij hetzelfde voor hem voelen als hij voor haar? Ik zie die omhelzing en kus weer voor me. Ik kan heus wel zien wat echt is en wat gespeeld. Het duizelt me. Zouden ze stiekem een stelletje zijn? Ik kan me bijna niet voorstellen dat de vriendin die op haar tiende haar pols kneusde toen ze me verdedigde tegen een jongen die me met mijn echte naam pestte, mij nu zó voor de gek zou houden. Maar ja, die kus.

De branddeur gaat open. Sydney die het goed komt maken?

Maar het is Tommy. 'Wat doe jij hier?' Hij gaat ook op de trap zitten, een tree hoger. Hij ruikt naar dennenbomen.

Ik kijk naar hem op. 'Even een luchtje scheppen.'

Hij glimlacht. 'Ja, fijn, even in de frisse lucht.'

'Moet je niet kijken of het wel goed gaat met de decors?'

'Nee, we mogen alles tot morgen laten staan.'

'Ik moet eigenlijk nog even tegen iedereen zeggen dat ze hun eigen kostuum moeten laten stomen. Anders krijg ik straks allemaal vieze stinkende kostuums terug.'

'En wat ga je doen als ze dat vergeten?'

Ik laat mijn kin op mijn hand steunen. 'Misschien hang ik ze dan met een gasmasker aan de deur van hun kluisje of zo.' In het stuk worden ook gasmaskers gebruikt.

Hij krijgt lachrimpeltjes bij zijn ogen. 'Had ik nooit verwacht van een lief meisje als jij.'

'Lief is een sterk overgewaardeerde eigenschap,' zeg ik somber. Net als verantwoordelijk, trouw, en al die andere dingen die mijn vrienden over me in mijn jaarboek hebben geschreven.

Hij kijkt me onderzoekend aan.

Door de deur die op een kier staat klinkt gelach van de acteurs die naar de kleedkamers lopen. Ik heb potten gezichtscrème en watjes klaargezet zodat ze zich zelf kunnen afschminken, maar ik wil er een weekloon van mijn baantje bij Vintage Love onder verwedden dat de meesten hun schmink vanavond ophouden omdat ze op het feest de dramatische oogopslag en fraaie kaaklijn willen houden die ik ze heb gegeven.

Ik huiver in de koude aprillucht en ik begin hoofdpijn te krijgen. Dat mijn beste vriendin zich in de armen stortte van de jongen op wie ik al een tijd verliefd ben, heeft me erg verdrietig en murw gemaakt. En ook dom, want de vraag die vervolgens over mijn lippen komt is: 'Wat zien al die jongens toch in Sydney?' Dommer kan bijna niet, want nu lijk ik niet alleen een onzekere loser, maar ook blind, want het antwoord is overduidelijk: Sydney geeft je binnen tien seconden het gevoel dat je heel belangrijk bent, ze heeft weelderig lang blond haar en een prachtig lichaam dat ze uitbundig laat zien met haar lage spijkerbroeken en strakke truitjes. Om nog maar te zwijgen van het korset dat ze in het laatste bedrijf van

het toneelstuk draagt en dat ze waarschijnlijk de hele avond aan zal houden. Misschien wel tot iemand het haar zal uittrekken, veter voor veter.

Hij kijkt moeilijk. 'Nou... niet alle jongens vallen op meisjes zoals zij,
hoor. Sommigen geven de voorkeur aan meisjes die wat minder eh... opvallend zijn.' Hij bloost.

Hij bedoelt zeker meisjes die klein van stuk zijn en van retrokleding
houden, onopvallende meisjes, om niet te zeggen onzichtbare. Alsof ik
niet probeer om er een beetje leuk uit te zien.

De deur achter ons zwaait open. Mijn hart slaat van schrik een slag
over.

Het is Matthew. Hij is een beetje rood in zijn gezicht en hij heeft de
meeste make-up er al afgehaald. Of misschien heeft iemand anders dat
voor hem gedaan.

'Hé, Veytje. Ik loop je overal te zoeken.'

'Echt?' Wat klinkt mijn stem weer pieperig.

Hij lacht. 'Ja, èèècht.'

Tommy rolt geërgerd met zijn ogen.

Ik sta op en veeg mijn rokje af. 'Wat is er dan?'

'Ik vroeg me af of ik je even onder vier ogen kon spreken.'

Mijn hart begeeft het bijna. 'Ja, tuurlijk.' Ik onderdruk de neiging om
te gaan juichen.

Matthew pakt mijn hand vast en trekt me mee naar binnen.

'Tot straks, Tommy,' zeg ik nog voordat de deur achter me dichtvalt.

We banen ons een weg door de drukte. Overal staan acteurs met hun
familieleden en vrienden door wie ze worden gefeliciteerd. Er hangt een
sterke geur van parfum en aftershave. Heel even meen ik mijn vader te
zien, maar in het gedrang verlies ik zijn kortgeschoren grijze haar al snel
uit het oog. Waarschijnlijk was het iemand anders. Waarom zou mijn vader trouwens backstage komen? Om me te feliciteren met mijn fantastische werk achter de schermen? Bovendien heb ik vanaf vandaag geen
huisarrest meer, dus hopelijk laten ze me eindelijk eens een beetje met
rust.

Matthew neemt me mee naar een groot uitgevallen inloopkast aan het
einde van de gang die bij grote drukte ook wordt gebruikt als kleedkamer.
Er is niemand. Voor ik het weet tilt hij me op bij mijn middel en draait me
als een suikerfee in het rond.

Ik lach en voel me in de wolken.

Dan zet hij me neer en tikt tegen mijn neus. Opeens is dat heerlijke gevoel weer terug dat ik de afgelopen weken steeds had als ik bij hem was. Dat had ik niet meer verwacht. Misschien heb ik die kus tussen hem en Sydney op het toneel wel helemaal verkeerd opgevat en was het toch een wat enthousiast uitgevallen toneelkus.

Mijn hart bonst van opwinding. 'Je hebt vanavond prachtig gespeeld.'

'Dankzij jou en de rest van de crew.' Hij legt zijn arm om mijn schouders en hij loopt met me naar de spiegel. 'Je was echt een engel. Je hebt ons allemaal prachtig geschminkt en de kostuums waren fantastisch. En die taarten die je hebt meegenomen voor het feest zien er ontzettend lekker uit.'

Ik ga op de kaptafel zitten en hij ploft op de stoel. Zal hij me op schoot trekken? Bij het idee alleen al smelt ik helemaal.

Hij pakt mijn handen vast. 'Mag ik je nog één ding vragen?'

'Tuurlijk.' Ik heb spijt dat ik net niet nog wat lipgloss op heb gedaan.

Hij wijst op zijn wang. 'Ik heb per ongeluk mijn schmink verprutst. Zou je daar misschien nog even iets aan kunnen doen? Volgens Syd zie ik er ruig uit met die schmink en dat leek me wel leuk voor op het feest.'

Ik laat mijn schouders zakken. Ik moet zijn schmink bijwerken? Omdat Sydney vindt dat hij daarmee een macho is? Ik staar hem verbluft aan.

Hij wijst naar mijn make-updoos. Die heeft hij blijkbaar hier neergezet voordat hij mij ging zoeken. Sinds wanneer is hij zo goed voorbereid? Hij trommelt op mijn knieën alsof het bongo's zijn. 'Gewoon de basis, hoor, sla de details maar over.'

Met een zucht ga ik staan en probeer mijn teleurstelling te verbergen. 'Oké.'

Ik doe de make-updoos open, pak een potlood en wat contourpoeder. Als ik aan het werk ben, laat hij mijn benen los. Ik zet zijn kaaklijn en zijn neus een beetje aan en pak de eyeliner. Intussen stel ik mezelf een paar moeilijke vragen. Heeft Matthew mij eigenlijk ooit wel echt leuk gevonden? Op dezelfde manier als ik hem leuk vind? Of ben ik voor hem alleen maar een manier om dichter bij Sydney te komen?

Ik zet nogal hardhandig een streep in zijn wenkbrauw en hij krimpt ineen.

'Sorry,' zeg ik. Maar door die streep kom ik wel op een idee. De verleiding is groot om een subtiele verandering aan te brengen in zijn schmink; als ik het een klein beetje overdrijf, ziet hij er niet ruig en stoer, maar gestoord uit. Als ik dat doe, zullen de andere meisjes op het feest van vanavond een ongemakkelijk gevoel krijgen als ze hem aankijken. Ik begin al met zijn wenkbrauwen wat dichter naar elkaar te tekenen, maar iets houdt me tegen. Hetzelfde waardoor ik nooit moeilijkheden zal veroorzaken of een confrontatie zal uitlokken. Ik verbijt mijn tranen en geef Matthew de uitdagende, sexy ogen die hij wil hebben.

Als ik klaar ben, gooi ik de watjes in de prullenbak. 'Klaar.' Zou de sfeer nu weer net zo flirterig en betoverend worden als daarnet? Ik leun tegen de kaptafel en zie een rode veeg op zijn kraag. Lippenstift misschien, of rouge.

Hij draait zijn stoel bij en bekijkt zichzelf in de spiegel. 'Fantastisch, Vey! Je bent echt geweldig.'

Als ik zie hoe hij zichzelf bewondert, voel ik me trots en tevreden. Hij staat op en geeft me een speels schouderklopje. Geen kus om me te bedanken. En hij tilt me niet op.

Hij loopt naar de deur. Als hij al op de gang staat, roep ik: 'Heb jij Syd die bloemen gestuurd?'

Hij draait zich om en kijkt me met een zelfingenomen blik aan. 'Op haar profielpagina staat dat rozen en pioenrozen haar lievelingsbloemen zijn. Dat is nog steeds zo, toch?'

'Als het op haar profiel staat, zal dat wel, ja.' Ik doe mijn make-updoos met een klap dicht.

'Gelukkig. Tot straks op het feest.' En weg is hij.

Feesten is wel het laatste waar ik nu nog zin in heb. Voor mij is deze avond toch al totaal verpest. Hoe eerder ik hier weg ben, hoe beter.

Ik loop snel terug naar de rekwisieten achter het toneel, want daar ligt mijn tas nog. In de gang naar de foyer en de uitgang is het erg druk, dus ik besluit om via de branduitgang naar buiten te gaan. Als ik langs de kleedkamers kom, hoor ik Sydney lachen te midden van haar vele bewonderaars en die stinkende pioenrozen. Ik heb geen zin om te zeggen dat ik niet op het feest kom, want daar zal Sydney vast erg moeilijk over gaan doen, en daar heb ik de energie niet meer voor. Vroeg of laat komt ze er wel achter dat ik ben weggegaan. Waarschijnlijk laat.

Ik loop haastig via de nooduitgang naar buiten en vecht tegen de tranen die ik bijna niet meer kan tegenhouden. Ik haal diep en met horten en stoten adem. Hoe heb ik me zó als een verliefde puppy door Matthew om de tuin kunnen laten leiden?

Achter me hoor ik de branddeur weer opengaan. Ach jeetje, heeft hij zijn make-up weer verpest?

Maar het is Tommy. Hij steekt zijn hoofd om de hoek van de deur. 'Ik zit je niet te stalken, hoor, maar ik vroeg me af of het wel goed met je gaat.'

Ik veeg een traan onder mijn oog weg. 'Ja hoor, prima.'

Hij komt naar buiten. 'Wil je misschien een glas water?' Hij is zeker bang dat onopvallende meisjes als ik dat zelf niet kunnen halen.

Ik denk wanhopig aan een *Comedy Central*-show om mijn tranen in bedwang te houden. 'Nee, bedankt.' Om afleiding te zoeken en oogcontact met hem te vermijden, pak ik mijn mobiel, ook al heb ik daar een paar minuten geleden ook nog op gekeken.

Als ik mijn laatste sms'je lees, krijg ik slappe knieën. LEF gaat een liveshow doen in Seattle.

En ze willen dat ik meedoe.

Geschrokken lees ik de rest van het sms'je. 'O nee...'

'Wat is er?'

'LEF heeft mij uitgekozen! Ze gaan hier ook een liveshow doen!'

'Hè? Dat is belachelijk!'

'Ja... En ik moet binnen tien minuten reageren.'

Hij schudt zijn hoofd. 'Dat ga je toch niet doen, hè? Weet je nog hoe ze de deelnemers aan de vorige liveshow hebben geterroriseerd? Daar kun je wel iets aan overhouden, een neef van mij is in Afghanistan geweest en heeft sindsdien PTSS, weet je wat dat is?'

Ik wrijf nerveus met mijn hand langs mijn heup. 'Ja, weet ik. Maar volgens mij waren al die enge stukjes nep, dat moet haast wel. Met special effects. Je denkt toch niet echt dat ze die jongen met een rat hebben opgesloten in een donkere lift? Ik denk dat ze hem er vast wel uit zouden hebben gelaten als hij dat wilde. En dat was vast een tamme rat, wedden?' Ik bijt op de nagel van mijn duim. Waarom zit ik LEF eigenlijk te verdedigen?

'Hij keek anders doodsbang.'

'Dat was ook de bedoeling. Maar ze kunnen je toch niet zomaar iets heel gevaarlijks of illegaals laten doen? Dan krijgen ze meteen de politie achter zich aan, of worden ze voor de rechter gesleept.'

Tommy kreunt alsof hij me ontzettend dom vindt. 'Als ze de spelers nooit iets illegaals laten doen, waarom zijn de mensen achter LEF dan anoniem en niet te traceren?'

'Weet ik niet. Misschien zitten ze wel op de Kaaimaneilanden of in een ander belastingparadijs.'

'Ik geloof niet dat jij snapt met wat voor mensen je te maken hebt,' zegt hij met nadruk. 'Je hoeft niet het meisje met de drakentattoo uit de *Millennium*-trilogie te zijn om persoonlijke dingen over mensen aan de weet te komen. Zulke mensen zullen alles tegen je gebruiken.'

'Ik heb helemaal niks te verbergen.' Nou ja, behalve dan die korte opname in het ziekenhuis. Maar zelfs LEF kan niet bij vertrouwelijke medische gegevens komen. Bovendien heb ik er meer dan genoeg van om me steeds te moeten schamen voor iets waar ik helemaal niets aan kon doen.

Hij knikt naar de deur. 'Kom op, ga gewoon mee naar het feest. Dan kun je nog eens jouw versie van het schoollied zingen.'

Ik doe alsof ik mijn mobiel naar hem gooi. Hij duikt weg. Door de deur, die op een kier staat, klinken de stemmen van de acteurs, die regels tekst uit het stuk naar elkaar roepen en vrolijk lachen. Sydney en Matthew klinken natuurlijk boven alles uit. Ik duw met mijn voet de deur dicht.

'Ik weet dat je vanavond nogal teleurgesteld bent,' zegt hij zacht. 'Maar dat is nog geen reden om opeens iets te doen wat je anders nooit zou doen.'

Kon ik dat maar. 'Het lijkt me juist leuk om vanavond iets te doen wat niemand van me had verwacht.'

'Dat heb je al gedaan. Twee keer zelfs. En weet je nog hoe erg je het vond toen het de eerste keer een beetje anders ging dan je had gedacht?'

'Maar gisteravond ging het heel goed. En ik heb er een mooie prijs aan overgehouden.'

'Dat zijn nog maar de voorrondes. In de liveshows betalen duizenden mensen over de hele wereld om naar jou te kijken. Je denkt toch niet dat ze dan genoegen nemen met een nat T-shirt?'

'Nee, maar ik kan toch in elk geval even kijken wat ze me ervoor willen geven?' Ik kijk op mijn mobiel. En ja hoor, LEF heeft de prijs voor de volgende opdracht al bekendgemaakt. Wow, een make-over van een hele dag in Salon Dev, inclusief massage, waxen, make-upadvies, alles. En het allermooiste is dat ik dan geknipt word door de eigenaar, die eigenlijk alleen lokale beroemdheden doet. En of dat nog niet verleidelijk genoeg is, hebben ze me ook nog afgebeeld in die leuke zomerjurk die ik gisteren op mijn wensenlijstje van Custom Clothz heb gezet. De jurk past me precies en staat geweldig, zelfs met mijn bijna B-cup.

Ik krijg kippenvel van al die mooie prijzen, maar ook van Tommy's waarschuwingen. Voor zulke prijzen wordt er inderdaad vast heel veel van je verwacht.

Ik pak de trapleuning van de brandtrap vast en denk na. In het steegje beneden ons fladderen twee kraaien op een vuilniscontainer. Waarom zijn er zo veel kraaien in Seattle? Houden die beesten soms niet van warm weer? Er steekt een wind op. De vogels vliegen weg en laten ons achter in het stille steegje.

Vanavond is de eerste avond dat ik geen huisarrest meer heb sinds ik vorig jaar november de auto in de garage had gezet, de automatische garagedeur had gesloten en daarna met draaiende motor in slaap viel terwijl ik naar mijn lievelingscd luisterde. Sindsdien denken mijn vader en moeder dat ik een broos wezentje ben dat heeft geprobeerd om iets raars te doen, hoe vaak ik ook tegen ze heb gezegd dat dat helemaal niet zo was.

Syd geloofde me gelukkig wel. Dat dacht ik tenminste. Het verhaal dat de rest van de buitenwereld te horen kreeg, was dat ik een zware griep had die zo ernstig was dat ik in het ziekenhuis opgenomen moest worden. Er deden wel een tijdje wat geruchten de ronde, maar tegen de tijd dat ik weer naar school ging, had iedereen het alleen nog maar over de nieuwe liefdesperikelen in het footballteam.

Iedereen heeft het altijd alleen maar over de laatste roddels. Vanavond heb ik de kans om ervoor te zorgen dat iedereen de geruchten over mij vergeet en het alleen nog maar over mijn rol in LEF heeft. Wist ik maar van tevoren of het daar beter of slechter op zou worden.

Ik staar naar mijn mobiel. 'Je bent een verstandige jongen, Tommy. De verstandigste die ik ken. En ik vind jouw mening echt wel belangrijk.'

'Dus je doet het niet?'

'Jawel, ik doe het wel. *Game on.*'

5

Twee minuten nadat ik mijn aanmelding heb verstuurd, reageert LEF al met de beschrijving van de eerste opdracht. Als ik het lees, begint mijn hart sneller te kloppen. Instinctief draai ik wat weg van Tommy zodat hij het niet kan lezen.

WELKOM BIJ DE LIVESHOWS, VEY! JE KRIJGT NU DE KANS OM ALLERLEI FANTASTISCHE PRIJZEN TE WINNEN. EN WE KOPPELEN JE AAN IEMAND DIE JE AL EENS HEBT ONTMOET: IAN!

Die leuke jongen van de vorige keer wordt mijn partner? Niet slecht.

DIT ZIJN DE ONDERDELEN VAN JE EERSTE OPDRACHT.
— DUMP JE VRIENDJE.

Er verschijnt een foto van Tommy op het schermpje van mijn telefoon. Hmm, misschien hebben ze toch niet zo grondig in mijn privéleven gegraven als ik had gevreesd. Maar hoewel Tommy niet mijn vriendje is, vind ik het toch niet zo'n leuk idee dat ik nu zonder hem een opdracht moet gaan doen.

DOWNLOAD DE BIJGAANDE APP. DAARMEE HEB JE EEN SNELLE VERBIN-DING MET HET SPEL.

ZORG DAT JE OVER VIJFENTWINTIG MINUTEN IN BOWLINGCENTRUM PA-CIFICA BENT. DAAR ONTMOET JE IAN.

GA NAAR BINNEN EN VRAAG AAN TIEN JONGENS OF ZE EEN CONDOOM VOOR JE HEBBEN.

GA SAMEN MET IAN WEG TERWIJL JE HET EERSTE COUPLET ZINGT VAN HET ONDERSTAANDE NUMMER.

Het is een nogal seksueel getint nummer dat ongeveer twintig keer per dag op de radio is, maar voor het geval ik bij de Amish zit of geen radio of tv heb, zet LEF de tekst erbij. Oké, de meeste liedjes op de radio gaan over seks, maar zijn meestal niet zo expliciet als dit.

Tommy leunt tegen de muur. 'Wat zeggen ze?'

'Eh... dat ik een opdracht met Ian moet doen.'

'Wordt hij jouw partner?' Zijn stem slaat bij het laatste woord over.

'Ja, sorry. Ze hadden me eigenlijk aan jou moeten koppelen. Jammer dat jij je niet hebt opgegeven.'

Hij slaat zijn ogen neer en slikt. 'Wat moet je doen?'

'Ik weet niet of ik dat wel mag vertellen.'

'Maar technisch gezien hoor ik niet bij het publiek en ik ben ook geen Kijker. Bovendien komt niemand erachter.'

Ik vertel het hem.

Hij vertrekt geen spier, maar krijgt wel een harde blik in zijn ogen. 'Laat me dan in elk geval met je meegaan, het zou stom zijn om alleen te gaan.'

'Maar dat moet wel.' Ik laat zien wat het eerste onderdeel van de opdracht is.

Hij klemt zijn kaken op elkaar en kijkt net zo verbeten als toen mevrouw Santana, de dramadocente, probeerde om zijn budget voor de decors in te krimpen. 'Hier ben jij veel te slim voor.'

'Ik ga er toch niet met hem vandoor of zo? En dat bowlingcentrum is gewoon een openbare gelegenheid.'

Hij pakt zijn eigen mobiel. 'Ik ga me aanmelden als Kijker.'

'Je hoeft echt geen geld uit te geven om op mij te kunnen letten, hoor.'

Hij haalt zijn schouders op. 'Ik was het toch al van plan. Ik vind zulke feestjes voor de cast toch niet zo leuk.'

'Weet je het zeker? Matthew zei dat hij nog een extra ingrediënt zou meenemen voor door de punch, als je begrijpt wat ik bedoel.' Mevrouw Santana staat niet bekend om haar oplettendheid en volgens mij zou het best goed zijn voor Tommy om eens gek te doen.

'Wees in elk geval voorzichtig. Beloof je dat?'

'Goed, maar dan moet jij beloven dat je alleen online Kijker wordt, geen onsite, want anders word ik misschien wel gediskwalificeerd.'

Hij knikt. 'Afgesproken. Maar vergeet niet dat je altijd kunt stoppen als je niet meer wilt.'

'Natuurlijk. Zodra het vaag wordt, ben ik weg.'

Ik heb geen tijd meer om te bepalen of het nu een hoopvolle of een vertwijfelde blik is die op zijn gezicht verschijnt. Ik loop snel naar mijn auto en bekijk de routebeschrijving die LEF samen met de opdracht heeft meegestuurd. En ik download de app die ze mij hebben gegeven. Jammer dat ik niet met Tommy kan overleggen hoe ik het precies zal aanpakken. Maar op zich klinkt de opdracht duidelijk genoeg. Ook al was dat met die kan water gooien ook zo. De rillingen lopen me over de rug als ik terugdenk aan de koude natte stof van het T-shirt dat tegen mijn borst geplakt zat.

Ik probeer mijn gedachten af te leiden van wat ik straks moet gaan doen door een hip-hop playlist aan te zetten, maar daar krijg ik alleen maar een snellere hartslag van. Twintig minuten later rij ik een parkeerplaats vol SUV's en minibusjes op. Ian staat onrustig bij de ingang. Mooi zo, goed dat hij deze keer op mij moest wachten.

Ik kijk om me heen of ik Kijkers zie. Er moeten er wel een paar zijn om onze opdracht te filmen. Misschien zijn ze nog onderweg. Maar dat is geen reden om niet alvast uit te stappen en mijn partner te begroeten. Als ik naar hem toe loop, zie ik een bord op de deur hangen met de tekst: WELKOM KUISHEIDSCLUB!

'Dit wordt een stuk lastiger dan het eerst leek,' zeg ik.

Hij haalt zijn schouders op alsof hij zoiets al had verwacht. 'We hoeven het alleen maar te vragen, er staat niet dat we op een antwoord moeten wachten.'

Waarom heb ik het zelf niet van die kant bekeken? Als ik vanavond iets wil winnen, moet ik wel wat doortastender zijn. 'Daar zit wat in.'

Hij tikt op mijn Jimmy Carter-button. 'Ik heb hem een keer ontmoet bij een project van Habitat for Humanity.'

Wow, een jongen die op accessoires let en iets doet voor de daklozen. Tommy hoeft zich nergens zorgen over te maken. 'Hoe lang zouden we op die Kijkers moeten wachten, denk je?'

'Waarom zouden we wachten? We kunnen dit ook best zelf filmen. Bij die lef-app zit een videochat die we moeten gebruiken.'

Ik kijk op mijn telefoon, waar nu een kleine lef-app bij mijn favorieten staat. Als ik hem aanklik, verschijnt de tekst van de opdracht met daarbij een knop van de videochat en een kleine statusbalk met de tekst: OPDRACHT NIET GESTART.

'Ik heb alleen niet zo'n goede camera op mijn telefoon.'

'Maakt niet uit, je kunt de link toch openen om in elk geval de audio op te nemen als back-up, dan gebruiken we mijn telefoon wel om te filmen. Zal ik jou eerst filmen, voordat die braveriken helemaal over de rooie gaan, en jij daarna mij?'

Ik bedank hem en ik ben blij dat hij rekening met mij houdt, maar ik huiver als ik eraan denk wat ik moet gaan vragen. En dan nog wel aan de leden van een club die tegen seks voor het huwelijk is.

Een meisje met blozende wangen loopt met haar vriend langs ons heen naar binnen. Ze giechelen en lopen hand in hand, en aan hun verlegen blikken zie ik dat ze elkaar waarschijnlijk nog nooit hebben gezoend. Daardoor voel ik me opeens heel wereldwijs, ook al ben ik zelf nog niet veel verder gekomen dan zoenen.

Mijn schouders verkrampen. 'Ik voel me zo stom. Straks denken die mensen nog dat we ze pesten. Dat hebben ze niet verdiend.'

Ian haalt diep adem en kijkt naar binnen. Dan typt hij iets op zijn telefoon. Hij leest een tijdje en zegt dan: '"Uit onderzoek blijkt dat de mensen die tegen seks voor het huwelijk zijn soms toch in de verleiding komen om dat wel te doen, maar dan niet over de juiste voorbehoedsmiddelen beschikken." Dus als die mensen binnen niks weten over condooms, bewijzen we ze alleen maar een dienst.'

Ik schud mijn hoofd. 'Leuk geprobeerd.'

'Kom op, het is maar een stom spel. Misschien vinden ze het juist wel grappig. We vragen het gewoon voorzichtig, oké?'

Het zijn allemaal mensen van onze leeftijd, dus die moeten wel tegen een paar gekken kunnen die om een condoom vragen. We doen er toch ook niemand kwaad mee? Misschien hebben ze zelfs wel eens van LEF gehoord en kunnen ze smakelijk lachen om onze fantastische grap.

'Klaar?' vraagt hij.

Ik knik voordat ik me kan bedenken.

We lopen de met tl-lampen verlichte gang door en worden verwelkomd door golven van gelach en geroep, en door de geur van friet en van de boenwas die voor de houten banen wordt gebruikt. De zaak is stampvol jongeren en er zijn een paar volwassen begeleiders. Aan de muren hangen posters met teksten als: WARE LIEFDE WACHT! en EEN ONGEDULDIGE JACOB IS GEEN WARE JACOB!

Mijn hart bonkt. Ian pakt mijn hand vast, maar daar word ik niet bepaald kalmer van, ook al voelt zijn hand warm en glad. Tegen een van de muren staan een stuk of zes speelautomaten te knipperen en te bliepen. Vijf stevige jongens staan achter de lawaaiige apparaten en richten een joystick in de vorm van een geweer op het scherm. Als ik mijn vraag aan die vijf jongens stel, ben ik al op de helft van mijn opdracht. Hopelijk kan verder niemand het door al dat lawaai horen. Ik kijk hun kant op en loop er samen met Ian naartoe.

Als we er zijn, start Ian de videochat met LEF. De eerste jongen is vrij groot en heeft blond, kortgeschoren haar. Hij kijkt me met opgetrokken wenkbrauwen aan.

Ik schraap mijn keel. 'Sorry, maar heb je misschien een condoom voor me?'

Hij zet zijn handen in zijn zij en buigt zich naar me toe. 'Sorry, wat zei je?'

Iets harder zeg ik: 'Ik heb een condoom nodig, heb je er toevallig een bij je?'

'Probeer je leuk te doen of zo?'

Dat is een. Ik loop naar de jongen met krulhaar die naast hem staat. 'Kan ik misschien een condoom van je lenen?' Alsof het iets is wat je gebruikt en daarna weer teruggeeft. Gatverdegatver.

De jongen met het krulhaar kijkt me boos aan. 'Sodemieter op.'

'Ja, alleen nog even aan hem vragen.' Ik ga naast zijn buurman staan, een vrij kleine jongen die op zijn onderlip bijt. 'Heb je een condoom voor me?' Voordat hij iets terug kan zeggen, vraag ik hetzelfde aan de twee jongens naast hem. Ze richten allebei hun joystick-geweer op mij, en op hetzelfde moment rolt een bowlingbal met een keiharde knal de kegels omver. Ik schrik me rot. Ian legt zijn hand op mijn rug, waardoor er ondanks mijn angst een prettig gevoel door mijn lichaam schiet.

'Toch bedankt,' weet ik nog uit te brengen voordat we doorlopen.

Aan een van de tafeltjes vol glazen frisdrank zitten drie jongens en twee meisjes. Zonder verder na te denken of een plan te maken, tik ik de eerste de beste jongen op zijn schouder. Als hij zich omdraait, stokt de adem in mijn keel. Het is Jack, een jongen op wie mijn vriendin Eulie al maandenlang verliefd is. Misschien dat zijn aanwezigheid hier verklaart waarom het nog steeds niets met hem geworden is. Volgens mij kent hij Tommy ook en gaat hij wel eens met hem naar de filmclub. Als hij nou in godsnaam maar snapt dat ik meedoe met LEF. Maar ik vermoed dat ik van God bij deze opdracht niet veel hulp kan verwachten.

Ik wrijf nerveus met mijn hand langs mijn rok. 'Eh, hoi Jack. Ik vroeg me af of jij misschien een eh... een condoom voor me hebt.'

Hij wordt knalrood. 'Waarom vraag je zoiets raars?'

Ik moet bijna huilen. 'Sorry.' Het zal toch wel niet tegen de regels zijn om sorry te zeggen?

Hij kijkt me met toegeknepen ogen onderzoekend aan en schudt zijn hoofd.

Ian pakt me bij mijn arm en trekt me mee naar een ander tafeltje. 'Niet nadenken maar doorgaan. Je bent er bijna.'

Hij heeft gelijk. Ik stel de vraag snel aan nog twee jongens, zonder op een antwoord te wachten. Een van hen gaat staan en zegt: 'Dit is niet grappig, je kunt beter weggaan.'

Ik voel me verschrikkelijk lullig; niemand hier heeft het verdiend dat wij zo vervelend doen. En we zijn nog niet klaar. Met trillende handen pak ik Ians telefoon aan. Terwijl we naar een groepje meisjes aan een ander tafeltje lopen, zeg ik tegen Ian dat hij zo aardig mogelijk moet doen.

Hij spreekt een meisje met blauwe oogschaduw aan. 'Je hebt zeker niet toevallig een condoom bij je? Niet dat je van plan zou zijn om die te gebruiken, natuurlijk.'

'Donder op, smeerlap!' snauwt ze. Ik vraag me af of 'smeerlap' wel op haar lijst met toegestane woorden staat.

'En jij dan?' vraagt hij aan een ander meisje. Als ze nee roept, lopen we snel bij hun tafeltje weg.

Acht voor mij, twee voor Ian.

Nu komen we bij een tafeltje met jongens en meisjes. Ik zie dat Jack vanaf zijn tafeltje met gefronste wenkbrauwen kijkt wat ik doe. Ik keer hem de rug toe en gooi mijn vraag eruit. Een van de twee jongens aan wie ik het vraag, is de jongen die ik met zijn vriendin naar binnen heb zien gaan toen we bij de ingang stonden te wachten. Zijn vriendin kijkt geschokt naar hem en pakt zijn hand vast. Zou ik nu hun date hebben verpest? Ik zeg sorry en pak de telefoon van Ian aan. Ik zit nu op tien. Waarom ben ik dan niet opgelucht? Ik wil het liefst heel hard roepen dat het me erg spijt en dan gauw weglopen. Maar dat kan niet. Eerst moet Ian nog zijn opdracht afmaken. Ik richt de camera op hem terwijl hij zijn vraag stelt aan een klein meisje met bruin haar. Ze gilt als een puppy die een schop krijgt, waarna de jongens bij de speelautomaten op ons af komen.

De grote blonde jongen kijkt ontzettend boos. 'Wegwezen, we hebben meer dan genoeg van jullie twee!'

'We gaan zo,' zeg ik, 'over een minuutje.'

Ian vraagt aan zijn vierde en vijfde meisje of ze een condoom bij zich hebben. Intussen komen er steeds meer mensen om ons heen staan. De blonde jongen loopt steeds roder aan, alsof hij niet genoeg zuurstof krijgt. Door al die kuisheidsgeloften hebben ze zo te zien geen tijd meer voor ontspanningsoefeningen.

Een van de volwassenen, die ons vanaf de kant al een tijdje gadeslaat, komt op het tumult af. Hij heeft glad, achterovergekamd haar en zijn jasje is meer waard dan de helft van mijn garderobe. Is hij soms hun leider of zo?

De man slaat zijn arm om Ian heen en zegt joviaal: 'Jongens, wat is hier allemaal gaande?'

Ian maakt zich los alsof hij zich heeft gebrand. 'Wij eh... wij zijn bezig met een interview. En ik ben blij te kunnen zeggen dat deze groep tot nu toe met vlag en wimpel is geslaagd.'

De man fronst zijn wenkbrauwen. 'Interview?'

Ian baant zich een weg naar de drie meisjes aan het volgende tafeltje.

Zijn bruine wangen hebben inmiddels een behoorlijk rode kleur gekregen. Ik loop met de camera achter hem aan door de menigte, maar ik weet niet zeker of ik zijn volgende vraag wel goed op film heb staan, al is de reactie van een van zijn slachtoffers, een lang meisje met rood haar, overduidelijk, want ze laat een doordringende gil horen. Haar twee vriendinnen reageren ongeveer op dezelfde manier. Nu staat Ian ook op acht.

De blonde jongen zegt iets tegen de man met het dure jasje, die daarop knikt en glimlacht. Wat zijn die twee van plan?

Ian kijkt naar me. Hij is bezweet en hijgt een beetje, en loopt snel naar een tafeltje bij de deur. Iedereen loopt achter hem aan en er worden heel wat ongekuiste verwensingen naar hem geroepen. Ik hou de camera omhoog, maar dan probeert de blonde jongen die uit mijn hand te grissen. Hij mist net, en ik stop de telefoon weg in mijn beha. Ik duw mijn borst vooruit en kijk hem uitdagend aan, en hoop intussen vurig dat hij niet zijn hand in mijn t-shirt met vampieropdruk durft te stoppen om de telefoon af te pakken.

Hij doet een stap naar voren, maar blijft dan staan. Zijn hals zit onder de rode vlekken die er net nog niet waren. 'Wegwezen jij, slet!'

Daar ben ik nog nooit voor uitgescholden, maar ik heb geen zin om met deze vent in discussie te gaan over mijn liefdesleven. Ik dring naar voren om Ian bij te houden, die inmiddels de vraag aan het volgende meisje heeft gesteld. Helaas heb ik het niet kunnen filmen. Zou het voldoende zijn als ik bevestig dat hij dat heeft gedaan? Ik pak de telefoon uit mijn beha en kan hem nog op tijd aanzetten.

'Nog één!' roep ik.

'Maar ik heb er al tien!'

'De vorige staat er niet op!'

Hij kreunt.

Een begeleidster komt naar ons toe en zwaait met haar wijsvinger. 'Jij moest je diep schamen!'

'Dat doe ik ook, maar heb je misschien een voorbehoedsmiddel voor me, om precies te zijn een condoom?' vraagt Ian met een zoetsappige grijns.

De blonde jongen schreeuwt tegen Ian: 'Doe jij eens een beetje respectvol, klootzak!' Hij ziet eruit alsof hij bijna ontploft. Ik stop de telefoon terug in mijn shirt en zwaai met mijn vuist. 'Hé, vergeet het zesde gebod niet: gij zult niet moorden!'

Als reactie spuugt de jongen naar me. Ik gil als zijn spuug op de punt van mijn schoen belandt. De begeleider lacht en geeft de jongen een schouderklopje.

'Viezerik!' bijt ik hem toe.

De blonde jongen pakt me bij mijn armen en knijpt hard. Zijn adem ruikt naar benzine, wat me erg gunstig lijkt voor zijn kuisheidsgelofte.

Ian trekt aan zijn schouder. 'Hé, gast, we gaan al, laat haar los.'

De jongen duwt me naar achteren. 'Jullie hebben al de kans gehad om zelf weg te gaan, nu doe je het maar op onze manier.' Hij sleurt me naar de deur terwijl de man met het achterovergekamde haar samen met een paar andere jongens Ian vastpakt. De mensen die om ons heen staan beginnen te joelen.

Jack trekt aan de arm van de blonde jongen en roept: 'Laat ze maar gaan, volgens mij doen ze dit voor een of ander spel.'

Eindelijk heeft iemand het door, maar de blonde jongen trekt zich er niks van aan, duwt Jack aan de kant en blijft mij vasthouden. Het voelt alsof mijn arm in een bankschroef zit.

Ik haal diep adem en hoewel ik het liefst door de grond zou willen zakken bij het idee wat ik nu ga doen, zing ik toch het schunnige liedje dat ik volgens de opdracht moet zingen. Jack kijkt me vol afschuw aan. Misschien kunnen Tommy of Eulie hem verzekeren dat ik eigenlijk niet zo erg ben. Als ik dit tenminste overleef.

Ian valt in en we zingen luidkeels het lied terwijl we naar de uitgang geduwd worden. Buiten staan inmiddels al heel wat mensen te kijken. Zouden we onze auto wel halen zonder in elkaar gemept te worden? Ik krijg een harde duw in mijn rug. Ik val op het asfalt en kom hard op mijn heup terecht. Ian overkomt hetzelfde en belandt naast me op de grond. We draaien ons om en zingen bibberig maar dapper door tot de deur met een klap gesloten wordt.

Ik moet lachen en huilen tegelijk, maar ik verdring het door verder te zingen, alsof het lied een mantra is dat de vijandige sfeer om ons heen op afstand houdt.

Ian staat op. 'Dat was het. Opdracht geslaagd.'

Hij helpt me omhoog door me zacht maar stevig bij mijn bovenarmen te pakken. Als ik sta, veeg ik mijn rok af. Niet gescheurd, gelukkig, maar morgen heb ik vast een enorme blauwe plek op mijn heup. Ian wrijft over zijn elleboog en kijkt verbaasd naar me, waarschijnlijk omdat ik nog steeds niet ben opgehouden met zingen.

Hij legt zijn handen op mijn schouders. 'Ik zei dat de opdracht geslaagd is. We zijn klaar, je kunt nu rustig ademhalen.'

Dat probeer ik, maar het gaat met horten en stoten. 'Alleen jammer dat we niet meer hebben kunnen filmen terwijl we dat lied zongen.' Ik pak zijn telefoon uit mijn shirt, veeg hem af en geef het ding aan hem.

Hij begint te lachen en knikt naar de parkeerplaats. 'Dat was ook niet nodig.'

In alle opwinding had ik niet gemerkt dat de mensen buiten een stuk vriendelijker naar ons kijken dan de mensen binnen. Ze beginnen zelfs te applaudisseren. En de meesten filmen ons met hun mobiel. Het zijn onsite Kijkers, die allemaal een directe verbinding met LEF hebben.

Ian pakt mijn hand vast en we maken een buiging. Terwijl het applaus aanzwelt, klaart mijn humeur op. Zelfs de pijn in mijn heup vervaagt. Opeens lijkt de opdracht niet meer zo vreselijk gênant als een paar minuten geleden, en wordt alles overstemd door het machtige gevoel dat het ons is gelukt. Ik kan wel dansen, een stukje rennen of het uitschreeuwen van opluchting.

Een stuk of tien Kijkers, variërend van leeftijdsgenoten tot mensen van in de twintig en dertig, komen naar ons toe om ons een high five te geven. Ik had geen idee dat zo veel verschillende mensen dit spel volgen.

'We hebben het door de ramen gezien. We mochten van LEF deze keer niet naar binnen,' zegt een tengere vrouw met een hoornen bril. 'Het zag eruit alsof die lui jullie het liefst wilden opknopen.'

'Dat komt vast door al die opgekropte energie.'

Iedereen lacht, ook al was het eigenlijk helemaal niet zo grappig. Toch word ik erdoor opgevrolijkt. 'Hebben jullie gefilmd toen we eruitgesmeten werden?' vraag ik. Hoe meer bewijs, hoe beter.

Ian is nog steeds een beetje buiten adem, maar hij lacht voor de camera's en neemt allerlei poses aan, alsof hij over de rode loper loopt. Ik zou

hem wel om de hals kunnen vliegen omdat hij me zo goed heeft gesteund. Mijn hart bonst alsof ik heb gesport, en hoe harder de mensen
juichen, hoe opgetogener ik word. Dit is dus waar beroemdheden energie van krijgen.

Op Ians aandringen doen we een overwinningsdansje voor onze bewonderaars waarbij we een stukje uit 'ons' lied zingen. De mensen die
vlak bij ons staan, zingen mee, de mensen daarachter vallen in en al snel
is iedereen aan het dansen en zingen. Wat een feest! Ongelofelijk, dat ik
zo veel plezier heb met meer dan honderd onbekenden, en dan te bedenken dat er binnen een stuk of honderd mensen zijn die me in elkaar zouden willen meppen.

Boven het kabaal uit hoor ik opeens het gejengel van een klein kind,
hoewel er geen kinderen in de buurt zijn. Merkwaardig. Dan voel ik mijn
telefoon trillen. Ik kijk. LEF feliciteert ons met het succes. Ian en ik houden onze telefoon in de lucht.

De menigte roept: 'Nog een opdracht! Nog een opdracht!'

Zou ik dat aankunnen? Ik vond dit al behoorlijk heftig. De spelers
kunnen met het spel ophouden wanneer ze willen, al is er voor zover ik
weet in de vorige ronde niemand vrijwillig gestopt.

Er valt een verwachtingsvolle stilte. De blikken van al die mensen prikken in mijn vel, maar toch voelt het alsof we verbonden zijn, alsof we een
wezen met honderd paar longen zijn die tegelijk ademhalen. Ik krijg kippenvel, maar ik lach met de mensen mee.

Wat zouden mijn vrienden hiervan vinden? Er zijn er vast een paar die
nu kijken. Ik pak mijn mobiel weer, maar het schermpje is leeg. Geen
sms'jes? Van niemand? Ik probeer Tommy en een paar anderen een sms
te sturen, maar ik krijg een foutmelding. Ik probeer te bellen, maar alles
is geblokkeerd, zelfs de toegang tot mijn ThisIsMe-pagina. Ondanks al
die mensen, voel ik me opeens alleen.

Ik hoor opnieuw dat kinderstemmetje, met een vreemd, spottend gejengel, en realiseer me dat het uit mijn eigen telefoon komt. LEF heeft
blijkbaar de ringtoon gereset. En hun bericht komt dus probleemloos
door. Heel fijn, die app van ze geeft een snelle verbinding, maar blokkeert al mijn andere contacten. Ik had kunnen weten dat zoiets zou gebeuren.

Ik lees het bericht, dat niet veel meer is dan een statusoverzicht. We hebben hogere kijkcijfers dan de meeste liveshows aan de Oostkust en in het Zuiden, en daarom krijgen we een bonus als we aan de volgende opdracht meedoen. Kijken er echt zó veel mensen naar ons? Ik werp een blik op mijn shirt om te zien of het niet is gescheurd of weer nat is geworden. Nee hoor, het zit nog steeds keurig.

Ian kijkt ook op zijn mobiel. 'Zo, we zijn behoorlijk populair aan het worden.'

Populair? Aha. Zou Matthew misschien ook een van de vele Kijkers zijn? En wat zou hij nu van Veytje vinden?

'Ik ben benieuwd wat we nu weer kunnen winnen,' zegt Ian.

De prijs voor een nieuwe opdracht moet toch minstens zo aanlokkelijk zijn als die schoenen en een hele dag in Salon Dev. Misschien een uitstapje naar New York? Dat zou nog eens een droomprijs zijn.

De menigte begint weer te juichen en ik word helemaal warm vanbinnen. De neonlampen werpen een zachte gloed over iedereen.

Ian glimlacht. 'Zullen we in mijn auto gaan zitten terwijl we op de volgende opdracht wachten?' Hij wijst naar een grijze Volvo een eindje verderop. Een degelijke wagen, echt iets voor een jongen die helpt met huizen bouwen voor de daklozen.

Ik knik. Het lijkt me fijn om even tot rust te komen zodat ik beter kan nadenken. We zwaaien naar de menigte en stappen in. Als we de portieren hebben dichtgedaan, is het even heerlijk stil.

'Gefeliciteerd, partner, we hebben een opdracht in de liveshow gedaan!' zegt hij.

Gek idee dat we elkaar nog steeds bijna niet kennen. 'Wat weet LEF allemaal van jou dat ik niet weet?' Jemig, zit ik nou met hem te flirten?

'Hmm. Eigenlijk best veel denk ik. Even denken, ik zit op de Jackson Academy, ik eet veel te veel pretzels en ik hou van lange strandwandelingen. Nu jij, Vey?' Als hij mijn naam uitspreekt, drukken zijn perfecte voortanden zacht in zijn perfecte onderlip en word ik helemaal week.

'Ik zit op Kennedy, ik doe mee aan onze theatervoorstelling maar dan achter de schermen, en ik ben een wereldverbeteraar.' En ik wuif voor de grap net zo koninklijk naar hem als net naar het publiek.

'Waarom doe je mee aan LEF?'

'Gewoon. Ik wilde een keer iets bijzonders doen. En jij?'

Hij buigt zich naar me toe. 'Voor de prijzen, natuurlijk.'

Ja, de prijzen. 'Wat heb jij tot nu toe gewonnen?'

'Geld voor de voorrondes en voor deze opdracht een busabonnement.'

Zit hij me nou in de maling te nemen? Maar waarom zou hij liegen over een prijs? 'Een busabonnement?' vraag ik. 'Dat is wel een beetje... ik weet niet.' Het woord dat in me opkomt is *random*.

'Nee, het is perfect, ik kan gratis door de hele vs, wanneer ik maar wil.'

'Waarom zou je niet met de auto willen?'

'Omdat ik dan steeds deze auto van mijn ouders moet pikken.' Heel even zie ik een harde blik in zijn ogen verschijnen, maar dan glimlacht hij en kijkt me aan. 'We hebben wel mazzel gehad dat die vervelende vent ons niet helemaal in elkaar heeft geslagen.' Vervelende vent: twee woorden met een v: ik krijg het warm als ik zie hoe hij die met zijn prachtige mond uitspreekt. Ik vind hem geweldig, al vind ik zijn smaak wat prijzen betreft nogal ongewoon.

Maar voordat ik kan bedenken hoe ik hem *victorie* of *vivisectie* kan laten zeggen, gaan onze beide telefoons af met hetzelfde kinderachtige stemmetje: *na-na-na-na-na, na-na-na-na-na.* Het klinkt als iets uit een horrorfilm. Maar het is de ringtoon van LEF. Onze volgende opdracht.

6

Ik klik op de link naar de prijs voor de volgende opdracht: de allernieuwste telefoon, met een fantastische camera, alle apps die ik me maar kan wensen, een supersnelle internetverbinding en een tweejarig onbeperkt abonnement. Wow.

JE VOLGENDE OPDRACHT. GA NAAR HET GEBIED DAT IN HET KAARTJE HIERONDER IS AANGEGEVEN. LOOP DOOR DE GEMARKEERDE STRATEN EN PROBEER IEMAND ZOVER TE KRIJGEN DAT HIJ JOU HONDERD DOLLAR WIL BETALEN VOOR SEKS. NEE, JE HOEFT NIET ECHT IETS TE DOEN, JE HOEFT ALLEEN MAAR IEMAND TE VINDEN DIE BEREID IS OM JOU TE BETALEN.

Mijn maag keert zich om. Ik moet doen alsof ik een hoer ben? In dat deel van de stad? Gatver. Dan moeten ze me wel een wapen en een kogelvrij vest meegeven. Mijn moeder heeft in een kantoorgebouw daar in de buurt gewerkt, en toen klaagde ze vaak tegen mijn vader over de vieze dingen die daar altijd in de parkeergarage lagen. Hij maakte er grapjes over, zei dat het bedrijf dat als secundaire arbeidsvoorwaarden moest aanprijzen en het personeel langere pauzes moest geven om langs de dealer of de stoephoer op de hoek te gaan. Ik mis die grapjes die mijn ouders vroeger maakten. Vroeger was het bij ons thuis veel gezelliger en vrolijker, maar dat is dankzij mij nu allemaal verdwenen.

Ik probeer op Ians telefoon te kijken, maar hij houdt hem te dicht tegen zich aan. Zijn gezicht licht op in verschillende kleuren door de neonlampen van het bowlingcentrum: zacht lavendel en daarna felrood.

De mensen die buiten op de parkeerplaats staan, kijken allemaal op hun mobiel om te zien waar het feest straks verder zal gaan.

Een vrouw met een waterval van rode krullen die me doet denken aan de sopraan in *Phantom of the Opera*, tikt op Ians raampje en roept: 'Wat is jullie opdracht?' Ze wijst naar mij. 'Zeker wel een goeie, want die kleine meid ziet d'r uit alsof ze elk moment over haar nek kan gaan.'

Ian draait zijn raampje omlaag en haalt verontschuldigend zijn schouders op. 'Sorry, jullie moeten wachten tot LEF het naar jullie doorstuurt.' Hij hoeft haar toch niet de regels uit te leggen? Heeft ze dan niet naar de vorige liveshows gekeken? Of zouden de onsite Kijkers misschien ook prijzen kunnen winnen als ze de regels weten te overtreden, net zoals wanneer ze een mooi filmpje kunnen uploaden? Wow, daar ga ik weer met mijn complottheorieën.

We zwaaien naar onze fans en Ian draait het raampje weer omhoog. Een jongen probeert dat te verhinderen en duwt zijn telefoon naar binnen. Hij maakt een foto; het plotselinge flitslicht verblindt me, maar dan draait Ian het raampje dicht en maakt het vredesteken naar de mensen buiten.

Ik wuif me met mijn hand wat koelte toe. 'Pff. Het lijken wel een stel paparazzi.'

'Wat is jouw volgende opdracht?'

'Jij eerst.'

Hij leunt achterover in zijn autostoel. 'Ik moet charmant gaan doen in een nogal oncharmante buurt van de stad. Zó charmant dat de meisjes die daar op straat de kost verdienen mij gratis hun eh... diensten aanbieden. En nu jij.'

'In het hypothetische geval dat ik de volgende opdracht ga doen, moet ik iemand zover krijgen dat hij me honderd dollar betaalt voor mijn eh... diensten.'

Hij draait traag zijn hoofd naar me toe. 'Nou, dat zou een koopje zijn.'

'Dank je. Als ik je tenminste goed begrijp.' Ik frons mijn wenkbrauwen. 'Maar zou het daar in die buurt ook een koopje zijn? Ik bedoel, ik kan me niet voorstellen dat iemand zoiets ooit zou doen, maar als ik méér vraag dan het gangbare tarief, dan zou dit wel eens heel lastig kunnen worden. Bovendien ben ik veel te jong.'

Hij grijnst en pakt zijn telefoon. 'Dat is voor sommige gestoorde klanten geen enkel probleem.'

Hij zoekt iets op en zegt even later: 'Het tarief voor een callgirl ligt tussen de honderd en driehonderd dollar. Maar voor een straatprostituee tussen de twintig en de vijftig. Dus je zit wel boven het gangbare straattarief, maar je ziet er niet uit als een heroïnehoertje, dus dat scheelt.'

'Goh, nou, bedankt voor het compliment.' Ik vind het een afschuwelijke opdracht, maar dan denk ik weer aan de beloning: een fantastische telefoon met onbeperkt abonnement, zodat mijn ouders niet over de rekeningen zullen gaan zeuren, dat is natuurlijk supervet. Maar ben ik echt bereid om daarvoor te doen alsof ik een tippelaarster ben?

Ian vertelt dat hij een luxe kampeerset kan winnen. Die jongen houdt wel van reizen, als je naar zijn prijzen kijkt. Zijn ogen sprankelen nu al, maar gaan nog meer schitteren als LEF ons laat weten wat de bonus is: voor elke duizend Kijkers die zich aanmelden, krijgen we ieder tweehonderd dollar. Wow. Hoeveel mensen zouden zich aanmelden om te zien dat wij op survival gaan in de hoerenbuurt?

'Die twee opdrachten worden wel lastig om te filmen, want met een camera jagen we vast alle hoeren en pooiers weg.'

'Dan moeten we dat dus heel onopvallend doen. En hopelijk blijven de Kijkers uit de buurt.'

Maar daarvan hangen er nu nog steeds tientallen als een stel zombies rond onze auto. De meesten zijn een jaar of twintig.

Mijn telefoon maakt weer dat irritante geluid. Ik zou alleen al willen stoppen met dit spel om mijn oude ringtoon weer terug te krijgen. Als ik zie wie het is, kan ik bijna niet geloven dat LEF dit telefoontje doorlaat. Ik neem snel op, voordat ze van gedachten veranderen.

Het is Tommy. 'Gaat alles goed?' vraagt hij. 'Je had het zo te zien wel tamelijk moeilijk met die laatste opdracht.'

Wow, LEF heeft ons filmpje dus heel snel online gezet, bijna in real time. Ze hebben dan blijkbaar niet veel in ons materiaal veranderd. Maar waarom laten ze mij nu met Tommy praten? En zou ons gesprek nu ook online worden gezet? Misschien willen ze er wel achter komen wat ik van de nieuwe opdracht vind, dat zal het wel zijn.

'Mijn heup doet een beetje zeer, maar verder gaat het goed.'

'Ik kan je nu wel komen halen als je wilt, ik ben in de buurt.' Tuurlijk is hij in de buurt.

Ik haal diep adem. 'Wacht, Tommy, doe maar niet. We hebben net onze volgende opdracht gekregen en ik ben nog aan het bedenken of ik ga meedoen.' Vanuit mijn ooghoek zie ik Ian grijnzen.

'Wat? Je gaat toch niet serieus nog een keer meedoen?' vraagt Tommy geschrokken.

'Ik kan er een supermooie telefoon en ook nog een hoop geld mee verdienen, dus misschien wel. Voor iemand die een spaarrekening en een nieuwe auto heeft, stelt dat waarschijnlijk niks voor, maar voor mij wel.'

'Je bent nu al gewond geraakt, je wilt toch niet het risico lopen dat je er dood aan gaat?'

'Doe niet zo overdreven. Ze bedenken heus geen levensgevaarlijke opdrachten. Alleen heel gênante.'

'Wat moet je dan doen?'

'Je hebt je aangemeld als Kijker, dus dat mag ik niet vertellen.' Zou ik niet op een of andere manier kunnen zorgen dat hij daar in de buurt is, als voorzorgsmaatregel? Hadden we maar een soort geheime code, dan kon ik hem vertellen waar we naartoe moeten gaan zonder dat LEF dat merkt.

Geheime codes, dat doet me denken aan Syd. Toen we dertien waren, wilde ze auditie doen voor een rol in *The Miracle Worker*. We repeteerden voor twee rollen, die van Annie Sullivan en van Helen Keller, en we leerden gebarentaal, wat ons tijdens de les soms heel goed van pas kwam. Kon ik Syd maar even bellen om te vertellen hoe het met me gaat. Waarom moest ze ook zo nodig achter Matthew aan gaan?

Ik schrik op uit mijn gedachten door Tommy's stem. 'Niet doen, Vey. Ik heb geruchten gehoord over een van de meisjes die de vorige keer heeft gewonnen...' Het gesprek eindigt in een hoop geruis. Als ik probeer terug te bellen, krijg ik geen verbinding. Stomme telefoon.

Ian trommelt op zijn stuur. 'In het hypothetische geval dat jij doorgaat met het spel, wil je dan met me meerijden? Hypothetisch?' Hij doet zijn veiligheidsgordel om, wat me een geruststellend gevoel geeft. Doen psychopaten ook zo braaf hun riem om? Het lijkt me trouwens veel gevaarlijker om in m'n eentje naar dat deel van de stad te rijden. En met al die Kijkers in de buurt ben ik bij hem heus wel veilig.

'Ja hoor,' zeg ik. En dat is niet alleen een antwoord op zijn vraag of ik wil meerijden, maar ook op mijn deelname aan de volgende ronde van het spel. Ik kan bijna niet geloven dat ik een opdracht in de liveshow heb voltooid en op het punt sta om aan de volgende te beginnen. Ik, Vey, het meisje achter de schermen.

Ian start de motor en we steken onze duim op naar de Kijkers om te laten zien dat we doorgaan met het spel. Ze juichen en rennen naar hun auto's. Ik geef mijn besluit door aan LEF. Wat zullen ze hierna weer gaan verzinnen? Achter ons hoor ik getoeter, en iemand heeft zijn stereo zo hard aanstaan dat ik de bassen hoor dreunen.

Ian fronst zijn voorhoofd. 'Het zou wel handig zijn als iemand onze volgende opdracht zou filmen, maar die mensen doen meer kwaad dan goed.'

Een jongen op de parkeerplaats laat zijn billen zien aan een stel vrienden in een auto, die vrolijk beginnen te joelen. Ik snap wat Ian bedoelt, maar als we de Kijkers proberen af te schudden, zullen ze daar niet blij mee zijn. In de vorige ronde in Los Angeles stak een deelnemer een paar keer zijn middelvinger op tegen zijn onsite Kijkers, die vervolgens zijn opdracht gingen saboteren waardoor hij verloor.

'We zouden wel kunnen vragen of ze een beetje rustiger willen doen. LEF zal ze vroeg of laat toch wel vertellen waar onze volgende opdracht is.'

Ian moet uitwijken voor een meisje dat naast onze auto een radslag doet. 'Ze zijn niet alleen rumoerig, maar ook gevaarlijk.'

Hij rijdt keihard weg en slaat een paar keer af om onze achtervolgers kwijt te raken. Een paar auto's weten ons eerst nog bij te houden, maar die weten we af te schudden door op een kruispunt door te rijden als het licht net op rood springt. Wie had gedacht dat zo'n degelijke auto zo'n scheurijzer kon zijn?

Ik snap wel waarom hij dit doet, maar toch krijg ik een ongemakkelijk gevoel, alsof ik over een brug rij die elk moment kan instorten. Zou LEF hem dit hebben opgedragen, zoals ze mij hebben opgedragen om Tommy te dumpen? En als dat zo is, wat moet hij dan nog meer doen waar ik niets van weet?

Ik friemel nerveus aan mijn veiligheidsgordel. 'Ik weet eigenlijk niet of het wel zo'n goed idee was om die Kijkers af te schudden.'

'Maak je geen zorgen, dat is maar voor even.' Als hij nog een paar keer een zijstraat in is gereden en zeker weet dat niemand ons nog volgt, zet hij de stereo aan. 'We zullen wat sappige filmpjes opnemen om het goed te maken.'

'We hebben na vanavond wel heel wat uit te leggen aan een hoop mensen,' zeg ik.

'Ja. Zo te horen was je vriendje behoorlijk kwaad.' Zegt hij dat alleen om erachter te komen of ik een vriendje heb?'

'Jouw vriendin zal het ook niet leuk hebben gevonden om te worden gedumpt.'

Zijn mondhoeken gaan een beetje omhoog. 'Ik heb geen vriendin.' Hmm, het goede nieuws is dat hij geen vriendin heeft, maar het slechte nieuws is misschien dat hij het met geen enkel meisje kan uithouden.

'Tommy is alleen een goede vriend van me. En hij begrijpt gewoon niet dat iemand zoiets gaat doen voor een paar coole prijzen.'

'Dat snappen mensen die geld als water hebben nooit.'

'En hoe weet jij dat? Je studeert en je hebt een peperdure telefoon.'

Hij kijkt ernstig. 'Die telefoon heb ik zelf verdiend. En ik werk hard om mijn studie te kunnen betalen.'

'Echt? Wat doe je dan? Zo'n baantje wil ik ook wel.' Niet dat ik een hekel heb aan mijn werk bij Vintage Love. Ik verdien er alleen bijna niks mee.

Hij schudt zijn hoofd, glimlacht gespannen en zet de stereo harder. De auto trilt. Oké, hij is me geen verklaring schuldig. Ik vertel hem mijn levensverhaal ook niet.

Ik knik naar de stereo. 'Wie zijn dit?'

Zijn mond valt open. 'Nog nooit van de Rolling Stones gehoord? Mick Jagger? Dat is klassiek!'

'Wel van gehoord, maar dit nummer ken ik niet.'

'Dan is dit je geluksavond.'

Zou hij gelijk hebben? Is vanavond echt mijn geluksavond? Nog geen twee uur geleden probeerde mijn beste vriendin de jongen te versieren op wie ik al een maand een oogje heb. Maar nu heb ik een paar supervette schoenen en een make-over gewonnen. En zit ik bij een superleuke jongen in de auto. Oké, we rijden naar de slechtste buurt van de stad en daar moet ik doen alsof ik een hoer ben. Misschien word ik wel in elkaar geslagen. Of nog erger... Iedereen weet dat prostituees niet zo'n leuk leven hebben als in *Pretty Woman* of *Gypsy*. Gelukkig hoef ik alleen maar te doen alsof. Al met al valt het dus misschien toch best mee met mijn geluk vanavond.

We zetten de auto een paar straten voor het gebied dat LEF op de kaart heeft aangegeven. Ik doe wat lipgloss op terwijl ik nadenk over mijn kleding. Wat ik nu aanheb, ballerina's en een t-shirt met een vampier erop, is niet bepaald hoerig, maar misschien kan ik doorgaan voor een ondeugend schoolmeisje. Ik trek mijn t-shirt over mijn schouder naar beneden zodat mijn behabandje te zien is, doe mijn rokje wat hoger en maak twee staartjes van de elastiekjes die nog onder in mijn handtas zitten. Jammer dat ik geen lolly heb.

Voordat we uitstappen, besluiten we dat ik mijn handtas waarschijnlijk beter in het handschoenenkastje kan laten liggen. Ik krijg opnieuw pijn in mijn buik van het idee dat ik in dit deel van de stad over straat moet gaan lopen. In elk geval heb ik mijn mobiel bij me. Die laat ik echt niet achter.

Als we zijn uitgestapt, wijst Ian naar mijn verkiezingsbutton. 'Misschien kun je die beter afdoen. Volgens mij doen mensen in de eh... entertainmentindustrie niet aan politiek.'

'Ja, daar heb je waarschijnlijk gelijk in. Al denk ik niet dat iemand hier weet wie Jimmy Carter is.' Ik doe de button af en stop hem in mijn zak.

Oké, tijd om in mijn rol te kruipen. Volgens Syd is het belangrijk om met je houding te beginnen. Ik probeer wat diva-achtige genen op te diepen en neem een uitdagende houding aan. 'Hallo, Seattle, vrouw in de aanbieding!'

Ian bekijkt me van top tot teen. 'Volgens mij heb je binnen tien minuten een klant. De engerds die hier op zoek zijn naar een hoer, vallen vast als een blok voor een prachtige brunette met blauwe ogen die eruitziet alsof ze nog maar net op de middelbare school zit.'

'Eh, dank je.' Dat 'brunette' en 'middelbare school' vind ik niet helemaal bij elkaar passen, maar volgens mij bedoelt hij het als compliment.

'Ik wou alleen dat ik wat meer make-up bij me had.'

Hij laat zijn blik lange tijd op me rusten, waar ik het een beetje warm van krijg. 'Wist je dat de eerste vrouwen die lippenstift droegen prostituees waren?'

79

'Klinkt logisch. Ze wilden er natuurlijk zo mooi mogelijk uitzien om klanten te lokken.'

'Ja, daar gebruikten ze het voor, maar niet omdat het er mooi uitzag. Het was een teken dat ze ook speciale diensten verleenden, die met hun mond te maken hadden.'

'O.' Ik kijk hem even van opzij aan. 'Eerst dat onderzoek over mensen die aan onthouding doen, dan de prijs die je als hoer kunt vragen en nu prostituees uit de oudheid. Wat een leerzame avond.'

Hij pakt zijn telefoon. 'Laten we het dan maar ergens anders over hebben. Wist je bijvoorbeeld dat mensen in sommige culturen denken dat als je een foto van ze maakt je hun ziel steelt?'

'Ik dacht dat dat verzonnen was door mensen die ervan baalden dat hun haar niet goed zat.'

Hij richt zijn camera op mij. 'Wat je wilt.'

Ik trek een pruilerig modellengezicht en hij maakt een foto. De hoeveelste foto van vandaag zou dat zijn?

Hij strijkt zijn haar naar achteren. 'Laten we maar eens beginnen. Het zal nog niet gemakkelijk worden om een drukbezette vrouw zover te krijgen om mij gratis van dienst te zijn.'

Met die donkere ogen van hem en die veelbetekenende glimlach krijgt hij natuurlijk het ene aanbod na het andere. 'Dat gaat vast super.'

We lopen snel, wat ik wel best vind, voor een deel omdat het koud is maar ook omdat ik hoop dat het gekriebel in mijn buik ervan overgaat. Maar ik moet wel mijn best doen om zijn grote stappen bij te houden.

Als we er zijn, gaat hij wat langzamer lopen. 'Misschien kun jij een stukje voor me uit lopen? Dan zet ik de livestream met LEF aan. Probeer zoveel mogelijk in het licht van de straatlantaarns te blijven.'

Voorlopig is dat het plan waarmee we het moeten doen. Ik geef Ian een knipoog, zwaai naar hem, en dan ben ik alleen. Ik wieg een beetje met mijn heupen in een poging om een brutale indruk te maken, maar zo brutaal voel ik me allerminst. Ik heb het vooral koud en de ijzige wind bijt in mijn gezicht. Op de stoep lopen zo te zien mensen uit alle lagen van de bevolking: studenten met kratten bier, gearmde stelletjes, griezelige daklozen met vijf lagen kleding aan die bedelen om geld om 'eten' van te kopen.

De studenten lachen en boeren. Heel charmant. Als ze langs me strompelen, sla ik mijn armen over elkaar en kijk de andere kant op. Ik heb in de winkel waar ik werk geleerd hoe je een potentiële klant kunt onderscheiden van iemand die alleen maar wil kijken en niet kopen.

'Hé, schatje, hoeveel?' roept er een.

'Meer dan jij kan betalen,' roep ik bijdehand terug, in de hoop dat ik een beetje als een echte straatmeid klink. Ik heb Sydney helpen repeteren voor rollen variërend van Liesl in *The Sound of Music* tot een ninjaprinses in *Crouching Tiger*, maar ze heeft nog nooit voor een rol van prostituee geoefend, dus daar heb ik niet veel aan.

Ik paradeer verder terwijl de andere studenten hun vriend beginnen te pesten en aan te moedigen, maar gelukkig komt hij me niet achterna om zijn mannelijkheid te bewijzen.

Ik ben zo gericht op de jongens die ik tegenkom dat ik bijna tegen twee meisjes opbots. Het ene meisje heeft een lichte huid en felgekleurde make-up, het andere meisje is donker en draagt metallic oogschaduw. Ze zijn allebei ongeveer even oud als ik, maar hun ogen staan vermoeider dan die van mijn moeder. Hun piepkleine topjes laten bergen schommelend vlees zien dat is blootgesteld aan de kille avondlucht. Ik krijg het er plaatsvervangend koud van.

Het meisje met de felle make-up kijkt me vals aan, laat haar gouden tanden zien en snauwt: 'Wat doe jij hier?'

'Gewoon, ik loop hier.' Ik trek mijn jasje dichter om me heen om te bedekken wat moet doorgaan voor een decolleté, hoewel niemand daar waarschijnlijk veel van ziet, behalve ik.

Het andere meisje wijst naar me met een vingernagel die minstens vijf centimeter lang is en in een donkere tint is gelakt. 'Als je het daar maar bij laat.' Ze komt samen met haar vriendin op me af.

Ik probeer me maar niet voor te stellen wat ze met die enge lange nagels kunnen doen, maar het is moeilijk om niet te denken aan wilde katten die hun prooi verscheuren. Dit is echt een afschuwelijke opdracht. Erger nog dan de vorige. Gelukkig sta ik er niet alleen voor: Ian heeft het ook niet makkelijk. Dat brengt me opeens op een idee.

Ik dwing mezelf om niet een stap naar achteren te doen, zoals de parkwachters van Yellowstone je opdragen wanneer er een beer op het kampeerterrein loopt te snuffelen. Als de meisjes bijna zo dichtbij zijn dat ze me kunnen raken, zeg ik: 'Ik ben op zoek naar een popster die hier vanavond na het concert naartoe zou gaan. Hebben jullie die misschien gezien?' Ik probeer een vriendinnen-onder-elkaar-lachje op mijn gezicht te toveren.

Het blanke meisje likt haar lippen af. 'Een popster?'

Ik sta als een echte groupie op mijn ballerina's te wiebelen. 'Ja. Hij heet Ian Jagger. Zijn vader zit bij de Rolling Stones, je weet wel. Zo vader zo zoon. Cool, toch? Oké, Ian heeft dus vanavond met zijn band opgetreden in Seattle. En ik heb op zijn fansite gezien dat hij daarna wat leuks wou gaan doen met zijn fans, toen had hij het over een of andere bar hier in de buurt. Die kennen jullie misschien wel, The Flash.' Dat is de naam van de bar die elke maandag in de krant staat omdat er in het weekend weer mensen zijn gearresteerd. Na dit hele verhaal moet ik even op adem komen want ik begin bijna te hyperventileren.

Het ene meisje kijkt spottend. 'Waarom zou hij naar zo'n suffe ouwelullenbar gaan?'

Ik kijk om me heen, spot Ian, en doe heel dramatisch alsof ik mijn ogen niet kan geloven. '*Oh my god!*' gil ik, waarna ik op hem af ren, met de meisjes in mijn kielzog.

Ik grijp hem bij zijn arm. 'Ian Jagger! Ik vind jouw nummers echt zó supervet!' Ik hijg van het rennen, wat het nog theatraler maakt.

Ian verbergt zijn verbazing achter een brede grijns. 'Dank je wel, schatje.'

De meisjes, die naar parfum en sigaretten ruiken, duwen me aan de kant. Hoe denken ze ooit aan klanten te komen met zo'n walm?

'Hé, Ian,' zegt het donkere meisje. 'Ik ben Tiffany. Dus jij bent echt beroemd?'

Ian haalt zijn schouders op en grijnst als een geboren rockster.

Het andere meisje, dat zegt dat ze Ambrosia heet, zegt: 'Tuurlijk is hij beroemd, ik herken zijn gezicht uit de bladen.'

Dit gaat nog veel beter dan ik had gedacht. Zou Ian in de gaten hebben dat ik hem hiermee een grote dienst bewijs? En dat hij me dus wel iets verschuldigd is?

Hij grijnst quasi-verlegen, waarbij die charmante kuiltjes weer in zijn wangen komen. 'We zijn maar één avond in Seattle. Jullie weten zeker niet waar ik vanavond heen zou kunnen gaan om een beetje plezier te maken?'

'O, wij zouden jou een hele leuke avond kunnen bezorgen, schatje,' zegt Tiffany.

Ian geeft me zijn telefoon. 'Hé, prinsesje, wil jij even een foto maken van mij met deze twee mooie dames? Bij mijn platenlabel vinden ze het leuk als ik foto's upload van wat ik op tournee allemaal doe.'

Ik pak de telefoon aan en richt de camera. 'Ja hoor, alleen kan je met mij een veel leukere avond hebben, maar dan gratis.'

Tiffany balt haar vuisten en zet een stap mijn kant op. 'En wie zegt dat wij er geld voor vragen, bitch?'

Bingo. 'Sorry, ik dacht alleen...'

Ambrosia zet haar hand in haar zij en stampt ook naar voren. 'Jij moet helemaal niks denken, slet!'

Ian gaat tussen de meisjes en mij in staan. 'Hé, laat haar met rust. Dus jullie willen mij wel eh... een gratis dienst bewijzen? Zonder verplichtingen?'

'Tuurlijk,' zegt Tiffany. 'Ga je dan foto's van ons op je website zetten?'

Hij lacht naar mij. 'Jullie komen allebei op internet, reken maar. Daarom heb ik de camera ook aan die magere griet gegeven.'

Ze kijken mij triomfantelijk en spottend aan en vragen aan Ian waar hij logeert en of ze daar room service kunnen bestellen.

Op dat moment komt er een boomlange blanke man met een hoed op naar ons toe. Een hoed? Wat is dat voor grap?

Hij heeft zijn handen diep in de zakken van zijn regenjas gestopt, die eigenlijk een kraag van luipaard zou moeten hebben als hij in stijl wil blijven. 'Tiff, Am, valt deze meneer jullie lastig?'

Tiffany en Ambrosia struikelen bijna over hun eigen voeten als ze zich naar de man toe haasten. Ze pakken hem elk bij een arm vast en fluisteren iets in zijn oor.

Hij fronst zijn wenkbrauwen. 'Ian Jagger, nooit van gehoord.'

Ik hou de camera wat lager en hoop dat die man mij niet ziet. Hij kijkt achterdochtig naar Ian, duwt de twee meisjes aan de kant en loopt op hem af. 'Ik zei dat ik nog nooit van jou heb gehoord.'

Ian haalt zijn schouders op. 'We spelen vooral emo.'

'Homo? Spelen jullie homomuziek?'

'Nee, émo. Dat is een soort punk, heel heftig.'

Hij blijft op Ian af komen, met zijn handen nog steeds in zijn jaszakken, maar houdt een halve meter voor hem halt. 'Dus jullie spelen van die punkmuziek, hè? Waar hebben jullie vanavond dan gespeeld?'

Ian slikt. 'In een kleine zaal, daar hebt u denk ik nog nooit van gehoord.'

'Ik zei: waar heb je vanavond gespeeld, Ian punk homo Jagger?'

De man doet nog een stap naar voren, waardoor hij en Ian nog maar een paar centimeter van elkaar af staan. Ik blijf filmen, ook al heb ik al genoeg beeld. Ik kan het op de een of andere manier niet laten. Tiffany en Ambrosia verschuilen zich achter deze man, die natuurlijk hun pooier is, en kijken angstig en met grote ogen wat er gebeurt. Daardoor zien ze er opeens een stuk jonger uit.

De pooier zegt: 'Dus jij had wel belangstelling om een avondje met mijn meisjes door te brengen?' Zijn stem klinkt nog dreigender dan eerst.

Ian glimlacht. 'We stonden alleen even te kletsen. Ze zijn wel erg mooi.'

De pooier haalt zijn ene hand uit zijn zak en wrijft over zijn stoppelige kin. 'Dat zijn ze zeker. Maar luister, met mij kun je ook heel leuk kletsen. Zullen we een eindje doorlopen en wat kletsen?'

'Dat klinkt inderdaad leuk, maar ik moet ervandoor. De jongens van mijn band vragen zich waarschijnlijk al af waar ik blijf.'

'Het is geen vraag,' zegt de pooier dreigend.

Ian kijkt hulpeloos naar mij. Het zweet staat in mijn handen en de telefoon glijdt bijna weg. Ik wil hem opbergen, voordat die kerel hem afpakt, maar ik wil ook graag doorgaan met filmen.

'Blijf hier,' zegt Ian tegen mij.

Nu kijkt de pooier voor het eerst mijn kant op. 'Hoort zij bij jou? Lekker. Zij mag ook wel mee.' Hij duwt tegen Ians arm.

Ik weet niet wat ik moet doen, weglopen of de andere kant op rennen. Hij kan ons niet allebei achterna gaan, maar hij kan Tiffany en Ambrosia wel achter ons aan sturen. Ik kijk om me heen, op zoek naar iemand die ik om hulp kan vragen.

Op dat moment komt een groepje mensen, allemaal van een jaar of twintig, de hoek om. Een van hen wijst naar ons en ze pakken allemaal hun telefoon.

De Kijkers zijn er.

Ze beginnen Ian en mij te filmen.

De pooier fronst zijn wenkbrauwen als ze op ons af komen. 'Wat krijgen we nou?'

Ian zwaait even naar de Kijkers. 'O, dat zijn fans, die hebben me dus toch weer opgespoord. Ik moet er even naartoe.' Hij loopt de menigte in.

Ik meng me ook onder de Kijkers, van wie ik er een paar herken van de parkeerplaats bij het bowlingcentrum. Vreemd genoeg zijn ze helemaal niet kwaad dat we ze hebben afgeschud. En deze keer heb ik er geen enkel bezwaar tegen dat ze een camera in ons gezicht duwen. We lopen onder luid gejuich door en er worden allerlei vragen op ons afgevuurd.

'Jullie zien het wel als LEF het op de site zet,' zegt Ian. Hij neemt zijn telefoon van mij aan en filmt de Kijkers terwijl die ons filmen.

De pooier en de meisjes staren ons stomverbaasd na. Tiffany huilt, alsof ze de kans van haar leven heeft gemist.

Ik moet ook bijna huilen, maar dan van opluchting. De vrolijke stemming onder de Kijkers werkt als een schild. Een groot, luidruchtig, prachtig schild. Bij hen voel ik me veilig.

7

Ik dring door de menigte heen tot ik bij Ian ben. 'Oké, nu kun jij dus met de bus naar Kentucky of Kansas of waarheen je maar wilt om lekker te gaan kamperen.'

Hij lacht. 'Dat was echt geweldig wat je met die meisjes deed, ook al werden we bijna beroofd. Gelukkig heb ik mijn telefoon nog.'

De Kijkers verdringen zich om ons heen en geven Ian een high five.

Hij neemt hun felicitaties in ontvangst. 'Die film wordt supervet, dankzij mijn fantastische partner! Maar nu moeten jullie haar even de ruimte geven om haar opdracht uit te voeren. Anders is het einde verhaal.'

Ze lijken teleurgesteld, maar zijn bereid om mee te werken. Als wij oversteken en doorlopen, hopelijk weg uit het territorium van Tiffany en Ambrosia, blijven ze staan. Nu moet ik dus zelf op zoek naar een klant. Wat een vooruitzicht.

Ian slentert naar een zaak met een bord op de deur waar LIVE SEKS-SHOW op staat. Dus zelfs met die duizenden pornosites op internet willen sommige mannen nog steeds in een benauwd hokje naar blote meiden gluren. Maar voor ons is dit een goede plek: de stoep voor het pand van bijna tien meter lang is breed en goed verlicht.

De mannen die er naar binnen gaan, kijken wel naar me, maar komen niet op me af, zelfs niet als Ian ze wenkt. Misschien willen ze liever alleen met hem onderhandelen als ik er niet met mijn neus bovenop sta of zoiets. Ik slenter naar de goot, met mijn gezicht naar het verkeer; ik zet mijn ene hand op mijn heup en hou de andere langs mijn lichaam. Steeds als er een auto langskomt, trek ik een pruilmondje en duw mijn borst naar voren. Ik heb twee keer zo veel kleren aan als Tiffany en Ambrosia bij elkaar, maar toch heb ik me nog nooit eerder zo bloot gevoeld.

In de avondlucht klinkt gelach vanaf de overkant van de straat. De Kijkers kunnen zich maar beter gedeisd houden, anders lukt deze opdracht nooit.

Als ik een eindje verderop ben, draai ik me om en slenter ik langzaam terug naar Ian. Hij staat te praten met een paar mannen die wachten voor de deur van de peepshow en wijst mijn kant op. Hoera, ik heb een pooier. Mijn potentiële klanten – dat denken ze tenminste – staren naar me, smakken met hun lippen, maar schudden hun hoofd. Wat hebben die kerels? Misschien denken ze vanaf die afstand dat ik een graatmagere heroïnehoer ben die lange mouwen draagt om de littekens van de drugsnaald te verbergen. Of misschien zien ze aan mijn kleren en mijn schoenen dat ik niet echt serieus ben. Misschien moet ik ze daar dan maar van proberen te overtuigen. De knoop in mijn maag voelt alsof hij er nooit meer uit zal gaan, maar ik loop dapper op de mannen af. Gelukkig zijn de Kijkers zo verstandig om zich op afstand te houden.

Hoe dichter ik bij de peepshowzaak kom, hoe viezer het begint te ruiken, een zurige lucht die doet denken aan koolsoep. Ik kreun als het tot me doordringt dat die lucht afkomstig is van de mannen. Moest Ian nou net de smerigste viezeriken uitkiezen?

Ian wenkt me. 'Kom eens hier, Roxie.'

Roxie? Is dat wel een naam? 'Ja, tuurlijk, Stone.'

Hij pakt me bij mijn pols vast alsof ik zijn eigendom ben. 'Deze heren denken dat jij het geld niet waard bent.'

Ik bijt op mijn onderlip. 'Misschien hebben ze wel gelijk. Ik ben vanavond voor het eerst uit, dus ik ben een beetje zenuwachtig.'

Een man met een vadsige kop loert naar me. 'Heb je dit nog nooit eerder gedaan? Dus daarom heb je van die rare kleren aan.'

Raar? Eerst ben ik beledigd, daarna voel ik me gevleid. Ik zou er niet willen uitzien alsof ik hier thuishoor.

'Meer kan ik niet betalen,' zeg ik, en ik kijk zielig. 'Feestkleding is gewoon te duur voor mij.' Ik staar naar mijn platte, onhoerige ballerina's. In de verte hoor ik een sirene.

De man krabt in zijn oksel. 'Ik geef je vijftig, meer niet, en dat is al meer dan wat de andere meisjes hier vragen.'

Ik kijk Ian met grote bambi-ogen aan. 'Ik weet niet of ik wel durf, maar mama moet echt dringend worden geopereerd. Ik wil er even over na-denken, even een luchtje scheppen, oké?' Dat laatste is echt waar. Als ik niet snel in de frisse lucht kom, val ik flauw.

'Tuurlijk, zussie.' Ian strijkt even over mijn haar en gaat dan weer ver-der onderhandelen met de mannen, zoals een goede broer zou doen. Ik maak nog een rondje over de stoep.

Ik kom een paar stelletjes tegen, die allemaal op dezelfde manier rea-geren: een snelle blik en een besmuikt lachje van de jongens, en een minachtend gesnuif en een starende blik van de meisjes. Hebben ze he-lemaal niet door dat ik precies ben zoals zij? Dat laatste meisje dat me zo fronsend aankeek, had zelfs hetzelfde t-shirt aan.

Ik moet dit niet persoonlijk opvatten. Ik speel alleen een rol, en die heeft niets met mijn echte leven te maken. Ik dwing mezelf om vriende-lijk te lachen naar het volgende stel dat ik tegenkom, en tot mijn verba-zing lachen ze terug. Dan loopt de jongen op mij af en slaat zijn arm om mijn schouder.

'Hé' roep ik, en ik probeer me los te maken.

Het meisje maakt een foto van ons terwijl de jongen aan een van mijn staartjes trekt. 'Je doet het fantastisch, Vey!' fluistert hij.

Ik duw hem weg. 'Handen thuis, engerd!'

Ian rent naar ons toe en dreigt hem in elkaar te slaan als hij niet op-houdt, maar de jongen en zijn vriendin lachen alleen maar en lopen snel terug in de richting waar ze vandaan gekomen zijn. Ian wil ze achterna gaan, maar ik hou hem tegen.

Ik haal diep adem. 'Laat maar, we moeten ons concentreren op de op-dracht.'

Hij weifelt, maar als hij even heeft nagedacht, luistert hij naar me. 'Oké, maar als je weer door die Kijkers wordt gestalkt, moet je meteen gaan schreeuwen, oké?'

Ik beloof het en slenter verder langs de stoeprand. Na een paar minu-ten mindert een van de auto's vaart en stopt naast me. Er zit een man van middelbare leeftijd met dikke wenkbrauwen in.

Hij grijnst naar me. 'Ben jij niet een beetje jong om hier alleen op straat te lopen? Je staat zelfs te bibberen!'

'Ik ben oud genoeg hoor. En ik heb het alleen maar koud.'

'Ik heb stoelverwarming in de auto, wil je misschien een stukje mee-rijden?'

Ik wacht tot hij doorgaat. Als iemand dit nu alsjeblieft maar filmt. Ik zou het zelf wel willen doen met die slechte camera van mijn telefoon, maar ik ben bang dat ik hem dan afschrik.

Hij trommelt mee met een discomuziekje uit zijn stereo. 'En, wil je even instappen?'

'Eh... ik vind je wel leuk, maar eh...'

Dan komt Ian eraan. Hij heeft zijn armen voor zijn borst gevouwen zodat hij onopvallend kan filmen met zijn telefoon. Aan de achterkant van de auto blijft hij staan. Hopelijk lijkt het zo alsof hij een pooier is die op een van zijn meisjes let.

De man in de auto lijkt Ian niet te zien. Hij wrijft over zijn kin. 'Heb je geld nodig voor eten? Misschien kan ik je wel helpen.'

'Ja, ik heb me een hónger!' Ik rek het woord honger overdreven uit.

Hij grinnikt. 'Hoeveel kun je op denk je?'

Ik krijg bijna kotsneigingen, maar het lukt me om antwoord te geven. 'Veel.'

Hij lacht. 'Dus een klein meisje met veel trek. Kun je voor twintig dollar op?'

Ik sper mijn ogen open. 'Eh, dat keer vijf.'

Zijn glimlach verdwijnt. 'Wel een beetje inhalig, vind je niet?'

Ik strijk over mijn heup. 'Nee hoor, ik ben gewoon iemand die hard wil werken.'

Hij trekt zijn rupsachtige wenkbrauwen op. Ik probeer niet te denken aan wat er nu door zijn hoofd gaat. 'Je bent heel schattig, maar zo hoog kan ik niet gaan. Tegen mijn principes.'

Alsof kerels die op zoek zijn naar een minderjarige hoer principes hebben. 'Jammer. Prettige avond nog.' Ik loop door.

Hij rijdt achteruit, waardoor Ian bijna omvergereden wordt. 'Jij vindt jezelf zeker heel wat, of niet?'

Ik ben bang dat dit niet goed gaat aflopen. 'Nee, hoor.'

'Bitch!' schreeuwt hij, en hij scheurt weg, maar stopt een eind verder-op bij een meisje dat laarzen met tien centimeter hoge hakken draagt.

Mijn knieën lijken wel van was. Eerst die meiden en nu die kerel. Ik kan me niet herinneren dat iemand me ooit voor bitch heeft uitgescholden. Mijn onderlip begin te trillen.

Ian komt naar me toe en knijpt me in mijn schouder. 'Niks van aantrekken, joh! Die lul is gewoon kwaad omdat hij zijn zin niet kreeg. Het lukt nog wel, let maar op. Intussen hebben we wel een mooi filmpje gemaakt!' Hij loopt door en neemt een eindje verderop zijn positie in.

Ik slik eens en kijk gefrustreerd naar het meisje op de hoge hakken dat vrolijk lachend met die kerel met de wenkbrauwen staat te kletsen. Als er zo veel hoeren zijn die voor minder dan honderd dollar werken, hoe moet ik dan ooit aan een klant komen? LEF heeft deze opdracht wel heel goed uitgekiend. Maar ja, wat had ik dan verwacht voor een opdracht met zo'n dure telefoon als prijs?

Na een tijdje loopt het meisje om de auto heen naar de passagierskant. Zodra de man in de auto haar niet meer kan zien, verdwijnt haar glimlach en kijkt ze strak. Wat zou ze nu denken? Dat dit niet haar echte leven is, zoals ik mezelf ook heb voorgehouden?

Opeens ben ik doodmoe. Ik wil naar huis, ik wil een warm bad en dan naar bed. Ik loop door en kijk op mijn mobiel. Geen nieuwe berichten. LEF blokkeert ze blijkbaar nog steeds. Snappen ze dan niet dat ik wel wat morele steun kan gebruiken?

Ik wil Ian net om wat kleingeld vragen zodat ik met een openbare telefoon iemand kan opbellen, want ik heb veel behoefte aan een vriendelijke stem. Als ik tenminste een telefoon kan vinden die het doet en niet onder de viezigheid zit. Maar dan remt er weer een auto; op de motorkap die vlak naast me stopt, zie ik het Mercedes-logo. Het raampje gaat omlaag en ik zie een frisse man van begin dertig met strakke bakkebaarden en een jongensachtig gezicht. Het type man dat de diensten van een prostituee echt niet nodig heeft. Ieder z'n ding, denk ik maar. Hij leunt met zijn arm uit het raampje waardoor ik zijn horloge kan zien, dat meer waard is dan mijn hele auto.

'Hoi,' zegt hij, waarbij hij zijn blinkend witte tanden bloot lacht.

Ik blijf net buiten het bereik van die arm staan en duw mijn zere heup naar voren. 'Ook goeienavond.'

'Jij hoeft hier niet te staan, weet je.'

Ik wacht tot hij me vraagt om in te stappen en op zijn verwarmde autostoel plaats te nemen.

In plaats daarvan zegt hij: 'Wat je problemen ook zijn: er is een andere manier om ze op te lossen. Vooral als je daarvoor de hulp van iemand inroept.'

'Van jou zeker?'

Hij lacht. 'Ik dacht aan iemand die iets machtiger is.'

Wow. 'Bedoel je een trio?' Als hij me honderd dollar biedt voor een orgie, zou ik de LEF-opdracht dan ook gehaald hebben?

Zijn lippen vertrekken even vol afschuw, maar zijn glimlach is snel terug. 'Ik bedoelde een hogere macht. Mijn vrouw en ik hebben een opvanghuis voor meisjes zoals jij.'

Ik moet mijn best doen om in mijn rol te blijven. 'Meisjes zoals ik? Je kent me niet eens.'

'Nee, maar ik zie wel dat jij een veilige plek nodig hebt. Dus als je wel een warme maaltijd kunt gebruiken en de kans wilt krijgen om eens te praten met andere jonge vrouwen die in jouw schoenen hebben gestaan, dan kun je vandaag nog weg van de straat.'

Ik kijk naar Ian, die met zijn camera in de aanslag op ons af komt. 'Dat is heel aardig, maar ik heb dat niet nodig.'

De man in de auto kijkt naar Ian en leunt nog wat verder uit het raampje terwijl Ian gaat staan in wat de blinde hoek van de auto zou moeten zijn. Als die vent elke dag zo naar pooiers durft te kijken, dan wordt hij inderdaad beschermd door een hogere macht.

Hij spreekt Ian aan. 'Ben jij verantwoordelijk voor het welzijn van deze jongedame?'

Ian haalt zijn schouders op. 'We zijn vrienden.'

De man steekt zijn hand uit. 'Goed om te horen. Want ik wil graag dat je haar naar een veilige plek brengt, ergens waar ze hulp kan krijgen. Als jullie vrienden zijn, dan heb je daar vast geen bezwaar tegen.'

Ik steek mijn hand op. 'Eh, hallo? Bedankt voor je bezorgdheid, maar het gaat prima met mij. Het is niet wat je denkt, wij hangen hier alleen maar rond.'

Hij schudt zijn hoofd, waarbij er geen haar van het nette kapsel van zijn plaats raakt. 'Helaas worden veel jonge vrouwen juist het meest beschadigd door degenen die zeggen dat ze voor hen zorgen, hun zogenaamde vrienden.'

Ik wijs naar de overkant van de straat. 'Als je echt iemand wilt helpen, moet je aan de overkant zijn, een eindje terug, daar lopen twee meisjes die het meer nodig hebben dan ik. Ze heten Ambrosia en Tiffany. Maar hun vriend is nogal gevaarlijk volgens mij, dus wees voorzichtig.'

Ik loop weg en trek Ian met me mee. De man staart ons na, maar rijdt dan weg.

Ian schudt zijn hoofd. 'Wat een gekken kom je hier tegen.'

'Ik vond het wel meevallen, en ik hoop maar dat ik hem niet een hoop ellende bezorg door hem op die twee af te sturen.' Ik vraag me af of ik nu iets stoms of juist iets nobels heb gedaan.

Ian slaat zijn arm om mijn schouder. 'Daar ben jij niet verantwoordelijk voor, je bent alleen verantwoordelijk voor wat je zelf doet. En, als je wilt, voor mij.'

Ik vind het wel jammer dat dat meisje op die hoge hakken bij die vent met de wenkbrauwen in de auto is gestapt. Ze zag eruit alsof zij ook wel steun kon gebruiken. Opnieuw ben ik blij dat dit maar een spel is. Wat me ergens aan doet denken.

'We moeten weer met de opdracht aan de slag,' zeg ik.

Hij knipoogt naar me. 'Ja, de wereld verbeteren doen we wel als we onze prijs binnen hebben.' Hij slentert weg en laat me weer alleen. Ik kijk naar de Kijkers aan de overkant van de brede straat. Zag ik Tommy maar ergens, ook al heeft hij tegen me gezegd dat hij het spel alleen online bekijkt. Zou hij nog steeds kijken, of is hij er vol walging mee gestopt?

Ik drentel wat heen en weer terwijl Ian probeert om klanten die op straat lopen voor mij te interesseren. Er stoppen nog een paar auto's langs de stoeprand, maar het is steeds hetzelfde verhaal: ik vraag te veel. Als de vierde auto in tien minuten doorrijdt, voel ik me toch afgewezen, ook al zijn zij de losers die moeten betalen voor seks.

Na de zoveelste kerel die probeert af te dingen en dan doorrijdt, stopt er een Ford Taunus. Ik zucht en zet me schrap voor nieuwe onderhandelingen.

Een man met een vriendelijk gezicht draait het raampje omlaag. 'Ben je alleen?'

Ik bijt op mijn onderlip. 'Tot nu toe wel.'

'Ik ook. Niet leuk als je eenzaam bent, hè?'

Ik schud mijn hoofd. Zouden dit soort gesprekken altijd zo inhoudsloos zijn?

Hij trommelt op de zijkant van het portier. 'En wat is ervoor nodig om te zorgen dat wij allebei niet meer alleen zijn?'

'Honderd dollar.'

Hij trekt zijn wenkbrauwen op. 'Allemachtig. En wat zou ik voor zo veel geld precies krijgen?' Hij heeft me geen hebberige bitch genoemd en is nog niet weggereden. Een goed teken.

Ik strijk met mijn vinger over het midden van mijn borst naar beneden. 'Wat zou je graag willen?'

Hij grinnikt en laat zijn blik over me heen glijden. 'Veel.'

Ik kijk om en zie dat Ian met zijn telefoon in de aanslag langs ons heen loopt. Ik draai me weer om naar de kerel in de auto en lach naar hem. Ian neemt zijn filmpositie in.

Ik knipper met mijn ogen. 'Deal? Jij betaalt mij honderd dollar?'

'En ik krijg alles wat ik wil?' Zijn lippen zijn vol en vochtig, alsof hij er vaak aan likt.

'Mmm.'

Een harige hand komt uit het raampje en streelt over mijn rok. Ik moet bijna kotsen.

Hij drukt op de knop van de centrale deurvergrendeling. 'Deal. Stap maar vast in.' Hij leunt naar voren om een doos van de passagiersstoel te halen. Terwijl hij dat doet, zie ik iets glinsteren in zijn borstzakje. O jee, is dat een politiepenning?

'Meneer, het was eigenlijk maar een grapje. Sorry voor het misverstand.' Ik draai me om en roep tegen Ian: 'Rennen!'

Achter ons hoor ik een autoportier dichtslaan.

'Stop! Politie!'

De mensen aan de overkant van de straat beginnen te juichen. We rennen hun kant op, ontwijken auto's. De studenten slaan dubbel van het lachen en de anderen richten hun mobieltje op ons. Maar tegen de politie kunnen de fans ons niet beschermen. Ian en ik blijven doorrennen. Ik vraag me af of de Kijkers zo dom zullen zijn om ons achterna te gaan. Waarschijnlijk niet, met die agent die zwaaiend met zijn wapen achter ons aanrent.

Ian en ik slaan de tweede hoek om. Mijn voeten doen verschrikkelijk veel pijn. Ballerina's hebben een waardeloze voetsteun.

'Dit hou ik niet vol tot de auto,' breng ik hijgend uit.

Een eindje verderop is een portiek waar Ian mij in trekt. Ik hou instinctief mijn adem in, bang voor de stank op een plek waar 's nachts vast veel dronkenlappen zitten. Maar hoewel het er muf is, ruik ik niet de stank die ik vrees. We lopen een paar treden op en duiken weg in het verste hoekje, Ian tegen de muur en ik in zijn armen. Een halve minuut later horen we voetstappen naderen en rent de agent hijgend en mopperend langs. Achter hem twee jongens in sportjacks die hem uitlachen en filmen. Oké, die waren dus wel zo stom om hem te volgen.

Ians hart bonst tegen mijn wang. We blijven allebei doodstil staan.

'Kom hier!' roept de agent tegen de jongens.

Aan hun voetstappen hoor ik dat ze het bevel opvolgen. Ze houden zelfs op met lachen. Ze moeten hun mobieltjes afgeven. Waarschijnlijk wil hij hun filmpjes deleten voordat ze op internet worden gezet. Daar is hij dan mooi te laat mee.

Als ze langs het portiek lopen, kijkt een van de jongens opzij en zet grote ogen op. Hij heeft ons gezien. Maar in plaats van ons te verraden en zichzelf daardoor te redden, loopt hij zonder iets te zeggen door. Ik durf pas adem te halen als ik hun voetstappen bijna niet meer hoor. En als ik dat doe, ruik ik Ians geur – de geur van de bergen op een nazomerse wandeling. Ik snuif die geur nog eens diep op.

'Volgens mij is het gelukt,' fluistert hij.

'Ongelofelijk.' Ik kijk op naar zijn gezicht, maar het is te donker om het goed te kunnen zien.

Hij strijkt met zijn vinger langs mijn wang. 'Ian Jagger, hmm.'

'Nou, wilde je geen rockster zijn of zo?'

'Als er iemand hier een rockster is, dan was jij het daarnet wel.' Hij trekt me nog wat dichter naar zich toe, voor zover dat nog kan.

Gaat hij me nou zoenen? Ik ken hem nauwelijks. Maar we hebben wel samen allerlei narigheid doorstaan. Dat schept een band. En hij beschermt me, dat telt ook. Oké, hij heeft alleen aandacht voor me omdat we in dit spel aan elkaar gekoppeld zijn. Maar die tinteling die ik langs mijn ruggengraat voel gaan, is heel echt.

Hij glijdt met zijn vinger langs mijn wang naar mijn mond en streelt de omtrek van mijn lippen. Daar staan we, we ademen elkaars adem en voelen elkaars hart bonzen.

In het gebouw gaat het licht aan. Ik schrik en maak me los uit zijn armen. Door een dikke glazen deur zien we een kleine hal met een oude versleten bank en een paar brievenbussen. Een man met wit haar loopt moeizaam van een trap naar beneden, zijn hand op de trapleuning met houtsnijwerk.

'De pauze is voorbij,' zeg ik, teleurgesteld als een schoolkind dat terug moet naar de les.

We lopen de treden af naar beneden, kijken voorzichtig om de hoek of de agent echt is verdwenen, en slenteren terug naar de auto met onze handen losjes in elkaar verstrengeld. Pas als we in de auto zitten, beginnen we over mijn opdracht.

'Denk je dat het telt?' vraag ik.

'Ja, tuurlijk wel. Een bod is een bod, of het nu van een agent is of niet.'

Ik hoop maar dat hij gelijk heeft. We zitten een beetje lacherig te wachten tot we iets van LEF horen. Ik vind het ongelofelijk dat ik eerder op de avond nog zat te treuren achter een stoffig toneelgordijn terwijl ik moest toekijken hoe mijn beste vriendin me bedroog. En nu? Prijzen, plezier, misschien zelfs geld. Maar vooral een superleuke jongen die me aankijkt alsof hij smoorverliefd op me is.

Wat een geweldig spel.

8

Ian start de motor en zet de verwarming aan. Het begint te regenen. Zouden die meisjes op straat wel een paraplu bij zich hebben, of staat regen heel laag op hun lijstje met ergernissen? Misschien dat de stank van hun klanten er een beetje mee wordt weggespoeld. Ik leun met mijn wang tegen de rugleuning, blij dat ik niet op straat loop, sta te rillen, of moet onderhandelen met een hitsige oudere man.

Ian laat zich op dezelfde manier onderuit zakken, waardoor onze gezichten zich op dezelfde hoogte bevinden, nog geen dertig centimeter uit elkaar. 'Hoe ver wil je hiermee doorgaan?'

Heeft hij het nu over het spel, of over iets anders? Ik vond het een spannende avond, maar ik heb geen zin om mezelf verder te onderwerpen aan wat die opdrachtbedenkers van LEF, waarschijnlijk een kamer vol vadsige mannen die zich volproppen met cheeseburgers, nog meer zullen verzinnen.

Maar de woorden die over mijn lippen komen zijn: 'Ik hoef pas om twaalf uur thuis te zijn.'

Hij strijkt een lok haar van mijn voorhoofd. 'We zouden dus nog vijftig minuten een hoop plezier kunnen hebben.'

Ik smelt vanbinnen als het schuim op een latte. Vijftig heerlijke minuten. Wacht even, of heeft hij het nu over het spel?

'Ja, plezier is altijd goed,' zeg ik, en ik hoop dat hij gaat vertellen wat hij precies bedoelt.

Terwijl hij me aan blijft kijken, trekt hij zijn jasje uit en komt wat dichterbij. De warmte straalt van hem af en werkt als een magneet. Ik leg mijn hand op zijn schouder, verbaasd dat hij zo stevig voelt, en nog verbaasder dat ik hem zomaar, zonder aarzelen, aanraak. Misschien dat dit spel mijn inschattingsvermogen van risico's en gevaar heeft veranderd.

Het getrommel van de regen op het dak van de auto geeft me een spannend onder-de-dekens-gevoel. Het is leuk om gezellig hier binnen te zitten met Ian. Heel erg leuk.

En dat is uitgerekend het moment waarop er trompetmuziek uit onze telefoons klinkt. Ik schrik me lam. Ik had nooit gedacht dat ik die griezelige ringtoon van dat jengelende kind zou missen. Ik pak mijn telefoon, niet omdat het me iets kan schelen wie me belt, maar omdat ik dat geluid af wil zetten. Ik heb een bericht van LEF, vol uitroeptekens.

'Holy shit,' zegt Ian terwijl ik het bericht lees.

Precies wat ik zelf ook al dacht. Ik heb niet alleen die nieuwe telefoon gewonnen, maar mijn publiek is aangegroeid tot zevenduizend Kijkers, wat dus neerkomt op veertienhonderd dollar bonusgeld. Ik val bijna flauw.

En verder heeft LEF nu allerlei sms'jes doorgelaten. Een stuk of tien van Liv en Eulie, eerst vol medeleven (MATTHEW WEET NIET WAT HIJ MIST), daarna vol verbazing (BEN JIJ DAT ECHT?) en vervolgens met felicitaties (OMG! OMG! OMG!) Ik kan bijna niet wachten tot ik de hele avond uitgebreid met ze heb besproken, iets wat ik anders altijd met Sydney deed.

Wel raar dat er niet één bij zit van Sydney of van Tommy, al is het maar een WTF-sms'je.

Als test kies ik Tommy's nummer en bel hem op. Meteen hoor ik zijn schorre stem. 'Is alles goed met je? Waarom heb je me niet eerder teruggebeld?'

Shit. Ik had hem natuurlijk moeten sms'en. 'LEF had mijn telefoon geblokkeerd, dat hoorde bij het spel. Jij bent de eerste die ik weer kan bereiken. Raad eens hoeveel geld ik heb gewonnen?'

Hij zucht, wat een hoop statische ruis veroorzaakt in mijn oor. 'Dat mag wel een kapitaal zijn na wat ze jou hebben laten doen. Weet jij wel hoe vaak er in die buurt mensen op straat worden neergeschoten? En als je wordt gearresteerd, heb je een strafblad.'

Het begint harder te regenen en in de verte hoor ik de donder. De heup waar ik in het bowlingcentrum op ben gevallen, begint weer pijn te doen. 'Ik heb niks gedaan wat niet mag. Het was allemaal net alsof.'

'Je hebt gedaan alsof je een prostituee was, je hebt een deal met iemand gemaakt en daarna heb je je verzet tegen de politie. Hoe wil jij dan bewijzen dat het gewoon een grap was?'

Ik lach. 'Gefeliciteerd, meester in de rechten.' Maar een knagend gevoel zegt me dat hij wel gelijk heeft.

'Oké, je hebt een paar prijzen gewonnen en je hebt plezier gehad, dus nu stop je er zeker mee?'

Een bliksemschicht zet alles om me heen in een blauw licht. 'Ja. Het is trouwens al laat.'

'Gelukkig. Ik ben blij dat je naar huis gaat, voordat het nog gevaarlijker wordt. Ik vertrouw die Ian niet.'

Die Ian streelt over mijn vingers alsof het een miniharp is. Het voelt zo fijn dat ik er kippenvel van krijg. Zijn streling werkt als een soort magische acupunctuur waardoor de pijn in mijn been wegtrekt.

O ja, ik ben nog aan de telefoon. 'Ian was fantastisch. Nog heel erg bedankt voor je hulp bij de voorrondes, trouwens. Ik kom je morgen wel helpen met het opruimen van de set, oké? Doeg Tommy, je bent helemaal top!' Dan zet ik mijn telefoon uit voordat hij me verder lastig kan vallen.

Ian fronst zijn wenkbrauwen. 'Hé, en ik dan, ik dacht dat ik helemaal top was. Ben je me nu al aan het bedriegen?' Zijn lippen krullen op.

Mmm. Dus hij vindt dat er iets tussen ons is waarbij het woord 'bedriegen' van toepassing is? Hij bijt op zijn onderlip op een manier waarop ik ook zin krijg om er zachtjes in te bijten. Als hij me voor de gek houdt, dan doet hij dat wel erg goed. Maar waarom zou hij dat doen? We staan aan dezelfde kant.

Mijn mobiel gaat, met een popnummer van The Rolling Stones dat ik van een politieserie ken. Die band lijkt me vandaag wel te achtervolgen. Gek dat Ians mobiel niet gaat.

Als ik de sms lees, betrekt mijn gezicht.

Ian kijkt me verbaasd aan. 'Wat is er?'

Ik probeer tot me te laten doordringen wat ik lees. 'Deze opdracht is wel een beetje eh... anders.'

'Wat staat er dan?'

Het is alsof het opeens warmer wordt in de auto. Als ik hem over deze opdracht vertel, moet ik ook iets over mezelf uitleggen. Over het meisje achter de schermen, dat altijd tweede viool speelt. Over Sydney. En als hij ziet wie ik echt ben, dan is dit sprookje vast meteen afgelopen.

Ik slik. 'Het heeft met mijn echte leven te maken.'

Zijn harpspel gaat omhoog van mijn vingers naar mijn arm. Heerlijke muziek. 'In plaats van wat, je nepleven?'

'Niet nep, alleen onwerkelijk, snap je?'

Hij kijkt me met een rustige blik aan. 'Die opdrachten horen bij het spel, maar al het andere niet. Voor mij niet, in elk geval.'

'Voor mij ook niet. Maar nu wil LEF dat ik iets uithaal met mensen die ik ken, dus niet met vreemden. En om de een of andere reden kom jij er niet in voor.'

Hij haalt zijn schouders op. 'Ze zullen ook nog wel iets voor mij in petto hebben. Wat moet je doen?'

Ik staar uit het raam. 'Ik moet naar het theater gaan waar vanavond dat toneelstuk van onze school is opgevoerd, Daar heb ik de make-up en de kostuums voor gedaan. Er is daar een feest georganiseerd voor de acteurs en daar moet ik naartoe om een vriendin van me ergens mee te confronteren. En ik moet ook iets negatiefs zeggen over hoe ze vanavond heeft gespeeld.' Dat laatste vind ik erg kinderachtig en gemeen. Maar wat ik niet begrijp is hoe LEF weet dat ik boos was op Sydney. Wie heeft ze dat verteld? Liv en Eulie? Dachten ze soms dat ze mij daarmee hielpen?

Hij laat zijn hand over mijn arm glijden. 'Dat klinkt nog niet eens zo erg vergeleken met wat je net moest doen. Die twee meiden hadden je de ogen wel uit kunnen krabben. Dat zou die vriendin vast niet doen, toch?'

Ik denk na. 'Nee, ze houdt wel van drama, maar ze is niet agressief.' Ik zucht eens diep. 'Maar ik vind dit veel moeilijker. Vervelend doen tegen vreemden is al naar, maar dit zijn mijn vrienden. Wat theoretisch juist gemakkelijker zou moeten zijn, maar niets aan dit spel voelt makkelijk.'

Hij legt zijn warme, gladde hand op de mijne. 'Dat begrijp ik wel.'

Zou hij dat echt begrijpen? Ik kan me niet voorstellen dat hij zich ooit ongemakkelijk of verlegen voelt tegenover zijn vrienden. Hoewel hij wel een beetje zenuwachtig werd toen die pooier hem vroeg om mee te lopen. Maar ja, wie zou daar niet zenuwachtig van worden?

'Wil je niet vertellen wat je dan tegen haar moet zeggen?' vraagt hij.

Ik zucht. 'Het gaat over een jongen. Maar dat is nu verleden tijd.' Verbazingwekkend hoe snel mijn gevoelens voor Matthew zijn bekoeld.

Hij trekt een wenkbrauw op. 'En denk je dat het op slaande ruzie uitloopt? Zeg alsjeblieft ja, want dan meld ik me aan als Kijker.'

Ik geef hem een stomp tegen zijn arm. 'Verheug je er maar niet op. Die jongen is het helemaal niet waard. Verleden tijd zei ik toch?' Niets zo effectief om over liefdesverdriet heen te komen als een andere superleuke jongen.

'Hoe ver in het verleden?'

Ik kijk op mijn mobiel hoe laat het is. 'Ongeveer drie uur.'

We schieten allebei in de lach.

Dan krijgt hij ook een sms op zijn mobiel. Hij leest hem en fronst zijn wenkbrauwen.

'Wat moet jij doen?' vraag ik.'

'Mijn opdracht bestaat uit twee delen, maar ze hebben alleen nog maar het eerste deel gestuurd. Ik moet je helpen bij jouw opdracht.'

'Wat moet je dan doen?'

'Ik moet flirten met het leukste meisje op dat feest.'

De moed zinkt me in de schoenen. Weer een overwinning voor Sydney. Hoe weten die lui van LEF zo goed hoe ze mijn avond moeten verpesten? Syd de waarheid vertellen en daarna moeten toekijken hoe Ian haar probeert te versieren, iets ergers kan ik me niet voorstellen. Maar dan dringt het opeens tot me door dat dat alleen maar zal gebeuren als ik hier zelf mee doorga.

'Het maakt me ook niet meer uit wat de opdracht is,' zeg ik. 'Ik schei ermee uit.'

Hij komt overeind. 'Waarom? Het is niet eens gevaarlijk. Het zijn je vrienden maar. En ik loop je de hele tijd smoorverliefd achterna.'

'Nee, want jij moet flirten met het leukste meisje op dat feest.' En die zal daar maar al te blij mee zijn.

Hij legt zijn handen op mijn wangen. 'Het leukste meisje op het feest dat ben jij natuurlijk!'

Ik kijk naar zijn glanzende lippen. 'Dat denk je, maar dan heb je mijn goddelijke vriendin Sydney nog niet ontmoet, de ster van het toneelstuk en van elk ander evenement op school.' Kijk, nu zal hij het wel beginnen te begrijpen. Dat ik dit heb opgebiecht, is vast de eerste barst in deze schijnvertoning, die sneller voorbij zal gaan dan ons toneelstuk.

Hij kijkt me diep in de ogen. 'Maar ik heb jou wel ontmoet. En ik verzeker je dat ik jou veel aantrekkelijker vind dan welke *drama queen* dan ook. Dus met jou flirten wordt de makkelijkste opdracht die er bestaat.'

'Ha! Zo klinkt het bijna verleidelijk om toch mee te doen.'

'En van verleidelijk weet jij alles af.' Hij schuift een van de elastiekjes uit mijn haar, en daarna het andere. Dan buigt hij zich langzaam naar me toe. Er gaat een elektrische schok door me heen als onze lippen elkaar raken. Zijn mond voelt net zo wellustig als hij eruitziet. Ik zou kunnen verdrinken in die jongen. En dat doe ik. Elk gevoel voor tijd verdwijnt als we zo in elkaars armen liggen. Hij smaakt naar bessen, van het soort waar je maar geen genoeg van kunt krijgen. Mijn hele lichaam reageert op hem, op precies de juiste plaatsen. Hij is letterlijk adembenemend.

'Kom op, Vey,' zegt hij hees. 'Deze opdracht gaat alleen over jou. Ik zal alles doen om jou in het bijzijn van je vrienden op een voetstuk te zetten. Als wij daar klaar zijn, is iedereen die drama queen allang vergeten.'

Alsof Sydney iemand is die je ooit zou kunnen vergeten. Zij is altijd al zo opvallend geweest, al vanaf de eerste dag op de kleuterschool toen ze aan kwam zetten met een kroontje en pauwenveren. Alle kinderen wilden met haar spelen, maar ze koos mij als haar hartsvriendin, het stille meisje dat thuis tekeningen maakte van haar lievelingskleren. Die toen nog vooral roze en geel waren.

Sindsdien voelde ik me altijd bijzonder omdat zij mij had uitgekozen en waarde hechtte aan mijn mening. Niet dat ze haar eigen mening niet nóg belangrijker vond. Ze zegt altijd dat ze zo veel mensenkennis heeft en dat ze vanaf de allereerste dag wist dat wij ons hele leven lang vriendinnen zouden blijven. Ik ben altijd dankbaar geweest voor die vriendschap, en het kon me niet schelen dat iedereen mij als haar verlengstuk beschouwde. Sydney mag dan soms overgevoelig en bazig zijn, maar ze is altijd een trouwe vriendin voor me geweest. Tot vanavond. Hoe heeft ze zich zó tegen me kunnen keren?

Ik kijk naar Ians sterke kaaklijn. Hij reageert door met zijn vingertoppen over mijn slaap te strelen, waar ik een prettige rilling van krijg. Nooit geweten dat zo'n lichte aanraking zo fijn kon zijn. Wat zou het kicken zijn om daar op dat feest aan te komen met iemand die zó verliefd op me is. Dan ben ík eens een keer degene met de hoofdprijs. Dat idee laat me niet meer los.

Ik reken snel. We zouden over twintig minuten in het theater kunnen zijn en dan zijn we daar na tien minuten weer weg. Met een beetje mazzel ben ik nog net op tijd thuis. Bovendien zijn mijn ouders vast allang voor de televisie in slaap gevallen.

Ian lacht. 'Als ik het eerste deel van mijn opdracht haal, krijg ik een cadeaubon voor de Starbucks. Fantastisch, toch?'

'Ja, daar zullen ze je vast met open armen ontvangen.'

'Ons. Want dan ben jij natuurlijk mijn date.'

Zijn date. De toekomst. Wat klinkt dat betoverend. Maar nu hij over zijn prijs begint, bedenk ik opeens dat ik, toen ik Syds naam zag staan in mijn sms, helemaal niet meer heb gekeken wat mijn beloning zou zijn. Ik haal diep adem, klap mijn telefoon open en kijk.

Mijn mond zakt open. 'Wow, als ik die opdracht doe, krijg ik een betaalkaart voor mijn favoriete kledingwinkel. Met een tegoed van drieduizend dollar.' Daarvoor kan ik een complete garderobe uitzoeken. Wel vintage natuurlijk, maar minder bescheiden en goedkoop dan wat ik nu heb. Flitsender, of nee, niet flitsender, maar opvallender. En waarom ook niet? Ik ben het meisje dat vanavond met succes twee opdrachten in de liveshow heeft gedaan. Als ik maandag weer naar school ga, zullen de mensen mij heel anders zien.

Hij schuift nog wat dichter naar me toe. 'Er is helemaal niets op tegen, schatje.'

Alleen al om te horen dat hij me 'schatje' noemt, zou ik met het spel willen doorgaan.

'Maar ik heb nog nooit eerder iets vervelends tegen Sydney gezegd.' Ik frunnik zenuwachtig aan mijn mouw en probeer te bedenken hoe ik dat uit moet leggen. 'Als we ruzie hebben, loopt dat meestal met een sisser af omdat zij toch bijna altijd haar zin krijgt. En als we echt boos op elkaar zijn, begint ze heel dramatisch te doen, dan gaat ze huilen en zich aanstellen, en dan hou ik mijn mond maar. Maar we maken het wel altijd weer goed. En we hebben nog nooit ruzie gehad over een jongen.' Ik zeg er maar niet bij dat dat toch geen enkele zin zou hebben. Dat Sydney toch elke jongen kan krijgen die ze wil hebben, wat iemand anders daar ook van vindt.

'Het klinkt alsof ze erg verwend is. En die jongen over wie jullie ruzie hadden, lijkt me een hersendode sukkel.'

Ik schiet in de lach. Zou Matthew jaloers zijn als ik met Ian binnenkom? Net goed, dan had hij me de afgelopen weken maar niet zo aan het lijntje moeten houden. Sydney begrijpt vast wel dat ik hem een lesje wil leren. En eigenlijk zou ze respect voor me moeten hebben als ik haar eens goed de waarheid zeg omdat zij iemand inpikt op wie ik verliefd was, ook al is dit natuurlijk wel een beetje een dramatische manier om dat te doen. Van de andere kant: een beetje drama moet zij juist wel kunnen waarderen. Misschien wordt vanavond wel de ommekeer in onze vriendschap. Waardoor we iets meer op gelijke voet komen te staan.

Met dat visioen van een opmars naar rechtvaardigheid zeg ik: 'Oké, we gaan ervoor.'

Hij start de motor. 'Vey, Vey, Vey,' zingt hij, en hij knijpt zijn ogen tot spleetjes. 'Vey gaat met mij mee...'

Hij kijkt me aan alsof hij tot in mijn ziel kan kijken. En zoals hij mijn naam uitspreekt, met die prachtige lippen.

Als we voor een stoplicht moeten wachten, trekt hij me naar zich toe en laat me opnieuw voelen hoe fantastisch hij is. De auto achter ons begint te toeteren als het licht op groen springt.

Veel sneller dan ik had gedacht zijn we op de parkeerplaats van het theater. Er staan minstens tien auto's, maar niet die van Tommy. Hij zal thuis wel hebben gekeken en zich zorgen hebben gemaakt om mij. Als hij nog steeds kijkt, hoop ik maar dat hij het zal begrijpen. Hoe had ik ook moeten weten dat LEF mij zo'n opdracht zou geven? En ik snap eigenlijk ook niet wat de Kijkers hier leuk aan zullen vinden. De onsite Kijkers kunnen niet zomaar op het feest komen. Mevrouw Santana zou onbekenden zonder pardon eruit smijten. Misschien hebben ze bij LEF mijn gevoelens voor Matthew enorm overdreven en hebben ze daar een heel verhaal omheen verzonnen. Maar nu voel ik ook veel voor Ian. Het publiek zal dus denken dat wij een soort driehoeksverhouding hebben. Wel onhandig dat Ian degene is die moet filmen, maar oké, als LEF daar geld aan wil uitgeven, vind ik het prima.

Maar ik vind het eigenlijk helemaal niet prima. Nu we er bijna zijn, vind ik het opeens niet meer zo'n goed idee dat Ian kennismaakt met Sydney. Want wanneer heeft er ooit een jongen meer aandacht gehad voor mij dan voor haar? Stel dat hij haar toch veel leuker vindt?

Hij zet de motor uit. 'Het regent niet meer zo hard. Laten we snel naar binnengaan, voordat het opnieuw begint te hozen.'

Geen tijd om er nog langer over na te denken. Hoe langer ik nadenk, hoe groter de kans dat ik niet meer durf. En dat niet meer durven is nu precies waar ik zo genoeg van heb. Bij gebrek aan lippenstift bijt ik op mijn onderlip tot die opgezwollen en rood is. Armeluislippenstift. We rennen met onze jas over ons hoofd naar de ingang.

'Showtime, schoonheid!' zegt Ian, en hij pakt mijn hand vast.

Ik glimlach geforceerd en haal diep adem. En nog eens.

Showtime, inderdaad.

9

We lopen naar binnen en drogen ons natte gezicht af met onze mouw voordat we doorlopen. Er klinkt dansmuziek en veel vrolijk gelach. Als we in de toneelzaal komen, rent Sydney, die nog steeds een korset aanheeft dat zo strak zit dat gewone stervelingen erin zouden stikken, net de hoek om, achtervolgd door een stel acteurs, sommigen gay en sommigen hetero. Ze duiken weg achter een decorstuk dat Tommy heeft gemaakt en dat ik heb helpen verven. Het fijne doek is zo beschilderd dat het bij een bepaalde belichting op een veld in het poolgebied lijkt, maar bij een andere belichting de sombere achtergrond van een verhoorkamer vormt. Nu lijkt het op dat veld, en Sydney fladdert er als een kleurrijke vlinder doorheen.

Ik kruip een beetje weg in mijn jas en kijk naar Ian, die naar de acteurs kijkt. Blijft zijn blik nu langer op Sydney rusten of lijkt dat maar zo?

Als ze mij ziet, springt Sydney van het podium af. 'Vey! We hebben allemaal voor je geduimd!' Ze heeft hakken van tien centimeter, maar rent toch op me af en omhelst me zo stevig dat ik de bamboe baleinen in haar korset voel.

Hè? Na de opdracht van gisteren was ze woedend, dus ik had verwacht dat ze nu wel helemaal razend zou zijn. Misschien is deze steun voor haar beste vriendin alleen maar voor de show, omdat er anderen bij zijn. Maar dat kan ik eigenlijk niet geloven nadat ze me in het openbaar met Matthew heeft bedrogen.

Ze maakt zich los en kijkt naar Ian. Die legt zijn ene arm om mij heen en steekt de andere uit om zich voor te stellen.

Ze lacht en pakt haar mobiel. 'Ik weet allang wie jij bent, dat weet iedereen hier! Hebben jullie trouwens die finale van de liveshow in Chicago gezien? Een van de deelnemers moest in een bad met visafval zwemmen!'

Ze wenkt Jake, een jongen die bijna net zo klein is als ik. Hij komt aanlopen met een tablet. Ik zie op het filmpje iemand rondspartelen en ik zou zweren dat ik rotte vis ruik. Wanneer het filmpje is afgelopen verschijnt er een advertentie op het scherm. Een foto van een meisje dat ook in iets glibberigs zwemt, een of ander groen spul. Ze kijkt angstig en hapt naar adem. Daarna verschijnt er een foto van een meisje met twee staartjes en een t-shirt met een vampier erop; ze deinst terug voor twee meisjes in glimmende minirokjes. Ik geloof mijn ogen niet.

Ik wijs op het scherm. 'Nee hè, gebruiken ze mijn foto om reclame te maken voor het spel? Dat mag toch helemaal niet?'

Sydney lacht om mijn reactie. 'En of dat mag. Wat doen jullie hier eigenlijk? Is het spel afgelopen? Durfden jullie alles wat jullie hebben gewonnen niet op het spel te zetten in de finale? De finale in Colorado is trouwens net begonnen.'

Ian laat zijn arm omlaag glijden naar mijn middel en drukt me een beetje tegen zich aan, wat Sydney niet ontgaat. 'Nee, we zijn in afwachting van wat er nog meer gaat komen. Wat ben je trouwens goed geschminkt.'

Ze strijkt over haar wang. 'Ja, Vey is echt keigoed.'

Hij drukt zijn gezicht even tegen mijn haar. 'Ja, nou en of.'

Ze houdt haar hoofd een beetje scheef alsof ze denkt dat ze hem niet goed heeft verstaan.

Van de ene kant wil ik dit moment zo lang mogelijk rekken en ervan genieten, maar van de andere kant wil ik ook zo snel mogelijk mijn opdracht uitvoeren zodat ik er maar vanaf ben. Nu of nooit. Ik doe mijn mond open, of ik er nu klaar voor ben of niet. 'Eh, Syd, we moeten het nog ergens over hebben.' Kon ik er maar bij vertellen dat dit een onderdeel van mijn opdracht is.

Ze fronst haar wenkbrauwen. 'Ja, waarom je toch bent doorgegaan met lef? Ik geloof dat ik dat wel snap.' Ze knipoogt naar Ian. Waarom doet ze zo? Wil ze zich volgende maand soms zelf opgeven en hoopt ze dat wij een goed woordje voor haar zullen doen?

Hij negeert haar en pakt zijn mobiel alsof hij wil kijken of er sms'jes voor hem zijn. Hij kijkt naar mij en tuit zijn lippen om me een luchtkusje te geven. Niet één keer dwaalt zijn blik af naar Sydney. Ik geloof dat ik echt verliefd ben.

Sydney staat er een beetje suffig bij te kijken. Zou ze ooit eerder door een jongen zo zijn genegeerd?

'Dus eh...' begin ik aarzelend.

Ergens achter in de zaal slaat een deur dicht.

Tommy komt door het middenpad de zaal in gemarcheerd. Hij kijkt naar mij en zijn ogen schieten vuur.

Er gaat een golf van schuldgevoelens door me heen. Ik steek mijn hand op en zwaai aarzelend naar hem. Wat doet hij hier?

Hij houdt een serieuze camera voor zijn gezicht met een microfoon die als de hoorn van een neushoorn aan de voorkant is bevestigd. O nee, hij is blijkbaar een van onze onsite Kijkers.

Ik draai me om naar Ian, maar die kijkt geschrokken op zijn mobiel. Hij slikt, en zegt: 'Vlug, zeg tegen haar wat je te zeggen hebt, maar schiet op.'

Ik schraap mijn keel en zeg tegen Syd: 'Ik heb meegedaan aan de live-shows omdat ik kwaad op je was.'

Ze slaat haar hand voor haar borst. 'Op mij?'

Ik kan er niks aan doen, maar ik krijg een beetje medelijden met haar. Ze moet wel erg in verwarring zijn gebracht door de manier waarop Ian en ik ons gedragen.

Tommy blijft staan en richt de camera met de microfoon op Sydney en mij. Een rood lampje knippert als een boze hartslag.

'Wat doe je, Tommy?' vraagt Sydney, maar hij legt zijn vinger op zijn lippen.

Ik pak Sydney bij haar arm. 'Kom, dan gaan we naar de kleedkamer.'

Ze maakt zich los. 'Waar heb je het over? Waarom was je kwaad op mij?' Haar stem klinkt hard.

Weet ze dat echt niet? 'Dat vertel ik je wel onder vier ogen.'

Tommy kreunt. 'Onder vier ogen? Als je dat wilde, dan zou je vriendje dit niet meteen uploaden.'

Sydney fronst haar wenkbrauwen en probeert Ians telefoon af te pakken. 'Ben jij ons ook al aan het filmen? Is dit soms weer zo'n opdracht? Zijn jullie nog steeds met dat spel bezig?'

Ian stopt zijn telefoon in zijn zak, maar in plaats van antwoord te geven kijkt hij naar iedereen die inmiddels in de zaal staat, alsof hij ze waarschuwt om mij niet tegen te werken.

Ik moet deze afschuwelijke opdracht zo snel mogelijk zien uit te voeren. 'Syd, ik moet even heel snel iets tegen je zeggen en daarna ben ik weg.' Ik hou mezelf voor dat dit geen inbreuk is op haar privacy. Niet dat ze dat ooit belangrijk heeft gevonden, want haar ThisIsMe-pagina staat vol foto's van haar in bikini.

Zo zacht mogelijk zeg ik: 'Ik was boos op je omdat je iemand probeerde te versieren op wie ik verliefd was.'

'Harder!' zegt Tommy. 'Het publiek kan je niet horen.'

Sydney slaat haar armen over elkaar, waar haar decolleté nog dieper van wordt. Nu ze weet dat ze publiek heeft, weet ik niet hoe dit zal aflopen, want ze zal er alles aan doen om een zo goed mogelijke indruk te maken. Maar wacht even, dit is toch míjn publiek?

Hoe sneller ik dit doe, hoe groter de kans dat het me lukt. Zonder dat ik van mijn stokje ga. Het wordt me al een beetje zwart voor de ogen. 'Je weet best dat ik verliefd was op een van de andere acteurs.' Ik kijk naar Ian en hoop maar dat hij opmerkt dat ik in de verleden tijd spreek, maar dat schijnt hij niet door te hebben. Hij kijkt nogal sneu.

Toch ga ik door. 'Maar vanavond zag ik zelf dat je je in zijn armen stortte, op het podium nog wel. Er staat "kussen" in het script, niet "tongzoenen".'

Syd spert haar ogen open. 'Bedoel je Matthew?' Haar geoefende toneelstem klinkt tot ver in de zaal.

'Wat is er met mij?' Matthew springt van het podium en komt naar ons toe. Als hij bij ons staat, zie ik drie verschillende kleuren lippenstift op zijn wangen en ruik ik minstens zo veel parfums. Die jongen lijkt wel een petrischaaltje.

Ik steek afwerend mijn hand op. 'Jij hebt er niks mee te maken, Matthew.'

Iemand heeft de muziek uitgezet. Mevrouw Santana misschien? Waar is die trouwens? En waar zijn Liv en Eulie? Die zouden wel voor mij opkomen, dat weet ik zeker. Iedereen staat nu naar ons te kijken en een paar mensen richten de camera van hun mobiel op ons. Zelfs Jake, de jongen die me soms helpt met de kostuums, houdt zijn tablet omhoog om alles te filmen. Inmiddels zou ik aan zo veel aandacht gewend moeten zijn, maar al die camera's branden als gloeiende poken in mijn vel.

Ik draai me om naar de anderen. 'Oké, gaan jullie maar door met feesten, dit staat straks toch allemaal op internet.'

Niemand komt in beweging.

Ik wrijf mijn handpalmen tegen elkaar. 'Dat was eigenlijk alles wat ik wilde zeggen, Sydney. Ik ga weer. O ja, en ik vond je tijdens die ondervragingsscène veel te overdreven acteren.' Zo, daarmee heb ik mijn opdracht vast wel met succes uitgevoerd. En nu het achter de rug is, ben ik opeens niet meer zo ontzettend boos op haar. Wat kan mij Matthew ook schelen?

Ze pakt me bij mijn arm. 'Weet je wat pas overdreven is? Dat jij mij beschuldigt van verraad! Ik dacht niet dat je nog steeds verliefd was op Matthew, zeker niet na al mijn waarschuwingen.' Ze bloost hevig, wat bij iemand anders vreselijk zou lijken, maar wat haar prachtige gelaatstrekken juist accentueert. 'Jij hebt me wel eens eerder van stomme dingen beschuldigd, maar ik zou je nooit achter je rug om bedriegen. Heb je dan niet gezien dat Matthew mij op het toneel vastgreep? Ik kon helemaal niet meer loskomen! Zie je die blauwe plek?' Ze wijst op haar arm.

Matthew wilde haar niet loslaten? Hij hield haar inderdaad wel erg stevig vast. Dat hij degene was die haar die bloemen stuurde, wil natuurlijk nog helemaal niet zeggen dat de gevoelens wederzijds waren. Shit, nu heb ik het goed verpest. Ik doe een stap naar achteren. 'O... sorry. Laten we het morgen verder uitpraten, oké?'

Ze komt op me af. 'Nee, dat doen we nu! Daar zijn die camera's toch voor?' Ze zet haar handen in haar zij en torent een halve kop boven me uit, dankzij die stomme stilettohakken die ik voor haar kostuum heb uitgekozen.

Het is doodstil in het theater. Als ik om me heen kijk, zie ik gezichten en camera's die me als een jury beoordelen. Sydney kijkt statig en verontwaardigd maar ook stralend op me neer. Zoals gewoonlijk is zij van ons tweeën degene die het wint.

'Ik verwacht een verklaring, Vey.' Ze tikt ongeduldig met haar voet op de grond.

Iedereen lijkt opeens aan haar kant te staan. Het lijkt zelfs wel alsof ze nu allemaal met hun voeten staan te tikken. Het theater dreunt van het beschuldigende geroffel. En opnieuw ben ik de mislukte ster, alleen is mijn tweederangsstatus nu zichtbaar voor duizenden mensen en sta ik niet meer veilig in de coulissen.

Het is alsof de tijd stilstaat. Hoe kan ik dit weer terugdraaien naar die heerlijke momenten in de auto van Ian, voordat hij getuige was van deze verschrikkelijke vernedering? En Tommy is ook al boos op mij. Als iemand een tijdmachine zou kunnen uitvinden, dan is hij het wel.

Als laatste redmiddel zwaai ik met mijn rechterhand langs mijn been. Als ik Sydneys aandacht heb getrokken, zeg ik in gebarentaal: *Sorry. Echt. Laat me gaan, oké?*

Ze kijkt naar mijn handen en haar blik verzacht. Kan ze me nou niet gewoon even een plezier doen en het hierbij laten? Ze moet toch wel snappen waarom ik dacht wat ik dacht, en waarom ik deed wat ik heb gedaan? Wie kent mij beter dan zij? Wie heeft mij altijd in bescherming genomen?

Ik hou mijn adem in. *Alsjeblieft?* vraag ik in gebarentaal.

Ze kijkt weer op, naar mijn gezicht. 'Bied je excuses aan. Nu.'

Dat heb ik net gedaan in gebarentaal. Wil ze me nu ook nog in het openbaar vernederen? Ja, natuurlijk wil ze dat. Als wraak. Hoe kan dit zo stom gelopen zijn, precies het tegenovergestelde van wat ik had bedoeld. Een branderig gevoel trekt door mijn borst. 'Ik moet weg.'

Ze kijkt me strak aan. 'Nu alweer? Je kwam me alleen vals beschuldigen en je deskundige kritiek op mijn acteerprestaties leveren?' Ze schudt haar hoofd. 'Je had het meteen na het toneelstuk tegen me moeten zeggen. Zonder camera's. Maar je was meteen weg, je bent niet eens lang genoeg gebleven om je ouders gedag te zeggen.'

De adem stokt in mijn keel. 'Mijn ouders?'

Ze zucht geïrriteerd. 'Ja, je ouders. Ze waren ontzettend trots op je. Tot ze erachter kwamen dat je was weggegaan zonder tegen ons te zeggen waar je naartoe ging. Je hebt het mooi voor elkaar, Vey.'

Ik kan me de gezichten van mijn ouders precies voorstellen. Het heeft ze best veel moeite gekost om me vanavond weer vrij te laten. En ik wilde ze zo graag laten zien dat ze zich nergens zorgen over hoefden te maken. Hoe heb ik ze zó kunnen teleurstellen? En waarom heeft Syd ze erbij betrokken? Dit is nog veel erger dan de ergste opdracht van LEF. Als ik daar niet aan had meegedaan, was ik hier geweest, dan had ik mijn ouders kunnen laten zien dat alles echt weer helemaal normaal was. Maar ik heb alles verpest voor een nieuwe telefoon en een paar schoenen. Tranen van frustratie en woede stromen over mijn wangen.

Ian doet een stap naar voren. 'Zijn jullie nou tevreden, klootzakken?' Zonder waarschuwing stapt hij op Jake af en grist hem zijn tablet uit handen. 'Zet dat ding uit, voordat ik je een mep geef.'

Ik leg mijn hand op Ians arm. 'Jake is oké, laat hem maar.'

Ian duwt me weg, geeft Jake de tablet terug en zegt: 'Sodemieter op, hufter.'

Jake schuifelt weg en kijkt alsof hij elk moment in tranen kan uitbarsten. Hij struikelt bijna over de stoelen als hij terugloopt naar de rest van de acteurs die op het podium staan.

Ian pakt me bij mijn hand. 'Kom mee.'

Ik wil niet met hem mee als hij zo doet. Maar hier blijven, waar iedereen mij aankijkt alsof ik de ergste misdadiger ben, lijkt me nu nog veel erger.

Als we langs Tommy komen, doet hij zijn camera omlaag. Hij heeft donkere kringen onder zijn ogen. 'Dat was weer een fraaie voorstelling,' zegt hij.

Ik kijk hem boos aan. 'Ik hoop dat ze je goed belonen voor je filmproductie, Tommy.'

Hij prutst aan een snoertje. 'Ik heb gekregen wat ik wou.'

Iets maakt dat ik blijf staan. 'Wat ik nog wou zeggen: toen ik jou sprak, wilde ik echt ophouden met het spel, maar toen kwamen ze hiermee. Ik vond het te spannend om te weigeren.'

Zijn gezicht verhardt. 'Als je dit spannend noemt, dan ben je niet het meisje dat ik dacht dat je was.'

Hij heeft gelijk: ik ben zelf ook niet wie ik dacht te zijn. Ik weet niet meer wat ik van mezelf moet denken. Ik laat het hoofd hangen en loop achter Ian aan naar buiten.

Als we in de hal zijn, komt Sydney ons achterna. Zou ze zich hebben bedacht?

Maar ze zegt buiten adem: 'Ook al ben ik ontzettend kwaad op je, ik denk toch dat je niet met hem mee moet gaan. Hou toch met dat spel op. Die prostitutieopdracht was ontzettend gevaarlijk, en moet je kijken hoe ziek deze opdracht is. Ben je echt van plan om met deze rotzak mee te gaan? Je hebt toch gezien hoe hij tegen Jake deed?' Ze kijkt Ian minachtend aan; hij slaat zijn blik neer en voelt zich zo te zien totaal niet op zijn gemak. De woedende bui van net is helemaal verdwenen. Is hij soms een of andere Jekyll en Hyde?

'Ik wil alleen nog maar naar huis.'

'Kun je misschien even weggaan?' vraagt Syd aan Ian. 'Zonder iemand in elkaar te slaan?'

Hij zucht diep en gaat naar buiten.

Ze schudt haar hoofd. 'Ik weet wel dat hij superknap is, Vey, maar ik hoef jou toch niet uit te leggen waarom je niet met hem mee moet gaan?'

Ik voel me opeens ontzettend moe. 'Wat denk je eigenlijk, dat ik een domme slet ben die niet voor zichzelf kan zorgen?'

Ze prikt met een perfect gelakte nagel in de lucht. 'Ik zeg dit tegen je als vriendin, ook al vind ik dat jij je de afgelopen tien minuten niet bepaald als een vriendin gedraagt. Die vent is een engerd.'

Ik zucht. 'Waarom denk je dat?'

Ze trekt haar neus op. 'Je hebt toch gezien hoe hij Jake bedreigde? En daarvoor vond ik hem ook al zo... ik weet niet, hij is gewoon te perfect.'

Mijn nekharen gaan overeind staan. 'Je bedoelt zeker te perfect voor mij?'

'Dat bedoelde ik helemaal niet.' Maar het is waar, ik zie het in haar ogen.

'Welterusten, Syd.' Ik loop naar buiten om na te denken. Misschien kan ik beter een taxi bellen.

Ian staat onder de luifel, waar niet veel beschutting is tegen de wind en de regen. Hij kijkt verdrietig, niet boos, maar ik wil toch niet meer bij hem in de auto.

Ik blijf een beetje op afstand en roep: 'Waarom deed je net zo idioot?'

Hij slaat met zijn vlakke hand tegen de muur. 'Dat was dus het tweede deel van mijn opdracht. Die klootzakken wilden dat ik me zo afschuwelijk gedroeg. Sorry.'

Shit, natuurlijk. Zo makkelijk komen we er niet vanaf. Ik ga naar hem toe en loop met hem mee naar de auto. Als we halverwege zijn, komt Sydney naar buiten en schreeuwt iets naar ons, wat ik door de harde wind niet kan verstaan. We stappen in. Ian start de motor en doet de verwarming aan.

Hij kijkt strak voor zich uit. 'Denk je dat die Jake erg geschrokken is?'

'Valt wel mee. Je hebt hem niet geslagen of zo.'

'Nee, maar ik heb hem wel erg vernederd. En bang gemaakt. En geloof me: dat is erger dan een klap van iemand krijgen.'

'Ja. Wat een rotopdracht was dat. Mijn vrienden zullen me wel haten.'

Hij pakt mijn hand vast. 'Het enige goede is misschien dat je wel voor jezelf bent opgekomen en het tegen Sydney hebt gezegd. Je ziet er trouwens heel schattig uit als je boos bent.'

'Bah. Ik wou dat ik alles kon wissen op de site van LEF.' Ik kijk op mijn mobiel. Tien voor twaalf. Zelfs als we keihard naar het bowlingcentrum rijden, waar mijn auto nog staat, kom ik nooit op tijd thuis. In elk geval kan mijn sociale leven niet nog slechter worden als ik weer huisarrest krijg. Ik heb het nu echt goed verpest.

'We moeten gaan,' zeg ik.

Hij knikt en kijkt net zo verslagen als ik me voel. Maar voordat hij wegrijdt, hoor ik dat er een zacht tinkelend geluid uit onze mobieltjes komt. Ik heb geen energie meer om te kijken welk bericht we nu weer hebben gekregen. Dit spel heeft mijn leven overhoop gegooid, en nu willen ze dat goedmaken met zachte harpmuziek? Zodra ik het kan opbrengen, ga ik LEF een sms'je sturen om te zeggen dat ik ermee stop, maar voorlopig laat ik mijn hoofd in mijn handen rusten. Ik voel een verschrikkelijke huilbui opkomen, die mijn gezicht als een tsunami zal overspoelen en zwarte vegen mascara zal achterlaten.

De auto komt niet in beweging. Ik hoor dat Ian zacht tussen zijn tanden fluit. 'Dit ga je niet geloven.'

10

'Breng me alsjeblieft naar huis.' In de hoop een totale instorting uit te stellen tot ik in elk geval thuis ben, dwing ik mezelf om terug te denken aan een tijd waarin niet alles zo afschuwelijk was als nu, bijvoorbeeld toen ik met mijn ontwerp voor een herbruikbare baljurk een zilveren lint won op de modewedstrijd op school. Sydney straalde toen van trots en vroeg aan me of ik later haar trouwjurk wilde ontwerpen. Maar dat herinnert me er alleen maar aan dat ik zelfs op mijn terrein altijd op de tweede plaats kom, nooit zelf de ster ben. En bovendien dat Syd wel een trouwe vriendin voor mij is, maar ik niet voor haar. Ian heeft nu mijn ware ik gezien: ik ben een doorsnee *wannabe* die als een satelliet om superster Sydney heen draait. Niet dat zij of iemand anders na vanavond nog iets met mij te maken wil hebben.

Ian buigt zich zo ver naar mij toe dat ik zijn adem tegen mijn oor voel. En met die perfecte lippen fluistert hij: 'Nee, echt, dit móét je zien.'

Ik haal mijn handen weg voor mijn gezicht en zie dat hij zijn mobiel vlak voor me houdt, met daarop een montage van de opdrachten die we vanavond hebben doorstaan en een tekstbalk met de tekst: DIT ZIJN ONZE KANDIDATEN VOOR DE GROTE FINALE!

Ians ogen schitteren. 'Ze zijn hier in Seattle! Als ik de finale haal, win ik een auto en een gigantisch krediet aan benzine, genoeg om overal naartoe te rijden.'

'En waar wil jij dan zo graag naartoe?'

Hij geeft niet meteen antwoord. 'Het gaat mij om de vrijheid, het idee dat je overal heen kunt.'

'En wat moet je doen om die auto te winnen? Bungeejumpen zonder elastiek?'

Hij lacht. 'Zo ken ik je weer, meisje van me.'

Hoezo meisje van me? En wat valt er trouwens te lachen? 'Ik meen het. Die opdrachten zijn vast onmogelijk.'

Hij haalt zijn schouders op. 'Daar komen we snel genoeg achter. Kijk eens of jij al een sms hebt over jouw prijs voor de finale.'

'Waarom, wat kan mij dat nou schelen?'

Hij glimlacht. 'Veel.'

Ik doe mijn ogen dicht. Hij heeft gelijk. Hoewel ik het spel steeds meer begin te haten, ben ik toch benieuwd. De hele avond al weet LEF precies de dingen te bedenken die ik het liefst wil hebben. Waar zouden ze me nu, na die rampzalige opdracht met Sydney, mee proberen te verleiden? Een vals paspoort, een talencursus en een ticket naar het buitenland?

'Oké, ik zal kijken als jij intussen naar het bowlingcentrum rijdt. Ik kom nu al te laat.'

Hij rijdt weg en ik pak mijn mobiel. Als ik de sms lees, trekt al het bloed weg uit mijn hoofd.

Met een zwak stemmetje zeg ik: 'Mijn god, dat kan toch niet waar zijn?'

'Vast wel. Je hebt toch dat filmpje gezien van de winnaar die mee de lucht in mocht met een toestel van de Blue Angels?'

Ik slik. De brok in mijn keel en mijn wanhoop zijn door de schok helemaal verdwenen. 'Toelating tot en een volledige beurs voor de modeacademie.'

'Wow.'

Ik krijg weer een sms. Met trillende stem lees ik voor wat er staat:

JULLIE HEBBEN LATEN ZIEN DAT JULLIE EEN FANTASTISCH TEAM VORMEN. KLAAR VOOR DE ALLES-OF-NIETS-RONDE? DIT IS JULLIE OPDRACHT:

- GA NAAR DE PAPAVER-CLUB EN ZORG DAT JE OM 00:30 UUR IN DE VIP-SUITE BENT. (ROUTEBESCHRIJVING VOLGT)
- GEEF EEN INTERVIEW VAN VIJF MINUTEN.
- BLIJF DRIE UUR IN DE VIP-SUITE EN VOER DE OPDRACHTEN UIT DIE JE DAAR KRIJGT.

Ian en ik kijken elkaar aan. Buiten is de hoosbui overgegaan in een zachte motregen. Het maanlicht schittert in de regendruppels op de ruiten. Misschien is de ergste bui overgewaaid.

Ik schud mijn hoofd. 'Volgens mij is dat een besloten nachtclub. Ze willen ons in elk geval niet naar een of ander verlaten slachthuis in de rimboe sturen.'

Hij grijnst. 'Je klinkt alsof je het toch wel wilt. Die finale bedoel ik, niet het slachthuis.'

'Mijn ouders vermoorden me.'

Hij lacht. 'Je hebt een woedende groep maagden overleefd, je hebt je voorgedaan als hoer, je bent ontsnapt aan een politieagent en je hebt je beste vriendin beledigd. En nu maak je je zorgen dat je niet op tijd thuis bent?'

'Mijn moeder is enger dan al die andere mensen bij elkaar.'

'Wat is nou het ergste wat ze kan doen?'

Ik kijk naar het dak. 'Het ergste? Me de rest van het jaar huisarrest geven? Ik overdrijf niet, hoor, ik heb al huisarrest sinds november.'

Hij wrijft over zijn kin. 'Maar een complete beurs voor de modeacademie, zou ze daar niet een beetje van opvrolijken? Je hoeft alleen maar te zeggen wat je vader en zij allemaal voor leuke dingen kunnen doen van het studiegeld dat ze daarmee uitsparen. Een reis naar de Fiji-eilanden?' Hij pakt met een nonchalant gebaar mijn hand, alsof we al jaren getrouwd zijn. Maar zijn huid tegen de mijne voelt elektrisch, nieuw.

'Het ligt een beetje ingewikkelder. De laatste tijd is het tussen mijn ouders en mij nogal ingewikkeld.' Jezus, waarom vertel ik hem niet meteen welk merk tampons ik gebruik.

Hij zucht eens diep. 'Misschien is het dan juist wel goed om die opdracht te doen. Misschien klaart de lucht er wel van op.'

Mijn huid brandt, is gevoelig, alsof hij dwars door me heen kan kijken. 'Als ik niet snel naar huis ga, worden mijn ouders ongerust.'

'Bel ze dan op en verzin een smoes. Dat je auto het niet doet en dat ik je help om hem te repareren.'

'Dat geloven ze nooit. En ze zouden me meteen komen halen. De camera op mijn mobiel mag dan waardeloos zijn, maar mijn gps doet het uitstekend.'

'Oké, dan moet je dus kiezen. Naar huis gaan, een beetje te laat komen, met binnenkort nieuwe kleren en een nieuwe telefoon, of over een paar uur thuiskomen met dat allemaal plus geld om je studie van te betalen. Als je dan huisarrest krijgt, kun je die tijd gebruiken om een portfolio te maken zodat je wordt aangenomen voor de allerduurste studierichting. En vergeet al die andere dingen niet die je hebt gewonnen. Als je vrienden zien hoe fantastisch je het in de finale doet, dan vergeten ze vast dat akkefietje met Sydney. Dat vinden ze dan alleen nog maar hilarisch.'

Hilarisch, ja, vast. Hij zegt dit natuurlijk alleen maar omdat hij mij nog steeds nodig heeft als partner en hij zo graag die nieuwe auto wil. Ik voel me een beetje onder druk gezet, maar wie kan hem nou kwalijk nemen dat hij het probeert? En ook al had hij dat niet gedaan: het idee dat ik een volledige beurs voor de modeacademie zou krijgen, laat me niet meer los. Vooral niet nu er zo'n groot deel van mijn collegegeld aan de rekeningen voor het ziekenhuis is besteed. Als ik meedoe aan de finale, is het alles of niets; dan staan de prijzen die ik tot nu toe heb gewonnen op het spel. Maar die prijzen kunnen de spanning in mijn familie niet verminderen en betekenen ook geen echte nieuwe start.

Ik sla mijn armen om mezelf heen. 'Wat denk je dat er in die vip-lounge gaat gebeuren? Met duizenden Kijkers kunnen ze toch niets ergs doen?' In het openbaar ben ik veilig, aan dat idee hou ik me maar vast. Hoeveel realityshows zijn er niet waarvan de deelnemers elkaar al alleen daarom niet vermoorden?

Hij tikt op het stuur. 'Ze zouden het wel zo kunnen doen dat ze iemand anders opstoken om ons in elkaar te slaan. Net zoals die leden van de kuisheidsclub. Maar ik denk niet dat ze het helemaal uit de hand laten lopen, want ze willen natuurlijk wel steeds nieuwe spelers.'

Als we voor een stoplicht staan, kijk ik naar een man die zijn hond uitlaat. Als hij opkijkt, kruisen onze blikken elkaar. Hij geeft een klein rukje aan de riem en steekt de straat over alsof hij denkt dat ik elk moment uit de auto kan springen en hem kan beroven. Zie ik er nu dan zo raar uit? Nog nooit eerder is er iemand bang voor me geweest. Nog nooit.

Uit mijn mobiel klinkt zachte pianomuziek.

WE HEBBEN DE LAATSTE FILMPJES DIE IAN EN TOMMY HEBBEN GEÜPLOAD NOG EENS GOED BEKEKEN. WE DENKEN DAT DE VORIGE OPDRACHT VEEL MOEILIJKER VOOR JOU IS GEWEEST DAN WE HADDEN VERWACHT. ZOU JE DE KANS WILLEN KRIJGEN OM ALLES GOED TE MAKEN? ALS JE DE OPDRACHTEN IN DE GROTE FINALE MET SUCCES UITVOERT, MAG JE VRIENDIN SYDNEY AUDITIE DOEN BIJ EEN HOLLYWOOD-AGENT. DAARMEE PROBEREN WE DE BAND TUSSEN TWEE GEWELDIGE HARTSVRIENDINNEN TE HERSTELLEN.

O, wat zou Sydney dat fantastisch vinden! Het zou een geweldige start voor haar kunnen betekenen, een veel betere kans dan ik ooit zelf voor haar zou kunnen regelen. Het is alsof LEF ons allebei al heel goed kent. Waarom verbaast me dat nog?

Ik krijg weer een sms:

DOE JE MEE OF STOP JE? JULLIE PUBLIEK WACHT.

Ons publiek. Uit hoeveel mensen bestaat dat? De cast en de crew van ons toneelstuk volgen het spel waarschijnlijk nog steeds, ook al hebben ze een heel vervelende kant ervan gezien, en dat nog wel van heel dichtbij. Of valt dat misschien toch mee? Ik wil graag goede raad van iemand die ik vertrouw, iemand die geen belang heeft bij het spel, geen nieuwe auto kan winnen. Ik probeer Eulie te bellen, daarna Liv, maar hun nummers zijn geblokkeerd.

Ik krijg weer een sms:

JE MOET DEZE BESLISSING ZELF NEMEN.

'Ik kan niemand bellen.' Ik strijk mijn slappe haar naar achteren. 'Zelfs mijn ouders niet met een smoes waarom ik te laat thuis kom.'

Hij kijkt naar me en concentreert zich dan weer op de weg. 'Dan moet je achteraf maar zeggen dat het je spijt. Als je tenminste besluit om mee te doen. Je moet het zelf weten, Vey, het is helemaal aan jou.'

Helemaal aan mij.

Ik staar naar zijn profiel en denk hardop. 'Drie uur in een luxe suite in een nachtclub terwijl duizenden mensen alles kunnen zien wat we doen. En daarmee verdien ik een complete beurs voor de modeacademie. En jij een nieuwe auto.'

'Vrijheid voor ons allebei.'

'Ja, vrijheid, en misschien nog iets anders. Ik heb erg veel mensen heel erg teleurgesteld en dat kan ik als ik win misschien goedmaken.'

'Dat vraag ik me af. Je denkt veel te veel voor anderen. Je was ook al zo bang dat je die mensen van de kuisheidsclub zou beledigen. En je wilde die twee straathoeren redden, zelfs nadat die hadden gedreigd om je in elkaar te slaan. Je hebt een groot hart, Vey. En een sterke persoonlijkheid. Ik snap alleen niet dat je daar niet wat meer van laat zien als je bij je vrienden bent. Maar ik heb de kans gekregen om te zien hoe je werkelijk bent, en ik vind je superaantrekkelijk.'

Zijn woorden hebben een rustgevende uitwerking. Toch weet ik niet zeker waarom hij dit allemaal zegt en ik weet ook niet of ik hem wel kan vertrouwen. Ik vertrouw hem in elk geval niet mijn leven toe, en bepaalde delen van mijn lichaam al helemaal niet.

Onder het rijden pakt hij mijn hand en hij kust mijn vingers. 'Je moet nu wel beslissen of je mee wilt doen. Maar als je wilt stoppen, begrijp ik dat echt wel. Heus.'

Ik zucht eens diep. Als ik nu naar huis ga, krijg ik 1400 dollar plus een paar fantastische prijzen. En als Ian nu moet stoppen omdat ik ook niet doorga met het spel, kan hij toch nog gratis door heel Amerika reizen.

Maar als ik een paar uurtjes te laat thuiskom en de ongetwijfeld vreselijke opdrachten uitvoer in de grote finale, zou mijn leven daardoor totaal kunnen veranderen. In plaats van terug te moeten naar school als de idioot die voor het oog van de camera ruzie heeft staan maken met haar beste vriendin, kan ik iemand zijn die alles op het spel heeft gezet om de hoofdprijs te winnen. Iedereen zal begrijpen dat het bescheiden meisje dat er zo degelijk en braaf uitziet, wilde laten zien dat ze anders is dan iedereen altijd heeft gedacht.

Ik ben iemand met een persoonlijkheid. Met duizenden Kijkers. En zelfs nog meer als ik de volgende opdrachten uitvoer. Vanavond heb ik geleerd dat ik groter moet denken. Of in elk geval anders. Ik heb verdorie een straathoer gespeeld! Als ik dat kan, dan is alles mogelijk. Auditie doen voor het volgende toneelstuk van school? Opslag vragen op mijn werk? Ervoor zorgen dat Tommy geen hekel meer aan me heeft? Ik kan Sydney mijn excuses aanbieden voor wat er vanavond is gebeurd, maar ik zal nooit meer het gevoel hebben dat ik moet doen wat zij me opdraagt. En misschien kan ik eindelijk mijn ouders ervan overtuigen dat ik mezelf echt niet probeerde te laten stikken in de garage. Alles is nu mogelijk. Alles!

Zelfs nog een opdracht.

'Ik doe mee,' fluister ik.

'Yes!' Hij zet de auto langs de kant en buigt zich naar me toe om me op mijn mond te kussen. Eerst zacht, daarna steviger. Zijn handen glijden over mijn haar, mijn armen, mijn middel. Als hij me loslaat, voelen mijn lippen rauw.

'Je zult hier geen spijt van krijgen. Ik bescherm je,' zegt hij. 'Dat weet je toch, hè?'

'Mmm.' Met Ian naast me, kan niets me nog stoppen. We zijn onstuitbaar! Ik hou mijn adem in en beantwoord de sms van LEF.

Ian keert de auto en we rijden terug. We houden elkaars hand zo stevig vast dat ik zijn sterke hartslag voel. Steeds als we even moeten stoppen, kussen we elkaar op de mond. LEF heeft wat één ding betreft gelijk: we zijn een team.

Onderweg probeer ik een smoes naar mijn ouders te sms'en, maar LEF heeft mijn telefoon geblokkeerd. Ik kan ze dus niet bereiken, tenzij we langs een openbare telefoon komen. Maar ik moet me concentreren op de prijs. Ik moet alleen nog denken aan de modeacademie, mijn ouders, de toekomst.

De rit naar de Papaver-club, een hippe nachtclub op de begane grond van een gebouw van vijf verdiepingen, duurt een minuut of twintig. Ian ziet vlak voor de club een lege parkeerplaats met een bordje waar VIP op staat. Het gedreun van de dansmuziek klinkt door tot in de auto.

Als ik uitstap, slaat de vochtige wind me in het gezicht en zie ik een bliksemflits. Er staat een rij voor de hoofdingang, maar een bordje wijst naar de vip-ingang aan de zijkant van het gebouw. We rennen onder de luifel door die ons tegen de motregen beschermt en bellen aan. Er wordt opengedaan door een boom van een portier die vraagt hoe we heten en ons gezicht vergelijkt met een foto op zijn mobiel.

Dan knikt hij, grijnst, en laat ons binnen. 'Jullie kunnen met de lift omhoog.'

Binnen zijn we beschut tegen de wind, maar ik voel me nog steeds rillerig, zelfs als ik dicht tegen Ian aan kruip. Onze voetstappen klinken hol op de marmeren vloer van een hal die vaag naar kruidnagel ruikt. Vanuit de club horen we het vage gedreun van drums en een bas. Ik vind het vreemd dat het niet harder klinkt, maar de vip-gasten worden kennelijk van het lawaai afgeschermd met geluidsdichte muren.

We komen bij een kleine lift waar een bordje boven hangt met WEL-KOM VIPS. Dat is zeker voor het geval we ondanks de vip-parkeerplaats en de vip-ingang waren vergeten dat we vips zijn. We stappen de lift in en zien onszelf in een manshoge spiegel. Ik zie er niet meer uit als het zomerse retromeisje dat ik eerder op de avond was. Er zitten donkere kringen onder mijn ogen. Ians gezicht staat ook gespannen en hij klemt zijn kaken op elkaar. Zouden we er na deze avond nog ouder uitzien dan nu?

'Niet bang zijn,' fluistert hij. Zijn adem is warm en kietelt in mijn hals.

De lift zoeft een paar verdiepingen omhoog en dan komen we in een hal met zachte rode vloerbedekking en warme sfeerverlichting. Links is een grotere liftdeur waar PERSONEEL op staat. De enige andere deur, recht voor ons, is versierd met houtsnijwerk en zegt verrassend genoeg niets over onze vip-status. De deur lijkt wel afkomstig uit een kasteel, zo'n middeleeuwse burcht met kerkers. Opeens krijg ik de aandrang om me om te draaien en naar huis te gaan.

Waarschijnlijk is dat aan mijn lichaam te merken, want Ian drukt me even tegen zich aan. 'We kunnen het, Vey. Nog maar drie uur. Ik bescherm je wel.' Hij geeft een kus op mijn hoofd en knijpt in mijn hand.

Een warm gevoel stroomt door mijn borst. Over drie uur heb ik een studiebeurs voor drie jaar modeacademie gewonnen. Wat nog belangrijker is: ik krijg de kans om alles weer goed te maken. Als ik zo'n belangrijke stap zet, geloven mijn ouders misschien eindelijk dat ik echt zin heb in de toekomst, wat ook zo is. En Sydney zal door het dolle heen zijn als ze hoort dat ik voor haar een ontmoeting heb geregeld met een Hollywood-agent, en haar dromen misschien sneller uit zullen komen dan ze had gedacht. Dan komt het wel weer goed met onze vriendschap: we hebben al zo veel mooie dingen met elkaar beleefd en elkaar altijd zo ver-trouwd dat dat niet zomaar weg kan zijn. Ja, de prijs voor de finale bete-kent ontzettend veel voor me. Ik ga winnen voor mijn ouders. Voor mijn beste vriendin. En voor mezelf.

Drie uur. Nog geen tweehonderd minuten. Ik heb wel eens een film gezien die langer duurt. Ik knik en recht mijn schouders.

Samen duwen we de zware deur open.

11

We komen in een kleine ruimte die net zo zwak verlicht is als de hal. Er staan alleen drie leunstoelen met bijzettafeltjes waarop iets staat wat je nooit in openbare gelegenheden ziet, namelijk een asbak. Verder is er een glanzend gewreven balie met daarachter een lange gang met na ongeveer tien meter een deuropening waar licht uit schijnt. Rechts van ons zijn twee deuren met daarboven een verlicht bordje; op het ene staat IAN en op het andere VEY.

Ik krijg een bericht op mijn mobiel.

GA DE KAMER MET JOUW NAAM IN VOOR EEN INTERVIEW.

'Tijd om onze prijs te verdienen,' zegt Ian. Hij geeft me een kus en opent zijn deur. Ik zie nog net lichtgroene muren en een tafel voordat de deur dichtzwaait.

Ik open de deur waar mijn naam boven staat en kom in een kleine ruimte die naar hout ruikt. Aan de zijkant staan kasten waaraan ik kan zien dat dit eigenlijk een grote garderobekast is, maar nu is hij ingericht als een kleine, gezellige kleedkamer, met een glimmende kaptafel van kersenhout, een rode leren stoel en een verlichte spiegel. Ik ga zitten. Op de kaptafel ligt een envelop waar iemand in mooie sierletters mijn naam op geschreven heeft. In de envelop zit een kaart van dik papier dat naar seringen ruikt. Hij is beschreven met een krullerig handschrift. Heel ouderwets. Op de kaart staat dat ik me hier even kan opfrissen en dat ik daarvoor de spullen in de laden mag gebruiken. Ik trek een la open en zie stapels kleine, in cellofaan verpakte flesjes en potjes met daarop het logo van een cosmeticamerk waar ik mezelf alleen met kerst op trakteer. Er zijn kleine proefmonstertjes lipgloss, oogschaduw, mascara en nog veel meer. In de volgende la ligt een flesje water en een klein koeltasje met koude kompressen. Ik neem een flinke slok water en druk de kompressen op mijn opgezwollen ogen. Ik voel me meteen een stuk fitter.

Uit een kleine roze speaker op de kaptafel klinkt een zacht muziekje en een vrouwenstem: 'Nog drie minuten voor het interview begint.'

Ik werp een objectieve blik op mezelf in de spiegel zoals ik ook de acteurs bekijk die ik moet grimeren. Asgrauwe huid, vermoeide ogen, warrig haar. Geen wonder dat LEF wil dat ik me opfris. Maar wat voor rol moet ik spelen? Een brutaal kreng? Een onschuldig slachtoffer? Als ik verwondingen schmink, krijg ik misschien meer sympathisanten. Ach wat, ik ga gewoon als mezelf.

Terwijl ik in de la met make-up zoek naar kleuren die bij mij passen, voel ik me al wat rustiger. Dit is tenminste iets wat ik goed kan. Ik kies voor een grijze oogschaduw, zwarte mascara en eyeliner. Dan nog een beetje poeder om mijn teint wat op te fleuren en tot slot lipgloss. Op de kaptafel ligt een ionische haarborstel, zo'n borstel waarvan je haar glanzender en minder pluizig zou worden. Ik heb ze wel eens op de reclame gezien en ik geloofde er nooit zo in, maar als ik mijn haar ermee heb geborsteld, glanst het inderdaad als zijde.

Ik kijk naar mezelf. Het is vreemd om mijn eigen gezicht te zien in plaats van dat van een van de acteurs. Dat kleine beetje make-up verbergt wonderbaarlijk genoeg de sporen van de zware avond die ik achter de rug heb. Tevreden leun ik achterover. Tot mijn spiegelbeeld opeens wegsmelt en de spiegel verandert in een leeg scherm. Wow. En dan zie ik het gezicht van een vrouw in de spiegel verschijnen. Het doet me heel even denken aan een scène uit de film *Sneeuwwitje* die ik als kind zo eng vond en waarin opeens de heks in de spiegel verschijnt. De vrouw die ik nu op het scherm zie, is ongeveer tien jaar ouder dan ik, heeft donker haar, blauwe ogen en een blouse met plooitjes. Ze ziet er merkwaardig genoeg bekend uit; ik heb zelfs het gevoel dat ik haar ergens van ken. Maar dan dringt het tot me door dat ze op mij lijkt, maar dan zoals ik er misschien over tien jaar uitzie.

'Hallo Vey,' zegt ze. 'Ik ben Gayle.'

Toen ik zelf naar het spel keek, kwamen de presentatoren niet in beeld; je hoorde ze alleen maar of zag ze als donkere gestaltes op de achtergrond. Zouden de kijkers Gayle nu wel kunnen zien? Is zij de bedenkster van LEF? Ik kan bijna niet wachten tot ik Tommy kan vertellen dat het spel dus toch een gezicht heeft, dat het niet alleen maar anonieme zakenmannen in de Kaaimaneilanden zijn die erachter zitten.

Ik strijk mijn shirt glad. 'Hallo. Ik had niet verwacht dat ik nog een mens van vlees en bloed te zien zou krijgen na al die sms'jes.'

Gayle strijkt met een meisjesachtig gebaar haar haar naar achteren. 'Het leek ons dat het interview daardoor wat makkelijker zou verlopen.'

Sinds wanneer houden ze daar bij LEF rekening mee? Ik kijk om me heen. 'Waar zijn de camera's? Dit wordt zeker ook gefilmd?'

Ze glimlacht, waarbij ze kuiltjes in haar wangen krijgt. 'De camera's zitten in het scherm. Volgens mij zit er een op de plaats waar je nu mijn rechteroog ziet. En inderdaad, de Kijkers kunnen je zien.'

Ik tuur naar het scherm. De pixels lijken op de plek die ze noemde inderdaad een beetje ongelijkmatiger. De Kijkers hebben me dus kunnen zien terwijl ik mezelf in de spiegel zat op te maken. Heel fijn.

Ze glimlacht. 'En, wat vind je tot nu toe van het spel?'

Ik weet niet waar ik moet beginnen. Dat het varieert van een spannende reis tot een spel dat mijn leven verwoest? 'Moeilijker dan ik had gedacht, maar dan op een andere manier.'

'Zoals die opdracht met Sydney?'

Ze valt wel meteen met de deur in huis. 'Inderdaad.'

'Is er iets wat je tegen haar zou willen zeggen?'

Mijn hart begint sneller te kloppen. 'Kijkt ze dan nog steeds?' vraag ik, in de vaste overtuiging dat deze vrouw van LEF daar het antwoord op weet.

'Ik kan niet zeggen of Sydney nu tot onze Kijkers behoort. Maar stel dat dat zo is?'

Ik staar naar de kaptafel en probeer te bedenken wat ik zal zeggen. Ik kijk precies in Gayles rechteroog. 'Dan zou ik zeggen dat het me spijt dat ik haar zo heb overvallen en dat we het moeten uitpraten als dit allemaal achter de rug is. Trouwens, jullie hebben haar zeker onherkenbaar gemaakt voordat het filmpje online ging? Want zij heeft geen toestemmingsformulier ondertekend.' Niet dat dat iets uitmaakt. Iedereen weet precies met wie ik ruzie stond te maken.

Gayle blijft uiterst kalm. 'Zullen we ons niet bezighouden met zulke futiliteiten?'

Er zijn nog wel meer futiliteiten waar ik het graag met haar over wil hebben, zoals wanneer ze ophouden met mijn mobiel te blokkeren, en hoe ze er precies achter zijn gekomen dat ik kwaad was op Sydney. Maar ik weet dat deze vrouw toch geen antwoord op zulke vragen zal geven, dus ik zeg niets en kijk neutraal naar het scherm.

Ze leunt naar voren en kijkt me aan. 'Laten we het even over Ian hebben. Wat vind je van hem?' Ze klinkt opeens vertrouwelijk, alsof we op een slaapfeestje zijn. Ik herinner mezelf eraan dat er negenduizend mensen zitten te kijken. Waarschijnlijk zelfs nog meer.

Ik voel dat ik een kleur krijg. 'Ian is een leuke jongen.'

'Ons publiek vindt hem echt om op te vreten. Vind jij dat ook?'

Ik haal mijn schouders op. 'Ik ben niet blind.'

Ze lacht. 'Dat vat ik dan maar op als een bevestigend antwoord. Denk je dat jullie elkaar na vanavond nog zullen zien?'

Wat moet ik daar nou op antwoorden? 'Daar hebben we het niet over gehad.' Tenzij hij het meende toen hij het over Starbucks had.

'Hebben jullie al gezoend?'

Ik ga rechtop zitten. 'Dat vind ik eigenlijk nogal privé.'

Ze lacht schamper. 'Schat, het stadium privé ben je inmiddels al ver voorbij.'

Ik weet niet hoe ik daarop moet reageren, dus ik wacht tot ze verdergaat.

'Vertel eens, Vey, waarom heb je je ingeschreven voor LEF? Het past niet bepaald in je profiel.'

Mijn nekharen gaan overeind staan als ik die zelfingenomen blik van haar zie. Hoe denkt zij te weten wat wel of niet bij mij past? Trouwens, na dat drama met Matthew en Sydney zou het toch duidelijk moeten zijn waarom ik meedoe. Wat wil ze nog meer van me horen? Dat ik er genoeg van had om onzichtbaar te zijn?

Ik buig me naar voren en fluister: 'Soms is het gewoon leuk om iets te doen wat niet precies in je profiel past.'

Ze klapt in haar handen. 'Bravo, Vey! We zijn ook heel erg trots op je. Knap dat je zo dapper was. Hoe is je dat gelukt?'

Dapper of dom? 'Eh, ik weet het niet. Ik concentreer me gewoon op één opdracht tegelijk.'

'Wat bescheiden. Maar daarom is het publiek ook zo dol op je. Wil je misschien iets tegen ze zeggen?'

Ik strijk mijn rok glad. Dit is de eerste keer dat ik iets tegen alle Kijkers kan zeggen. Maar wat zeg je tegen duizenden mensen? Sydney zou dat natuurlijk wel weten. 'Bedankt allemaal. Vooral degenen die vanavond bij die opdracht op straat waren. Jullie hebben ons uit een lastige situatie gered.'

'Inderdaad. En nu heb je zeker wel zin om van start te gaan met de volgende opdracht?'

Helemaal niet. Ik heb alleen maar zin om die prijs in de wacht te slepen. 'Ik ben vooral nogal zenuwachtig.'

Ze lacht weer. 'En tóch heb je er het lef voor, maar ja, zo heet het spel nu eenmaal. En kijk eens wat je met een beetje lef kunt bereiken. Je hebt vanavond veel interessante ervaringen opgedaan en dat zal bij de volgende opdracht ongetwijfeld weer het geval zijn. Er zijn alleen een paar punten die ik met je wil bespreken.'

Ik knik.

Ze steekt haar wijsvinger op. 'Ten eerste. Je speelt in een team van zes andere spelers. Als een van de teamleden een opdracht niet vervult, krijgt geen van jullie de grote finaleprijs. Maar maak je geen zorgen: er zijn ook een paar leuke opdrachtjes om het ijs te breken, gewoon voor de lol.'

'Oké.'

'Punt twee. Als je iets doet om een opdracht te saboteren, kan LEF besluiten om de volgende opdrachten nog moeilijker te maken.'

'Een opdracht saboteren, wat moet ik daar precies onder verstaan?'

Ze maakt een wegwuivend gebaar. 'O, dat je de opdracht wel uitvoert, maar op de een of andere manier valsspeelt. En maak je geen illusies: we zien alles.'

Ja hoor, ik ben het meisje dat iedereen vertrouwt, dat van mevrouw Santana een spuitflesje wodka onder haar hoede mag nemen. Valsspelen of saboteren is niets voor mij, dus daar hoef ik me geen zorgen over te maken. 'Oké.'

Ze kijkt me enthousiast aan. 'Prachtig! Veel succes, Vey. O ja, onze sponsoren zouden graag willen dat je zo veel mogelijk van hun producten gebruikt, dus neem er gerust iets van mee. Misschien wil je je later ook nog wel even opfrissen.'

Het scherm wordt donker en ik zie weer een spiegel. Mijn wangen zijn rood en mijn ogen glanzen. Filmen ze me nu nog steeds? Domme vraag. Het publiek vindt vast dat ik er verbluft uitzie. En waarom zou ik me straks weer op moeten frissen? Moet ik straks soms weer water over mijn hoofd gooien? Dat lijkt me al fris genoeg. In elk geval zijn dit wel kwaliteitsproducten, jammer dat mijn tas nog in Ians auto ligt. Ik pak een klein make-uptasje uit de la en stop er wat pakjes in.

'Dank je wel, sponsoren,' zeg ik tegen de spiegel.

Als ik de kamer uit kom, staat Ian al op me te wachten. Ik zie dat hij zijn haar gekamd heeft. Hij wijst de gang in. 'We moeten daarheen.'

Ik hou een beetje een ongemakkelijk gevoel over aan het gesprek, ondanks de tas met cosmetica die ik heb gescoord. De zogenaamd vriendschappelijke toon van die vrouw heeft me niet op mijn gemak gesteld. Integendeel. En dat was misschien ook juist de bedoeling.

'Zal wel.' Ik haal mijn schouders op en blijf staan.

Ian neemt me in zijn armen. 'Twijfel je?'

Niet als hij zijn armen om me heen heeft. Ik zucht. 'Wel een beetje te laat om nu nog te stoppen.'

'De uitgang is daar.'

'Maar dan krijg jij geen auto en ik geen beurs voor de modeacademie. En al die andere prijzen ook niet.'

'Nee, maar dan zouden we nog steeds iets heel geweldigs hebben,' zegt hij, en hij kijkt me warm aan.

Het lijkt sentimenteel, maar uit zijn mond klinkt het heel oprecht. Of misschien ben ik te verliefd om dat nog te kunnen beoordelen.

Hij geeft me een kus op mijn haar en ik leg mijn hoofd tegen zijn schouder. Zelfs na deze inspannende avond ruikt hij nog steeds naar sandelhoutzeep. Ik snuif zijn geur op. De opdracht duurt maar drie uur. En moet je kijken wat een geweldige partner ik heb.

'Kom op, we doen het,' zeg ik.

We lopen arm in arm langs de balie door de gang naar de verlichte kamer. Er klinkt gelach. Misschien doen ze een spelletje flesjedraaien of een ander feestspelletje. Nee, veel te simpel. lef heeft waarschijnlijk die twee straatmeiden, Tiffany en Ambrosia, laten komen om mij alsnog in elkaar te meppen. In een moddergevecht. Met messen.

Uit de kamer klinken stemmen, maar ze zijn te zacht om te kunnen verstaan wat er wordt gezegd. Tegen de linkermuur van de gang staat een rij stoelen, alsof de bezoekers van de nachtclub beneden hier een tijdje moeten afkoelen als ze zich hebben misdragen. Aan de rechtermuur hangt een wandkleed, zo te zien van zijde. Ik blijf even staan om de ge-borduurde vlinders en bloemen en de schitterende kleuren te bewonderen. Die stof is wel honderd keer zo gedetailleerd als het weilanddecor dat Tommy voor het toneelstuk heeft ontworpen. Echt iets voor een koninklijk gewaad.

Ian trekt me mee en we lopen naar de openstaande deur. De enige andere deur die ik zie, helemaal aan het einde van de gang, is dicht. Net voordat we er zijn, en we de kamer binnen gaan waar zo te horen al van alles gaande is, blijft Ian staan en fluistert: 'Misschien kunnen we de mensen binnen beter niet laten merken dat wij, eh... bij elkaar horen. Want dan zijn we misschien kwetsbaarder.'

Kwetsbaarder? We zitten toch met die anderen in hetzelfde team? Maar met lef weet je het maar nooit, dus ik stem in met zijn idee. Meteen als hij me loslaat, mis ik zijn warmte al. We lopen door. Als we in de deuropening staan, zien we een kamer van ongeveer zes bij zes meter met knalrode vloerbedekking. De linkerkant van de kamer is leeg. Aan de rechterkant zien we een lange glazen salontafel, die geen poten heeft, maar met zilverkleurige kabels is opgehangen aan het plafond. Aan weerszijden van de tafel staan loveseats. Om de tafel zitten drie meisjes en twee jongens, allemaal onder de twintig jaar. Als ze ons zien, valt er een stilte.

'Hallo,' zegt Ian. Hij loopt naar de lege loveseat aan de andere kant van de tafel.

Ik glimlach naar de anderen en ga naast Ian zitten. Mijn make-uptasje stop ik naast me. De zitting wiebelt nogal, alsof er matrasveringen in de loveseat zitten. Ik probeer me zo weinig mogelijk te bewegen, maar we blijven wiebelen, alsof we ronddobberen in een boot. Bij elke beweging word ik op en neer geschud. Ik snap niet dat mensen extra willen betalen om in zo'n vreemde vip-room te mogen rondhangen. Of zou LEF de kamer speciaal voor vanavond hebben ingericht?

'Dus jullie hebben besloten om mee te doen?' vraagt de roodharige jongen tegenover me. Hij heeft nogal overdreven spierballen en zware kaken, alsof hij doping gebruikt. Een van die gespierde armen ligt om een diepbruin meisje met overdreven rondingen en een stuk of honderd rinkelende armbanden. Ze wrijft met haar blote voet langs zijn onderbeen. Onder een glazen salontafel blijft weinig verborgen.

In de loveseat naast hen zitten twee meisjes, een blank en een Aziatisch, elk met minstens vijf piercings. Ik herken het blanke meisje: zij heeft in de voorrondes die nagellak gestolen. Ze zit zo dicht tegen het Aziatische meisje aan dat ik de indruk krijg dat zij ook een stel zijn. Al valt er met de stevige schoenen die ze draagt weinig te voetjevrijen. Aan onze kant van de tafel zit een donkere jongen met superkort haar en een klein brilletje. Hij heeft zijn armen over elkaar. Op de een of andere manier lukt het hem wel om stil te blijven zitten op de wiebelige bank. Hij is leuk om te zien, leuk zoals ik Tommy leuk vind; fris en een heel klein tikje sullig. Er zit geen meisje of jongen naast hem.

Ian leunt naar voren, waarbij hij zich aan de leuning vasthoudt om niet opzij te zakken. 'Denken jullie dat ze vanavond ook Kijkers naar ons toe zullen sturen?'

De jongen met de bril knippert. 'De Kijkers zijn daar.' Hij wijst naar de camera die in de hoek aan het plafond hangt.

Ik kijk om me heen. Vier camera's hangen als haviken in de hoeken van de kamer. Daartussen, direct tegen het plafond aan, hangen zwarte beeldschermen van ongeveer een meter hoog. Daaronder een rijk gedecoreerd behang met rode en grijze geometrische vormen. De muur tegenover ons heeft hetzelfde behang, maar lijkt glanzender, alsof er hoogglanslak op het matte behang is aangebracht. De inrichting ziet er duur uit. Duur en lelijk.

Ian steekt zijn hand uit naar de jongen met de bril. 'Ik ben Ian.'

De jongen schudt hem de hand. 'Samuel.'

Geen van de anderen stelt zich voor. Misschien is hun opdracht om niet sociaal te doen. Ik staar naar mijn handen.

Het blanke meisje met de stevige schoenen en voornamelijk veiligheidsspelden en studs als piercings, barst in lachen uit. Ze houdt haar handen naast haar gezicht, beweegt haar vingers heen en weer en zet grote ogen op. 'Hé, meissie, ben je bang?'

Ik kijk haar boos aan. Maar als ik de komende uren alleen zulke kinderachtige opmerkingen te verduren krijg, hou ik het wel uit.

Ian knikt naar de jongen met het rode haar en zijn vriendin met de vele armbanden. 'Wat is de leukste opdracht die jullie vanavond moesten doen?'

Het meisje giechelt. 'Die in de pornozaak natuurlijk. We moesten daar allerlei spullen bekijken en dan tegen iedereen zeggen wat we ervan vonden.' Ze trekt haar wenkbrauwen een paar keer op naar de roodharige jongen.

Ian lacht met haar mee. Ik glimlach geforceerd. Gisteren zou ik zo'n opdracht onmogelijk hebben gevonden. Vandaag denk ik alleen maar dat ze er makkelijk af gekomen zijn.

Het Aziatische meisje, dat een roze hanenkam heeft, fronst haar wenkbrauwen. 'Shit, ik wou dat wij die hadden gekregen.'

Haar vriendin wrijft over haar schouder. 'Dan gaan we daar morgen toch even heen, schatje.'

Ik probeer krampachtig om zo stil mogelijk te blijven zitten, maar de kleinste beweging veroorzaakt al een vloedgolf in de zitting. Als dit de vip-lounge is, dan vraag ik me af wat voor aftandse spullen er beneden in de nachtclub staan.

'Kenden jullie elkaar al voor de liveshows?'

Het armbandenmeisje lacht naar haar vriend. 'Nee. Maar vanavond was het meteen raak. LEF is een stuk beter in mensen aan elkaar koppelen dan die dating sites.'

En hoe kan zij dat weten? Maar ik moet toegeven dat het ze met Ian en mij ook behoorlijk goed gelukt is. Ze hadden alleen maar de paar gegevens die ik op het aanmeldingsformulier had gezet, plus de dingen op mijn ThisIsMe-pagina. Of zouden ze misschien iets aan Liv en Eulie hebben gevraagd? Als dit voorbij is, ga ik al mijn vrienden aan de tand voelen om erachter te komen wie wat heeft gezegd.

Ian kijkt Samuel aan. 'En jij? Hebben ze voor jou ook een partner uitgezocht?'

Hij haalt zijn schouders op. 'Ja. Maar die was allergisch voor tequila.'

Voordat iemand om uitleg kan vragen, krijgt Samuel een sms. Met een normale ringtoon, geen kermislawaai. Hij leest de sms, staat op en doet de deur dicht. Ik krijg een vervelend gevoel in mijn buik als de deur met een harde klik dichtvalt.

'Waarom deed je dat?' vraagt Armbanden.

Samuel glimlacht. 'Omdat ik dan van LEF een bonus van vijftig dollar krijg.'

De roodharige vriend van Armbanden slaat met zijn vlakke hand op de tafel, waardoor het glazen blad naar voren zwaait. Ian houdt het tegen voordat het onze knieën raakt. Irritant, al die bewegende meubels.

Roodhaar kijkt naar een van de camera's en steekt zijn armen de lucht in. 'Hé, hallo! Ik had die deur voor dertig dollar dichtgedaan.'

Ik verwacht al bijna dat de camera knikt, maar in plaats daarvan wordt het licht gedimd. We kijken elkaar verbaasd aan. En een voor een pakken we onze telefoon om te kijken wie de volgende bonus van vijftig dollar in de wacht zal slepen. Mijn scherm blijft leeg.

Dan klinkt er opeens een piepend geluid in de kamer en schiet iedereen overeind, waardoor alle bankjes weer beginnen te wiebelen. Op de beeldschermen verschijnen knipperende lampjes. Het lijkt wel een flipperkast.

Dan komt Gayle in beeld, de vrouw die net een gesprekje met me heeft gevoerd. Naast haar zit een man van een jaar of dertig met een kaalgeschoren hoofd, een T-shirt van een indie-band en donut-oorringen die zijn oorlellen permanent verminken.

De twee presentatoren kijken enthousiast in de camera en roepen tegelijk: 'Welkom bij de grote finale!'

Dan verschijnt op het scherm het woord WELKOM, gevolgd door plaatjes van vuurwerk, en begeleid door de staccato muziek die ik me nog herinner van het spel van de vorige maand. De camera zoomt vervolgens weer in op de presentatoren, die op een klein podium staan en zijn omringd door mensen met de waanzinnige opgewonden blik die ik inmiddels van de Kijkers ken. De man stelt eerst Gayle voor en daarna zichzelf. Hij heet Guy.

Hij wijst naar ons en roept: 'Nog één keer de spelregels: jullie spelen nu als een team, dus als een van jullie stopt, gaat er niemand met een prijs naar huis.'

Het meisje met de veiligheidsspelden balt haar vuist en kijkt woest de kring rond. Haar blik blijft op mij rusten en ze zegt: 'Als je ermee gaat kappen, ben je met mij nog niet klaar!'

Ik probeer me niet te laten intimideren, maar dat lukt me niet erg goed.

De camera wordt weer op Gayle gericht. 'We beginnen met een paar kennismakingsopdrachten om het ijs te breken. Dus ontspan je en geniet van de avond.'

Ik wil de anderen vragen welke prijzen zij kunnen winnen, maar dat durf ik niet zo goed, zoals ik ook niet naar hun gewicht of cupmaat zou durven te vragen. In plaats daarvan fluister ik tegen Ian: 'Ik vraag me af hoeveel mensen er nu naar ons kijken.'

Guy grijnst vanaf het scherm naar me. 'Goeie vraag, Vey. Je hebt erg veel nieuwe bewonderaars. Wil je graag weten hoeveel? Of zullen we daar een spelletje van maken? Jullie mogen raden, en wie er het dichtst bij zit wint honderd dollar.'

We noemen allerlei getallen; van twintigduizend (ik) tot een half miljoen (dat roept de jongen met het rode haar). Guy en Gayle kijken elkaar lachend aan en dan zegt Guy dat Ty heeft gewonnen. Hij blijkt de roodharige jongen te zijn. De presentatoren willen niet zeggen hoeveel mensen het precies zijn, maar omdat de op een na hoogste schatting honderdduizend was, moeten er nu wel ongelofelijk veel mensen naar ons kijken.

Dat zou mij het gevoel moeten geven dat ik nu heel beroemd ben, maar ik vraag me alleen maar af hoeveel al die mensen moeten betalen om te mogen kijken naar zeven pubers in een vip-lounge met wiebelige meubels. En wat verwachten ze nog te zullen zien?

12

Gayle klapt overdreven enthousiast in haar handen. 'Oké, het volgende opwarmertje komt van het publiek!'

Uit de speakers klinkt de opzwepende tune van het programma en op de schermen verschijnen knipperende letters: DIT ZIJN ONZE KIJKERS! Dan zien we een groepje jongeren die op een kluitje in een soort studentenkamer zitten. Een meisje met lang haar en een sloom gezicht leest iets voor wat op haar mobiel staat: 'Tijd voor een snel kennismakingsspel! Voor een bonus van vijftig dollar per persoon vertel je de anderen hoe je heet en uit welke stad je komt.' Ze kijkt enthousiast in de camera en roept: 'Go go go, Wolver...' Maar dan gaat het beeld opeens weer op zwart.

Vijftig dollar alleen om te zeggen hoe ik heet? Dat is te simpel. Er zit vast een addertje onder het gras, maar dat kan ik niet ontdekken. Zo'n kennismaking zou zelfs in ons voordeel kunnen werken. Ik heb ergens gelezen dat je minder snel gemeen kunt doen tegen iemand met wie je een band voelt en die je als medemens ziet. Niet dat de anderen van plan zijn om ons aan te vallen, hoop ik. Wie weet, misschien kan ik met sommigen zelfs wel vriendschap sluiten, al zou ik nooit zó close met ze zijn dat ik een of andere gênante opdracht met ze zou willen doen natuurlijk. Maar ik zou achteraf best lol met ze kunnen hebben, zoals de deelnemers van de vorige maand voor wie na afloop van het programma een feestje was georganiseerd; daar werden toen korte filmpjes opgenomen waarin ze vertelden hoe ze het allemaal hadden gevonden.

We gaan de kring rond. Het Aziatische meisje met de roze hanenkam heet Jen. Haar vriendin, die me waarschuwde dat ik maar beter niet met het spel kon stoppen, heet Micki. Ze komen uit Reno en ze laten doorschemeren dat ze in het chartervliegtuig waarmee LEF ze naar Seattle heeft gehaald, lid zijn geworden van de *mile high club*. Het meisje met de armbanden en de zonnebankverslaving heet Daniella: zij en haar vriend, Ty, komen uit Boise en werden na hun laatste opdracht ook hier naartoe gevlogen. We hebben al kennisgemaakt met Samuel, die in Portland woont.

Als ik mezelf voorstel, lacht Micki me zo ongeveer uit. 'v, wat is dat nou voor naam? Konden jouw ouders maar één letter bedenken?' Ze lacht om haar eigen grapje. Jen, Ty en Daniella lachen met haar mee.

Ik trek een wenkbrauw op. 'Je schrijft v-e-y. Maar jouw ouders hebben jou zeker naar een muis genoemd?' Die ontluikende vriendschap die ik me net nog wel kon voorstellen, kan ik nu wel vergeten.

Ik zie dat ze met haar roestige hersens een weerwoord proberen te bedenken, maar dan flitsen de schermen weer aan en verschijnen de stralende gezichten van de presentatoren. Gayle zegt tegen Ty dat hij de deur in de muur achter hem moet openen en daarna de rode kast (maar alleen de rode kast) die daar staat.

Ty blijft zitten. 'Wat krijg ik ervoor?'

Guy glimlacht. 'Jij en je vrienden mogen alles hebben wat in die rode kast zit. Wie het eerst komt, wie het eerst maalt.'

Ty springt op en loopt naar de muur die het verst van de banken verwijderd is, en waar een krullerig behang op zit. Hij blijft staan, want er is nergens een deur te bekennen. Hij haalt zijn schouders op en kijkt naar de camera. 'Is dit een truc of zo?'

Waarschijnlijk eerder een IQ-test. In een van de ronde vormen in het behang gaat een lampje branden, zoals in de knop van een liftdeur. Als Ty erop drukt, zoeft er een schuifdeur open. Ik draai me om en kijk of ik op de muur achter me ook zoiets kan ontdekken. Hoeveel verborgen deuren zitten hier? Aan het aantal vergelijkbare ronde vormen te zien heel veel.

Daniella staat ook op en gaat vlak achter Ty staan. Ze knipoogt naar de camera en knijpt Ty in zijn billen. Samuel kijkt naar ons en trekt een geërgerd gezicht, wat ik een hoopvol teken vind. Als dit op een knokpartij uitdraait, zal hij zich daar waarschijnlijk niet in mengen. Maar wacht, waarom denk ik zoiets raars?

De ruimte achter de deur staat van onder tot boven vol met kasten, die allemaal een andere kleur hebben. Ty trekt aan het handvat van de rode kast, die met het geluid van een koelkastdeur opengaat. Ik ga rechtop zitten om te zien wat erin zit en kreun inwendig als ik flesjes bier zie. Als ze ons dronken willen voeren, lijkt me dat geen goed teken. Maar Ty en Daniella juichen alsof ze een verborgen schat hebben ontdekt. Micki en Jen springen op en lopen naar ze toe. Ty maakt een paar flesjes open en deelt ze rond. De andere spelers pakken ze aan en proosten luidruchtig met elkaar.

Dan rolt er een bericht over het scherm: VOOR ELK FLESJE BIER DAT JE OPDRINKT, KRIJG JE EEN BONUS VAN VIJFTIG DOLLAR!

Ik kijk naar Ian. 'Wat vind jij?' fluister ik.

'Ik weet het niet, we moeten natuurlijk helder blijven, maar we moeten ook een beetje sociaal proberen te doen.'

Ik knik. 'Elk één biertje dan, niet meer.'

We lopen naar de kast. Ian biedt Samuel aan om er een voor hem mee te nemen. Maar hij staat ook op en loopt mee, waarschijnlijk omdat hij niet achter wil blijven. Ik inspecteer het flesje omdat ik bang ben dat ermee geknoeid is.

'Ik hoorde het sissen toen ik het flesje openmaakte,' zegt Ian.

Ik ruik aan het flesje. Het ruikt naar bier. En ik sterf van de dorst. Maar als ik het opdrink, overtreed ik de wet. Niet dat ik me daar in het echte leven druk om zou maken, maar wie wil zoiets nu ten overstaan van duizenden mensen doen? Ik fluister mijn bezwaar in Ians oor.

Hij lacht. 'Hoe kan iemand ooit bewijzen dat er geen appelsap in zit? Ze moeten ons maar op ons woord geloven.'

Dat is waar. Ik neem een klein slokje. Het is ijskoud en bitter. En beslist geen appelsap. Het etiket is in het Duits, maar ik zie dat er zes procent alcohol in zit. Het viel te verwachten dat ze ons iets sterks zouden geven. En ik dacht nog wel dat ze zich in dit spel aan de wet moesten houden. Als LEF het geen probleem vindt om minderjarigen alcohol te geven, wat zijn ze dan nog meer met ons van plan?

Ty en de andere meisjes staan in de hoek van de kamer aan hun flesje te lurken alsof ze op een feestje zijn. Straks gaan ze nog met z'n allen staan kotsen. Ik weet zeker dat het publiek het reuze interessant vindt wat ze allemaal tegen elkaar zeggen.

Ian duwt me ongemerkt hun kant op. Hoewel ik ze erg vervelend vind, snap ik Ians strategie wel. We moeten geen subgroepje vormen, vooral niet als zij al geneigd zijn om ons buiten te sluiten. Samuel schijnt op hetzelfde idee te komen; hij gaat bij de anderen staan, een beetje afgezonderd, en staart naar zijn voeten.

Ik bekijk mijn medespelers eens goed. Het valt me opeens op dat LEF heeft geprobeerd om een zo divers mogelijke groep samen te stellen qua etnische afkomst, seksuele voorkeur, uiterlijk en wie weet wat voor categorieën nog meer. Allemaal bedoeld om zo veel mogelijk Kijkers uit verschillende doelgroepen te trekken, zoals Tommy zou zeggen.

Maar zouden wij ook met elkaar omgaan als we op dezelfde school zaten? Behalve Ian en ik natuurlijk. Op onze school is niet zo'n sterke kliekjesvorming als op andere scholen, maar de meeste mensen voelen zich bij bepaalde mensen natuurlijk wel meer thuis dan bij andere. Afgezien van Sydney, Liv en Eulie ga ik vooral om met meisjes die de *Vogue* en *W Magazine* lezen en die mijn vintage-budget kledingstijl kunnen waarderen. Ik voel me op mijn gemak bij mijn vrienden, maar ik ben altijd een beetje jaloers geweest op de soepele manier waarop Sydney zich in grote groepen mensen weet te gedragen, alsof ze overal thuishoort en nergens bang voor is. Ik vraag me soms wel eens af hoe aardig mensen tegen mij zouden zijn als ik niet haar vriendin was. Misschien zal ik daar na het fiasco van de laatste opdracht vanzelf achterkomen.

Micki boert en houdt haar flesje omhoog naar de camera. 'Er gaat niks boven Duits bier.'

Dan schraapt Samuel zijn keel. 'We kunnen beter niet te veel drinken, want we moeten misschien nuchter zijn voor de volgende opdrachten. Ik zeg het maar even.'

Micki begint te lachen. 'Bedankt, nerd, maar het spel heet LEF, niet LAF.' Toch zie ik dat haar volgende slok iets minder groot is.

Ian heft zijn flesje. 'Op onze grote prijs en bakken met bonusgeld!'

Iedereen proost en klinkt met de flesjes alsof we allemaal één grote familie zijn. Misschien valt het dan toch nog mee, zelfs met die vervelende Micki. Na elke slok glijdt de volgende makkelijker door mijn keel en ik krijg een aangenaam zoemend gevoel in mijn hoofd. Ik kijk op mijn mobiel en laat hem even aan Ian zien. Nog twee uur en achtendertig minuten te gaan. Opeens schiet me dat liedje over honderd flessen bier dat ik in de Starbucks moest zingen weer te binnen, maar ik wil de anderen niet op een idee brengen.

Ian pakt mijn hand vast, waar ik het vanbinnen nog warmer van krijg. 'We redden het wel,' fluistert hij.

Ik knijp in zijn hand. Wat een onzin ook om te doen alsof we alleen maar goede vrienden zijn.

Ian probeert Samuel te betrekken bij een gesprek over videospelletjes. Ik heb er niet veel aan toe te voegen, maar ik probeer vrolijk en niet-bedreigend te blijven lachen. Niet dat iemand hier mij ook maar enigszins bedreigend vindt, zelfs niet als ik de tanden van een vampier zou hebben.

Er klinkt harde techno-metal uit de speakers en de andere stellen beginnen te dansen, met hun flesje bier in de hand. Hun tweede fles al, ik hou het bij.

Dan horen we weer de piepjes die betekenen dat er iets op de zwarte panelen te zien is. We kijken omhoog en zien de tekst DIT ZIJN ONZE KIJKERS! over het beeldscherm glijden. Daarna komen er twee erg leuke jongens in beeld die naast elkaar op een roodfluwelen bank zitten.

Een van hen zwaait naar ons. 'Hallo spelers, hier is Houston! LEF geeft jullie honderd dollar extra bonus als jullie allemaal gaan dansen!' De twee jongens staan op en geven het goede voorbeeld door wild te gaan dansen, samen met een hele groep mensen die achter hen staat.

Ik hou op zich erg van dansen, maar het feit dat ik ervoor word betaald, maakt dat ik verkramp. LEF doet alsof wij een stel getrainde apen zijn die in beweging komen als ze ons een banaan voorhouden. Oké, dat is zo ongeveer de bedoeling van het spel. Maar toch.

De muziek die wij hier horen, is dezelfde muziek waar die jongens in Houston op dansen, en die waarschijnlijk alle Kijkers nu horen. Op elk beeldscherm zien we nu verschillende groepen mensen die allemaal aan het dansen zijn, alsof we met z'n allen één grote club vormen. Ian staat naast me met zijn schouders en heupen te zwaaien en beweegt zich zo soepel als een heterojongen maar kan. Zelfs Samuel zwaait wat met zijn armen. Nu kijkt iedereen naar mij. Micki fronst haar wenkbrauwen en zegt iets tegen Jen. Ian lacht, pakt mijn vrije hand en laat me een pirouette draaien. Ik aarzel even. Wil ik degene zijn die ervoor zorgt dat de anderen deze makkelijke bonus mislopen? Is het eigenlijk zo erg om heel even mee te doen? Misschien wordt het er dan wel een stuk gezelliger op. Ik dans mee met Ian en merk tot mijn verbazing dat ik opeens een nieuwe stoot energie voel.

Ik laat me meevoeren door de muziek en lach als ik zie dat sommige Kijkers op de schermen direct naar mij lijken te zwaaien. De muziek wordt steeds harder en opzwepender en ik voel me steeds vrijer. De camera's kunnen me niet meer zoveel schelen. Er zullen toch geen drugs in dat bier hebben gezeten? Ik zet mijn lege flesje weg en dans verder. Iedereen is vrolijk en lacht als we per ongeluk tegen elkaar aan botsen. Zelfs Micki's boze blik verdwijnt. Na een tijdje wordt de muziek langzamer en ik vlei me tegen Ians borst. Het licht dooft tot een zachte gloed en de beelden op de schermen vervagen, wat de kamer een spannende sfeer geeft. Heerlijk vind ik het. Als de opdrachten zo makkelijk blijven, dan haal ik het wel. Ik druk mijn wang nog wat dichter tegen Ian aan.

Maar LEF laat het natuurlijk niet bij dit gezellige feestje. De muziek stopt en we horen het inmiddels bekende gepiep. Pas als ik stop met dansen, merk ik hoe warm ik het eigenlijk heb. Ik til mijn haar uit mijn nek en Ian blaast op mijn vochtige huid, waar ik kippenvel van krijg.

Guy en Gayle verschijnen weer op het scherm. Gayle zegt met een lachje: 'Nou, sommige Kijkers vonden de bewegingen die Samuel maakte niet erg op dansen lijken. Maar omdat dit geen verplichte opdracht was, zullen we daar geen strafmaatregelen aan verbinden.'

Ze lacht weer en praat door. 'Tijd voor het laatste opwarmertje! In de muur achter de tafel zijn vier deuren en die leiden allemaal naar een privélounge. Jullie kunnen je daar in elke gewenste combinatie terugtrekken voor het spel. Zeven minuten in de hemel. Voor het onwaarschijnlijke geval dat jullie dat spel niet kennen: het gaat als volgt. Jullie gaan met een of meer van de andere deelnemers naar een privélounge waar jullie in zeven minuten met elkaar mogen doen wat jullie willen.' Ze knipoogt. 'Het team of de speler die het publiek hiermee het best weet te vermaken, verdient vijfhonderd dollar. De tweede prijs is honderd dollar. En de rest... tja, die is zeven minuten in de hemel geweest. Veel plezier!'

Ian stoot me zachtjes aan met zijn elleboog. 'Zullen we?'

Dat meent hij toch niet? Ik zou het op zich best leuk vinden, maar ik ga vanavond echt niet nog een keer doen alsof ik een of andere slet ben. Dat dansen vond ik meer dan genoeg.

Ik strijk mijn haar naar achteren. 'Laten we nog maar even afwachten.'

Hij pakt mijn hand en geeft er een kus op. 'Cool.'

Er klinkt weer muziek, opnieuw techno. Heel romantisch, maar niet heus. Ty en Daniella staan op en beginnen al te vozen voordat ze de deur achter zich dicht hebben gedaan. Ik kijk de andere kant op, want ik wil echt niet zien op welk lichaamsdeel hij zijn handen legt.

Toch ben ik wel benieuwd hoe die privélounges eruitzien, dus ik loop naar de andere kant van de kamer en tik op een van de spiraalvormen. Er zwaait een deur open en ik zie een ruimte waar een eenpersoonsbed en een klein nachtkastje in past. Meer is er niet. Behalve dan wat er in het laatje van het nachtkastje zit, maar dat kan ik niet zien. Aan het plafond hangt een spiegel met daarnaast een zwakke lamp. Ik doe een stap opzij zodat Ian ook kan kijken. Hij begint te lachen en zegt dat we daar in elk geval even een dutje kunnen doen. Haha. Alsof ik zou kunnen slapen als ik naast hem lig.

Micki en Jen lopen naar de volgende kamer terwijl ze elkaar zowat opvreten. Voordat ze naar binnen gaan, zegt Jen tegen Samuel: 'Zin om met ons mee te doen?'

Het lijkt of hij daar serieus over nadenkt, hoewel Micki hem over Jens schouder dreigend aankijkt. Uiteindelijk wint zijn voorzichtigheid het, want hij schudt zijn hoofd. Jen haalt haar schouders op en doet de deur achter zich dicht.

Ian, Samuel en ik gaan weer in onze wiebelige loveseats zitten. Samuel pakt zijn telefoon en tikt erop alsof hij een spelletje doet. Uit het gesprekje met Ian heeft hij zeker begrepen dat het sociaal geaccepteerd is om op een 'feestje' te gaan zitten gamen. In elk geval is het minder onsmakelijk dan wat zich op een paar meter afstand van ons moet afspelen. Ik leg mijn hoofd tegen Ians schouder en doe mijn ogen dicht om te proberen wat te doezelen terwijl mijn medespelers in die kamertjes iets uitspoken wat wij gelukkig niet kunnen zien, maar de Kijkers misschien wel.

De schermen flitsen weer aan en nu zien we foto's van alle spelers met daaronder de tekst: PERCENTAGE ENTHOUSIASTE KIJKERS. O nee, ik sta helemaal onderaan met tweeëntwintig procent. Samuel heeft vierentwintig en waarschijnlijk zijn alle groupies van Ian ook aan het stemmen, want hij staat op zevenenzestig. Micki en Ty staan bovenaan met percentages in de negentig en Jen en Daniella zitten ergens in het midden. Eigenlijk zou het me niets moeten kunnen schelen wat dat gestoorde perverse publiek van me vindt, maar toch gloeien mijn wangen van het gevoel te zijn afgewezen.

Ian zegt dat ik me er niets van aan moet trekken, maar dat kan hij makkelijk zeggen. Na een paar minuten gaat de deur achter ons weer open, maar als ik even snel omkijk draai ik me even snel weer terug naar de salontafel en probeer het beeld van Ty's blote buik uit mijn hoofd te bannen. De anderen komen ook terug, trekken hun kleren recht en vegen hun mond af met de rug van hun hand. Ze lachen en wijzen naar de populariteitspercentages. Daarna komt het gezicht van Guy weer in beeld.

'Het was een hele strijd,' zegt hij, 'de stemmen lagen héél dicht bij elkaar, maar het stel dat het best gebruik heeft gemaakt van de zeven minuten zijn... Jen en Micki! Goed gedaan, dames!'

Dat is vast voor het eerst en het laatst dat Micki een dame wordt genoemd.

Gayles gezicht duikt op naast dat van Guy. 'Oké, jongens, dat waren de opwarmertjes. Nu gaan we over naar het leukste onderdeel, de opdrachten voor jullie grote prijzen, en daarbij moeten jullie met elkaar concurreren om te winnen.'

Ze trekt een wenkbrauw op. 'Zijn jullie er klaar voor?'

Een paar spelers zeggen ja, alsof Gayle of LEF zich er ook maar iets van aan zouden trekken als dat niet zo was.

Dan buigen Gayle en Guy zich naar de camera toe en zeggen tegelijk: 'Het enige wat jullie hoeven te doen is iemand opbellen.'

13

Iemand bellen? Het lijkt me erg onwaarschijnlijk dat onze eerste opdracht in deze grote finale alleen maar een simpel telefoontje is.

'Heel makkelijk dus,' zegt Guy. 'Wij zeggen wie jullie moeten bellen en wat jullie moeten zeggen. Elk telefoontje hoeft maar een paar minuten te duren. Wie wil eerst?'

Er biedt zich niet meteen iemand aan, maar dan steekt Daniella haar hand op. 'Waarom ook niet?' zegt ze. 'Ik hou sowieso wel van lekker kletsen aan te telefoon.'

Gayle kijkt haar stralend aan. 'Fantastisch! En dat levert jou een extra bonus van vijftig dollar op omdat je zo dapper bent, Daniella! Je gaat bellen met je ex, Marco. En je zegt tegen hem dat hij helemaal gelijk had toen hij jou ervan beschuldigde dat je overspel pleegde met zijn broer.'

Daniella's gebruinde gezicht trekt wit weg. 'Hoe weten jullie... wacht, zelfs als het waar zou zijn, het is nu toch al uit tussen Marco en mij.'

Gayle trekt een ernstig gezicht. 'Aan jou de keus: je belt op en zegt het of anders krijgt geen van jullie de grote finaleprijs.'

Ty knijpt Daniella in haar bovenarm. En dat ziet er niet uit als een vriendschappelijk kneepje. Ze kijkt onrustig om zich heen, op zoek naar een uitweg. Als duidelijk wordt dat lef niet van plan is om de opdracht te veranderen of een van de deuren van de kamers voor haar te openen zodat ze zich daar kan verstoppen, pakt ze haar mobiel. Wij zitten op onze wiebelige banken te kijken en zijn heel even deel van het publiek. Hoewel ik een beetje medelijden met Daniella heb, ben ik eigenlijk ook heel nieuwsgierig hoe dit gesprek zal gaan. Jezus, wat mankeert me?

Daniella draait zich van ons af, maar lef heeft het op de een of andere manier voor elkaar gekregen om haar mobiel te verbinden met hun geluidssysteem, waarschijnlijk via de sneaky app die we moesten downloaden. We horen via de speakers de telefoon van Marco overgaan en we zien via de schermen aan de muur een close-up van Daniella's gezicht.

'Hallo, met Dani.'

Aan de andere kant van de lijn klinkt muziek. 'Ja, wat is er?'

Is het mogelijk dat hij niet naar het spel zit te kijken? Sinds vanavond zijn Daniella en Ty vast de beroemdste inwoners van Boise, dus het lijkt me heel onwaarschijnlijk dat haar ex-vriendje zich niet heeft aangemeld als Kijker. Wist LEF dat voordat ze deze opdracht voor haar bedachten?

Daniella zet een lievig meisjesstemmetje op. 'Ik wilde alleen even zeggen dat toen wij met elkaar gingen, dat ik toen ook iets met Nate had. Dus je had gelijk.'

Er klinkt een soort statisch geruis op de lijn en dan explodeert Marco: 'Zie je, ik wíst het wel, smerige slet die je bent!'

Daniella houdt haar mobiel zo ver mogelijk van zich af, maar het gevloek en getier klinkt nog steeds even hard door de speakers. Ze begint te huilen en roept in de camera: 'Oké, ik heb het gedaan!' Ze zet haar mobiel uit en kijkt naar Ty, die haar boos aankijkt alsof ze hem ook heeft bedrogen.

Dan verschijnt het gezicht van Gayle in soft-focus op de schermen. Op zachte, vriendelijke toon zegt ze: 'Nou, zo moeilijk was dat toch niet?' Daarna gaat ze door met de opdrachten voor de rest van de spelers; iedereen moet vrienden of exen opbellen met schokkende mededelingen die ook voor de beller zelf tenenkrommend zijn. Ian moet een ex-vriendinnetje opbellen en tegen haar zeggen dat het hem heel erg spijt dat hij het met haar heeft uitgemaakt, dat dat de grootste fout van zijn leven was en dat hij heel graag weer met haar verder wil. Het meisje reageert zo hoopvol dat ik er buikpijn van krijg.

Na het gesprek veegt Ian het zweet van zijn voorhoofd. 'Ik hoop maar dat iemand haar vertelt hoe dit werkelijk in elkaar zit, anders moet ik haar dat zelf uitleggen. Wat een afschuwelijke opdracht.'

Hoe heeft LEF de mensen weten uit te kiezen die niet naar het spel zaten te kijken? Of zouden ze soms iets hebben geregeld waardoor ze niet kunnen kijken, zoals kaartjes voor een popconcert of zo? Ik begin te geloven dat hun macht zich heel ver uitstrekt.

Veel te snel is het mijn beurt. Ik moet Tommy opbellen en tegen hem zeggen dat ik weet dat hij verliefd op mij is en dan moet ik drie redenen geven waarom het nooit iets kan worden tussen ons. Ik zucht van opluchting. Tommy is niet verliefd op mij en hij weet dat ik meedoe met LEF. Waarschijnlijk zit hij nu zelfs te kijken, dus weet hij al dat het maar een domme spelopdracht is. Pfff. Misschien is LEF toch niet zo oppermachtig als ik dacht, of misschien hebben ze hun gemene plannen niet goed kunnen smeden omdat ik pas zo laat met de voorrondes heb meegedaan. Maar hoe het ook zij: die opdracht lukt me wel.

Tommy neemt vrijwel meteen op.

'Hoi,' zeg ik. 'Nog sorry van daarnet.'

Er klinkt een harde toon uit de speakers en op de panelen staat in knipperende letters: HOU JE AAN DE OPDRACHT.

Hè? Ik mag dus niet eens even sorry zeggen? Is dat wat ze bedoelen met een opdracht saboteren?

Ik ga door met het gesprek, ook al heb ik Tommy's antwoord door dat lawaai niet kunnen verstaan. 'Oké, eh... in elk geval weet ik dat je mij best leuk vindt. Maar ik wou zeggen dat het dus nooit echt iets kan worden tussen ons omdat eh... omdat we te veel op elkaar lijken. Altijd hard aan de slag op de achtergrond, snap je? En verder ben jij gewoon heel eh... gedreven.' Dat is toch ook zo? Al die uren die hij heeft besteed aan het verbeteren van het decor. 'En bovendien kan ik toch nooit aan jouw hoge verwachtingen voldoen.' Wow, waar heb ik dat opeens vandaan? Ik had hier van tevoren wat beter over na moeten denken. Maar goed, het waren wel drie redenen.

Hij laat een korte stilte vallen. Dan zegt hij: 'Goh. Ik wist al dat je egocentrisch bent, maar nu weet ik het echt zeker.'

Wacht even, waarom zegt hij dat nou? Hij weet toch dat ik dit voor een opdracht doe? O wacht, ik snap het al, hij speelt het spelletje gewoon mee.

'Weet je waarom jij nooit iets met iemand zoals ik kunt krijgen?' gaat Tommy door. 'Jij hebt een te laag gevoel van eigenwaarde voor een relatie met iemand die van jou houdt om wie je bent. Jij gaat blijkbaar liever om met iemand die jou kleineert en die jou belachelijk maakt in het bijzijn van je vrienden. Ik dacht dat jij anders was dan anderen, slimmer. Maar nu snap ik dat jij gewoon nooit de kans gekregen hebt om te laten zien wat voor ellendeling je eigenlijk bent.'

Hij hangt op voordat ik de kans krijg om dat te doen.

Het lijkt of ik een klap in mijn gezicht gekregen heb. Opnieuw ben ik voor het oog van de hele wereld vernederd. En Tommy is nog wel mijn steun en toeverlaat. Ik kan wel door de grond zakken.

Ian pakt mijn hand. 'Hij is gewoon jaloers en gekwetst. Wat had je dan verwacht?'

Ik weet niet wat ik had verwacht, maar LEF heeft ons precies waar ze ons willen hebben. De klootzakken. We hebben nog maar één opdracht gedaan en nog twee uur voor de boeg, maar nu al is iedereen in shock.

Guy verschijnt weer op het scherm. In een keurig jasje met stropdas, maar zonder lach op zijn gezicht. 'Oké, nu we contact hebben gehad met onze vrienden, wordt het tijd voor een telefoontje met onze ouders.'

Het zweet breekt me uit. Het bestaat niet dat mijn ouders, die zelfs nauwelijks weten hoe de afstandsbediening van de tv werkt, op internet naar LEF kijken. Het duizelt me van alle manieren waarop dit spel hen zou kunnen kwellen.

Guy schraapt zijn keel. 'Jullie krijgen allemaal dezelfde tekst voor het volgende telefoongesprek, maar ieder van jullie belt een naast familielid van een van de andere spelers, meestal de ouders. De tekst is heel eenvoudig. Je zegt dat je medespeler betrokken is bij een ernstig verkeersongeluk en daarna hang je op. Dat is alles.'

O mijn god, o jezus, nee! De tranen springen me in de ogen bij het idee dat mijn ouders zo'n boodschap te horen zullen krijgen.

'Dat kan ik ze niet aandoen,' fluister ik.

Ian slaat zijn armen om me heen. 'Ja, dat is echt klote, hè? En geloof maar dat mijn vader niet iemand is aan wie je slecht nieuws wil vertellen. Vey, denk gewoon maar aan het moment waarop je weer heelhuids thuiskomt met het goede nieuws dat al je studiekosten voor drie jaar modeacademie worden betaald. Bovendien zitten er vast een hoop vrienden van je te kijken en een daarvan zal vast je ouders bellen om uit te leggen wat er aan de hand is. Dat zouden mijn vrienden in elk geval wel doen.' Hij kijkt in de dichtstbijzijnde camera. 'Ja toch?'

Hij zegt het met een glimlach, maar ik zie een zenuwtrekje om zijn ogen, alsof hij er toch niet helemaal gerust op is. Toch stelt wat hij zegt me wel een beetje gerust. Ook al is Syd kwaad op me, ze zou mijn ouders nooit in de waan laten dat er iets ergs met mij is gebeurd. Nog geen minuut. En dat geldt ook voor Liv en Eulie. Dat betekent dus dat de schok voor mijn ouders maar een paar seconden zal duren, en dat in ruil voor al dat studiegeld. Bovendien zullen ze door dat telefoontje van een van mijn vrienden meteen te weten komen waarom ik nog steeds niet thuis ben, dus zelfs als ik weer huisarrest krijg, wat wel zo ongeveer vaststaat, is dit toch een win-winsituatie.

Ik haal diep adem en zeg: 'Oké.'

Omdat ik bij de vorige opdracht als laatste aan de beurt was, moet ik nu als eerste. Ik heb opdracht gekregen om Jens vader op te bellen. Zijn telefoonnummer verschijnt op de schermen. Ze mag dan nog zo stoer doen: ze kijkt me nu een beetje angstig aan. Ik knik naar haar en zou haar het liefst willen zeggen dat ik het zo voorzichtig mogelijk zal brengen. Maar hoe vertel je een vader voorzichtig dat zijn kind een ongeluk heeft gehad? Hopelijk kijken haar vrienden nu en zullen ze hem geruststellen.

Het geluid van de toetsen die ik indruk klinkt als een dodenmars door de speakers. Zodra Jens vader opneemt, geef ik het bericht door en ik hang daarna meteen op, halverwege zijn geschrokken 'Wát?' Misschien dat hij door het abrupte einde aan het gesprek wel snapt dat dit een flauwe grap is. Een krankzinnige, smakeloze grap. Alsjeblieft, laat iemand hem snel uit zijn lijden verlossen.

De andere gesprekken verlopen ongeveer op dezelfde manier. Tegen de tijd dat Ty aan de beurt is en mijn ouders moet opbellen, boren mijn nagels zich van de zenuwen diep in mijn handpalmen.

Als mijn moeder opneemt zegt Ty met een gespannen klank in zijn stem, alsof hij heeft gehuild: 'Ik moet u helaas zeggen dat Vey een heel ernstig ongeluk heeft gehad.' Hij wacht grijnzend af, totdat haar geschrokken kreet als een messteek door mijn hart gaat.

Ik denk alleen nog maar aan haar verdriet en ik roep snel: 'Ik heb niks, mam!'

Daarop verbreekt Ty meteen de verbinding. Zou ze me gehoord hebben? Ik knijp mijn ogen dicht en doe een schietgebedje. O Syd, hoe erg je mij misschien ook haat; bel mijn moeder nu alsjeblieft op om haar te helpen, zoals je mij ook altijd hebt geholpen.

Ik schrik op van een hard gepiep uit de speakers. Op de schermen zien we een paar flitsen van boze groepjes Kijkers. En daarna het gezicht van Gayle. Ze zucht teleurgesteld en zegt: 'Lieve Vey, jij dacht dus dat karma niet werkt voor jou?'

Huh? En dan herinner ik me wat ik eerder op mijn ThisIsMe-pagina heb gepost.

Onder Gayles teleurgestelde gezicht schuiven donkerrode letters voorbij. VEY HEEFT DE LAATSTE OPDRACHT GESABOTEERD. DIT BETEKENT EEN STRAFMAATREGEL VOOR HAAR OP EEN DOOR ONS NADER TE BEPALEN MOMENT.

Dus dat bedoelen ze met het saboteren van het spel? Ik wacht tot ze iets meer over die strafmaatregel zullen zeggen, maar het scherm blijft donker. Ze willen natuurlijk dat ik daar eerst een tijdje zelf over pieker. Misschien word ik wel weggestuurd en moet ik op een van die stoelen op de gang zitten. Of misschien moet ik met Ian in zo'n vooskamertje. Maar dat doen ze vast niet, dat zou natuurlijk veel te leuk zijn.

Ik vraag me tandenknarsend af of Gayle gelijk had met die opmerking over karma. Heb ik dit allemaal aan mezelf te danken? Heb ik dit verdiend? Ik denk aan het meisje van de kuisheidsclub met dat blozende gezicht. Aan haar leuke vriendje. Ian en ik hebben hun date van die avond goed verpest. En wie weet wat er is gebeurd met de man die prostituees wilde redden en die ik op die twee meisjes en hun pooier heb afgestuurd. Jezus, misschien heeft die engerd hem wel het ziekenhuis in geslagen. Gelukkig heb ik Sydney geen lichamelijk letsel toegebracht, maar ik heb Ian niet tegengehouden toen hij tekeerging tegen Jake. En ik heb me zelf aangemeld voor deze zieke finale, die mijn ouders moet hebben getraumatiseerd. Al met al heb ik vanavond veel meer minpunten dan bonuspunten verdiend.

Dus mijn karma zal me vast wel te pakken gaan nemen.

14

'Iemand krijgt een pak voor d'r broe-hoek!' roept Micki.

Ik plof neer op die stomme loveseat, waardoor mijn hele lijf op en neer hobbelt. 'Hou toch je grafkop.' Zoiets heb ik nog nooit tegen iemand gezegd. Mijn vocabulaire gaat door dit spel met sprongen vooruit. Heel fijn.

Ze schiet overeind. 'Wat zei je daar, bitch? Eerst verpest je het voor iedereen en nu ga je me beledigen?' Ze staat op en loopt om de tafel heen. 'Of hebben ze jou soms opgedragen om dit te doen? Moet jij onze opdrachten verpesten, net zoals die Kijkers in Atlanta? Want als jij godverdomme een mol bent, dan...'

Wow. Wat? Denkt ze nou echt dat ik voor LEF werk? Ik kijk naar de deur, maar daar staat zij dichterbij. Straks word ik in elkaar geslagen. Leuk voor de kijkcijfers.

Maar Ian staat ook op en komt tussenbeide. 'Rustig even jij, hè?'

Micki duwt haar brede borstkas naar voren. 'Jij hoeft mij niet te vertellen dat ik rustig moet doen, mooie jongen.'

Ian is een kop groter dan zij en wijkt geen centimeter. 'Doe jij eens normaal, joh.'

Jen roept vanaf de bank: 'Kom maar weer zitten, schatje, anders maak je hem nog bang. En als hij wegloopt, win jij die Harley niet.'

Micki wijst naar me met een priemende wijsvinger. 'Als ik merk dat jij hier de boel loopt te verkloten, dan trap ik je magere kont bont en blauw.' Wat is er met die meid, en waarom heeft iedereen het vanavond over mijn magere kont? Gelukkig gaat ze weer naar haar kant van de tafel.

Het zou natuurlijk het verstandigst zijn om me stil te houden, maar ik zeg: 'Denk je nou echt dat ik samenspan met die rotlui die achter dit spel zitten? En hoe moeten wij eigenlijk weten dat jij geen mol bent die op ons af is gestuurd om zo dom en agressief te doen?'

'Wil jij weten wat pas echt agressief is?'

Jen trekt aan het shirt van haar vriendin en fluistert iets in haar oor. Ik kan het niet verstaan, maar Micki kalmeert en gaat zitten.

Ian komt weer naast mij zitten, legt zijn hoofd in mijn hals en fluistert: 'Volgens mij hebben die telefoonopdrachten haar meer van streek gemaakt dan ze laat merken.' Micki moest een meisje opbellen en zeggen dat ze al jaren verliefd op haar was en dat ze er alles voor over zou hebben om verkering met haar te krijgen. Dat meisje vond die bekentenis heel walgelijk en Micki werd knalrood. Bij de volgende opdracht probeerde ze te doen alsof het haar niks kon schelen dat Ian haar oma belde, die in een verzorgingstehuis zit, maar de aderen in haar hals zwollen zo erg op dat het leek of ze op knappen stonden.

'Wat denk je dat ze met die strafmaatregelen bedoelen?' vraag ik aan Ian.

'Ik weet alleen dat ze dan de opdrachten nog moeilijker gaan maken.'

Ik kreun. 'Alsof ze nu nog niet moeilijk genoeg zijn.'

LEF laat ons een paar minuten met rust, waarschijnlijk om reclamespotjes uit te zenden, of misschien wordt er ergens anders nog een finale gespeeld. De anderen maken natuurlijk van de gelegenheid gebruik om weer een biertje te pakken. Terwijl ze zitten te drinken en te boeren, leun ik tegen Ian aan en droom ervan hoe het zou zijn om ook na het spel bij hem te blijven horen. Hij fluistert hoe geweldig ik het doe, en dat klinkt spannender dan ooit nu ik zijn warme adem tegen mijn oor voel. Waarom zou ik eigenlijk de rest van de opdrachten nog doen? Dit is al zo geweldig.

Maar mijn dagdroom is van korte duur. Gayle verschijnt op het scherm om ons te vertellen dat de voorbereiding voor de volgende opdracht klaar is. Ze likt haar lippen af en glimlacht. 'Zijn jullie er ook klaar voor?'

Niemand reageert enthousiast, behalve Ty. We weten allemaal dat het afschuwelijk gaat worden. Ik kijk op mijn telefoon. Nog een uur en veertig minuten.

Gayle slaat op borsthoogte haar handen in elkaar alsof ze een solo gaat zingen. 'De volgende ronde is speciaal op ieder van jullie afgestemd. Aan de lange muur tegenover de deur zijn vier deuren die naar speciale ruimtes leiden. We doen deze ronde in twee groepen. Als we je naam noemen, ga je naar de geopende deur.'

De eerste deur springt open. Zou die weer naar zo'n dubieus kamertje leiden? Of naar een duikplank op de rand van het dak? Ik zou niet graag kennismaken met de mensen die normaal gesproken in deze club komen.

Guy verschijnt naast Gayle op het scherm en noemt Ians naam. Ian omhelst me nog even snel en loopt dan naar de deur. Als hij al zenuwachtig is omdat hij als eerste moet, dan laat hij daar niets van merken.

'Als de deur dichtgaat, wordt een timer gestart en kan de deur pas na een kwartier weer worden geopend, tenzij het brandalarm afgaat.'

Dat is een interessante manier om ons in onze eigen val te lokken. Ian haalt zijn schouders op en doet zelf de deur achter zich dicht. Hij zal het wel zo snel mogelijk achter de rug willen hebben. Dat zou ik ook het liefst willen, hoe griezelig ik het ook vind dat LEF het kennelijk nodig vindt om die deur op slot te doen. Maar ik zit niet in de eerste groep. Behalve Ian verdwijnen Samuel, Micki en Ty in de kamers, en Daniella, Jen en ik blijven achter.

Terwijl onze partners daar in die kamer misschien wel worden gemarteld of met ratten worden opgesloten, pakken de andere meisjes en ik een reep chocola uit de koelkast. Het valt me op dat wij de zwakkere helft van de stellen zijn. Zou dat toeval zijn of hebben ze het expres zo gedaan? Denken ze soms dat ze ons in de tweede fase nog banger kunnen maken?

Jen knabbelt op een stuk chocola en veegt haar mond af. 'Micki is niet zo'n kreng als je misschien denkt,' zegt ze. 'Maar ze wordt bloednerveus van dit spel.'

'Of misschien zie je nu pas hoe ze werkelijk is,' zeg ik, want ik heb geen zin om het gedrag van Jens vriendin goed te praten. 'Nog bedankt trouwens dat je haar net in toom wist te houden. Belachelijk dat zij denkt dat ik een mol ben.'

Ze kijkt me met opgetrokken wenkbrauwen aan. 'Vind je dat?'

Mijn mond zakt open van verbazing. 'Ja, natuurlijk!'

Ze pakt even mijn arm vast. 'Ik zit je maar te dollen. Als iemand een mol is, dan is Samuel het wel. Die is me veel te stil.'

Daniella huivert. 'Ik ben bang in het donker. Je denkt toch niet dat ze ons in een kamer opsluiten en het licht uitdoen?'

Ik trek mijn rok glad. 'Nu ze weten dat je daar bang voor bent misschien wel.' Dat zeg ik niet om haar bang te maken, maar om haar te waarschuwen dat ze zoiets misschien tegen haar kunnen gebruiken.

Ze kijkt me angstig aan.

Ik lach naar haar. 'Maar er gebeurt vast niks ergs. Als ze het licht uitdoen, doe je gewoon een dutje en rust je uit voor de volgende opdracht.' Makkelijker gezegd dan gedaan.

Ze spert haar ogen open. 'Vergeet het maar! Zodra ik mijn ogen dichtdoe, laten ze natuurlijk spinnen los of zo! Weet je nog van dat meisje uit de vorige finale, Abigail? Die was het allerbangst voor slangen, en moet je zien wat ze met haar gedaan hebben.'

Ik herinner me nog de angst op het gezicht van dat meisje. Ik ging er toen maar van uit dat die slangen niet giftig konden zijn. En dat er niets zou gebeuren als ze zich maar kalm hield. Maar dat deed ze niet; ze zat te kermen en zich in allerlei bochten te wringen, en daar zat ik naar te kijken. Voor de lol.

Jen neemt nog een stuk chocola. 'Dat meisje wilde graag filmster worden. Je denkt toch niet dat al dat gegil echt was? Die finale was voor haar één grote auditie. Zelfs na afloop had ze het er constant over op ThisIsMe. Heb je gehoord wat ze vorige week heeft gedaan? Toen is ze van een afgrond in een waterval gesprongen terwijl iemand die daar toevallig stond haar filmde. Allemaal om aandacht te trekken.'

Ik pak een blikje frisdrank. 'Dan ga je wel erg ver om een filmrol te krijgen. Ik heb trouwens wel gehoord dat ze sinds dat filmpje spoorloos is.'

Jen begint te lachen. 'Dat is natuurlijk gewoon een publiciteitsstunt.'

We bespreken de andere finales van de vorige maand, noemen de opdrachten die wij het spannendst vonden, en wisselen roddels uit die we op internet hebben gelezen over de spelers. Na vanavond zal niemand dat nog interessant vinden en zal iedereen het alleen nog maar hebben over de mensen die meedoen aan de nieuwste show.

Hmm. En daar hoor ik nu dus ook bij. En dit keer niet alleen achter de schermen.

Ik vind dat Jen en Daniella eigenlijk best meevallen. Alleen jammer dat ze geen normale, aardige partners hebben. Maar als ze die wel hadden, zouden ze vast niet in de finale zitten, want zij zijn juist de deelnemers met de sterkste persoonlijkheid. Heb ik het dan ook aan Ian te danken dat ik hier nu ben? Of heb ik mezelf zo erg voor schut gezet dat de mensen graag nog wat meer blunders van me wilden zien?

De eerste deur zwaait open en er klinkt trompetgeschal. Ian wankelt op onvaste benen naar buiten. Zijn ogen zijn bloeddoorlopen. Wat is dit in godsnaam? Ik spring op om hem te ondersteunen.

Als ik bij hem ben, voel ik dat hij over zijn hele lijf trilt. 'Wat hebben ze met je gedaan?'

Hij schudt zijn hoofd. 'Ze hebben me herinnerd aan dingen waar ik niet aan herinnerd wil worden. Dingen waar ik ook niet over wil praten. Sorry.'

Leuk is dat, en we zijn nog wel partners. 'Oké, ik snap het. Wil je iets uit die kast hebben?'

Hij gaat zitten, verbergt zijn hoofd in zijn handen en wiegt heen en weer. 'Nee, bedankt.'

Waar kan hij zó van in de war zijn geraakt? De volgende deur gaat open en Ty kuiert naar buiten. Hij kijkt triomfantelijk, zegt 'yes' en draagt Daniella op om een biertje voor hem te pakken. Maar hij doet iets raars met zijn ogen, alsof hij zijn best moet doen om niet te gaan huilen. Zelfs psychopaten kunnen blijkbaar psychisch van streek raken.

Dan komt Micki met een glazige blik naar buiten en ze roept: 'Eén foute opmerking van jullie en ik maak jullie zó bang dat jullie niet meer verder durven, begrepen?'

Samuel komt als laatste zijn kamer uit. Hij loopt met gebogen hoofd naar zijn stoel, gaat zitten en staart naar zijn handen. Ik kan daar niet aan zien hoe zwaar hij het daarbinnen heeft gehad, want hij zit er wel vaker zo bij.

Guy verschijnt op het scherm en klapt in zijn handen. 'Oké, de volgende groep, hup hup, tempo. Daniella gaat naar de eerste kamer.'

Ze loopt langzaam en trillend naar de deur, draait zich nog even om en zwaait naar ons voordat ze naar binnen gaat. Dan ben ik aan de beurt. Ik zou graag nog even bij Ian willen blijven, want ik vind het vervelend om hem alleen achter te laten nu hij zo van streek is. Maar wat kan ik doen? Hem even knuffelen, maar dat zou meer ter geruststelling van mezelf zijn. Ik sta op en loop naar de deur.

Als ik de deur open, voel ik een koude luchtstroom, alsof er hier een rechtstreekse verbinding met de buitenlucht is. Ik kom in een gang met een vloer die schuin naar beneden loopt. Aan de zijkant, tegen de plint, zitten lampjes. De deur valt achter me in het slot. Klik. Ik zou zweren dat ik het vage tikken van een timer hoor, of misschien is het wel een bom. Ik volg de lampjes in de gang, die minstens één verdieping naar beneden leidt. Aan het eind gaat de gang naar links en zie ik twee deuren. De lampjes gaan voorbij de eerste deur en leiden naar de tweede. Ik open de deur en kom in een ruimte die wordt verlicht door een rode bol aan het plafond. Het is een klein kamertje dat bijna helemaal in beslag wordt genomen door een leren stoel die met de rugleuning naar de deur staat.

Gayles stem klinkt uit de speakers die in de hoeken van de kamer hangen. 'Ga lekker zitten, Vey.'

Ik ga op de leren stoel zitten. De deur wordt met een klap gesloten. Het lijkt wel of ik in een of andere kermisattractie zit. Heel langzaam schuift een bedieningspaneel naar me toe waar lichtjes op beginnen te knipperen terwijl de lamp aan het plafond uitgaat. Ik zit nu bijna in het donker. Mijn hart begint sneller te kloppen: zouden ze mij per ongeluk in de kamer van Daniella hebben gezet? Misschien staat zij nu wel op een podium met doorweekte kleding terwijl Matthew haar uitlacht en Sydney haar ervan beschuldigt dat ze een waardeloze vriendin is.

Als mijn ogen aan de duisternis gewend zijn, kan ik het bedieningspaneel wat beter zien. Ik steek mijn handen uit en voel een stuur, met daarnaast een paar hendels. Het is een dashboard. Is dit een soort rijsimulator?

'Maak je riem vast, Vey,' zegt Gayle, van wie ik nog steeds alleen de stem hoor.

Het dringt niet tot me door dat dit een bevel is, totdat ze het op strengere toon herhaalt.

'Oké, oké.' Ik voel aan de zijkanten van de stoel tot ik de riem heb gevonden; ik trek hem om me heen en klik hem vast. Misschien zit er wel een soort achtbaan in dit gebouw. Dat lijkt me theoretisch wel mogelijk, want er zitten drie verdiepingen tussen de nachtclub op de begane grond en de vip-lounge. Ik heb wel eens eerder in een donkere achtbaan gezeten. Niet dat ik dat leuk vond, maar ik heb het wel overleefd.

Mijn ogen zijn nu zo goed aan het donker gewend dat ik de details op het dashboard kan onderscheiden. Ik zie knoppen voor de ventilatie en een radio, en naarmate mijn ogen aan het duister wennen worden ook de andere knopjes, lampjes en schuifjes duidelijker zichtbaar. Zou dat allemaal echt werken? Ik tuur naar de radio. De adem stokt in mijn keel als ik het stickertje op de volumeknop zie: PUMP UP THE VOLUME! Dit lijkt wel een kopie van mijn eigen auto!

Ik frons mijn wenkbrauwen en zet de radio aan. Uit de boxen klinkt een indie-nummer dat in mijn *playlist* staat en waar ik heel vaak naar luister. Wie heeft mijn playlist doorgegeven aan LEF? Spant Syd als wraakactie achter mijn rug om met ze samen?

Ergens onder het dashboard klinkt het geluid van een startende motor en de stoel trilt een beetje, alsof ik in een echte auto zit. Eigenlijk wel een prettig gevoel. Kalmerend. Zo kalmerend zelfs dat ik mijn hoofd tegen de leuning leg en mijn ogen sluit. Als dat voor LEF een signaal is dat ze nu de spinnen los kunnen laten, dan gaan ze hun gang maar.

Ik ben gek op dit nummer en zing het zachtjes mee. Het volgende liedje is zelfs nog beter. En die stoel zit net zo lekker als de stoel in mijn eigen auto. De decorontwerper heeft erg goed op de details gelet, net zoals Tommy bij de decors van ons toneelstuk. Ik ruik zelfs de vage geur van uitlaatgassen.

Uitlaatgassen? In een afgesloten kamer?

Ik schiet overeind. Nee! Ik probeer de veiligheidsriem los te maken, maar die wil niet open. Hoe meer ik het probeer, hoe strakker hij lijkt te gaan zitten. En de muziek wordt steeds harder.

Dan dringt het met een schok tot me door dat het liedje dat ik hoor precies hetzelfde is als op die avond bij ons thuis in de garage, die avond die ook zo vredig begon. Hoe kunnen ze dat allemaal weten? Of hebben ze al mijn vrienden gevraagd naar mijn lievelingsmuziek en is dit puur toeval?

De stank wordt steeds erger en ik begin duizelig te worden. Dit kan toch niet echt zijn? Waarschijnlijk staat er iemand in de aangrenzende kamer een sigaret te roken en blaast hij de rook door een ventilatierooster om mij de stuipen op het lijf te jagen. En dat lukt heel goed.

Ik pak mijn telefoon om hulp te vragen, maar ik heb hier geen ontvangst. Misschien zijn die muren wel van staal. Net als in een gevangenis. Van dat idee word ik nog veel banger. Ik blijf maar aan de riem trekken, maar dan dringt het met een schok tot me door dat er nu waarschijnlijk mensen naar me zitten te kijken. Natuurlijk!

Ik kijk een beetje omhoog, naar de plek waar waarschijnlijk een camera hangt, en roep: 'Gayle! Guy! Laat me eruit!' Of ik hiermee het spel saboteer, kan me inmiddels niks meer schelen.

Hoor ik nu echt Gayle lachen door de speakers?

'Als je kijkt, bel dan de politie! Ze pompen uitlaatgassen naar binnen en ik ben al duizelig! Dit is niet leuk meer! Bel de politie en zeg dat ze naar de vip-lounge van Club Papaver moeten gaan! Alsjeblieft!'

Zou er iemand luisteren? Of zouden ze allemaal denken dat iemand anders mij wel zal redden, het effect waar ze je voor waarschuwen bij ehbo-cursussen?

'Sydney, Liv, Eulie, bel de politie! Alsjeblieft! Dit is een totaal gestoord spel!' Zouden ze me wel zien? Misschien zit er een soort vertraging in de livestream zodat ze kunnen bepalen wat de Kijkers wel en niet mogen zien. Daniella en Jen zijn nu ook met hun opdracht bezig, dus ze kunnen zonder dat het opvalt overschakelen van de een naar de ander. Maar ze zullen me toch niet echt kwaad doen? Er zullen toch wel grenzen zijn aan wat ze mogen? Dat moet toch?

Maar intussen word ik steeds duizeliger. Uit alle macht ruk ik aan de veiligheidsriem. Er is geen enkele beweging in te krijgen. Zelfs als dit een grap is, dan heeft mijn lichaam dat niet in de gaten, want elke vezel in mijn lijf spant zich om weg te komen. Ik probeer onder de riem door te kruipen die voor mijn borst en over mijn schouder zit. Mijn arm en schouder krijg ik er wel onderdoor, maar er is niet genoeg ruimte voor mijn hoofd. Ik laat mezelf zo ver mogelijk opzij zakken zodat ik bijna op de stoel lig, druk mezelf diep in de zitting en probeer dan mijn hoofd onder de riem door te wurmen. Er schiet een felle pijnscheut door mijn nek, maar ik weet onder het bovenste deel van de riem door te kruipen.

Met het stuur als houvast werk ik mezelf langzaam omhoog om me ook van de onderste riem te bevrijden. Na een paar minuten lukt dat en kan ik eronderuit kruipen, hijgend maar wel vrij.

Of toch niet? Ik loop achteruit tot ik de muur voel. Hij is koud en glad, voelt aan als marmer, of als een graftombe. Het duurt even voordat ik de deurkruk heb gevonden; ik trek en draai eraan. Op slot, natuurlijk.

Gaan ze me hier nou voor het oog van de camera laten stikken? Misschien is dit zo'n karma-ding, waarbij er gebeurt wat er eigenlijk had moeten gebeuren, maar wat niet is doorgegaan. Was het eigenlijk mijn lot om op die avond te sterven in de garage? Nee, nee, dat is een idiote gedachte. Was ik maar niet zo duizelig.

Ik bons op de deur. 'Laat me eruit!' Ik draai me om naar de kamer en smeek de mensen die misschien online zijn om me te komen redden. De motor blijft lopen. De muziek stopt niet.

Met mijn rug naar de deur zak ik op de grond. Zijn die uitlaatgassen hier beneden sterker? Nee, rook stijgt toch juist op? Ik ben te duizelig om me dat te herinneren. Ik leun met mijn hoofd op mijn knieën en doe mijn branderige ogen dicht. Zelfs mijn keel prikt. Wat ze hier naar binnen pompen is veel sterker dan uitlaatgassen. Toen ik maanden geleden in onze garage in slaap viel, voelde ik niets.

Of wel? Ik heb zo mijn best gedaan om die avond te vergeten, dat ik nooit meer heb gedacht aan hoe het precies was, zelfs niet toen ik de psychiater erover moest vertellen.

Wat mankeerde mij die avond toch? Iedereen weet hoe gevaarlijk het is om in een afgesloten garage de motor te laten draaien. Op een bepaald moment moet het toch tot me zijn doorgedrongen dat ik de motor uit moest zetten. Maar het was zo gezellig in de auto, met de verwarming en de muziek aan. En ik was ook van streek. Die avond was ik boos op Sydney. Om een kleinigheid die ik eigenlijk al vergeten was. We hadden urenlang haar tekst voor een toneelstuk gerepeteerd, maar aan het eind van de avond had ze me niet eens bedankt. In plaats daarvan had ze geklaagd dat mijn kostuum haar dik maakte. Terwijl ik dat kostuum al twee keer voor haar had veranderd.

Was ik zó boos geweest dat ik zelfmoord wilde plegen? Nee, dat slaat helemaal nergens op. Maar zou ik het gedaan kunnen hebben om aandacht te krijgen? Dat slaat ook nergens op, maar toch vraag ik me in een hoekje van mijn achterhoofd af of er misschien een kern van waarheid in zit.

Ik sla op de stenen vloer. Wat een afschuwelijk spel, en wat een afschuwelijke gedachten. Ik wil alleen maar naar huis, gaan slapen, alles vergeten. Ik gil en sla tegen de deur, ik sla tot mijn handen bont en blauw zijn. Ik ben woedend op mezelf omdat ik me zo in de nesten heb gewerkt, woedend op LEF omdat ze deze verschrikkelijke opdracht hebben bedacht, woedend op de Kijkers omdat ze me niet te hulp komen. Ik draai mijn gloeiende gezicht weg van de deur en steek mijn beide middelvingers op naar de donkere kamer. Als ze me zo laten lijden, dan blijf ik niet beleefd. Maar ik vertik het om te gaan huilen.

De deur achter me maakt een klikgeluid.

Ik sta op, maar dat is moeilijk omdat ik kramp in mijn benen heb. Ik voel aan de deurkruk en die gaat deze keer gelukkig wel open. Als ik de deur openduw, verwacht ik half en half dat de wereld daarachter in weer een ander spookhuis is veranderd.

Maar ik sta gewoon weer in de gang met de kleine lampjes langs de vloer, net als in een vliegtuig. De lucht is koud en schoon. Ik loop terug naar de kamer met de andere spelers en als ik bij de deur ben, springt die vanzelf open.

Ik knipper tegen het felle licht, dat veel feller lijkt dan toen ik hier wegging voor de laatste opdracht. Ian staat al op me te wachten. Ik vlieg hem in de armen en laat me door hem vasthouden.

'Je hebt het gehaald!' zegt hij.

Ik zucht. 'Ik had weinig keus.' Ik zit er fysiek en mentaal totaal doorheen. Als ik er de energie nog voor had, zou ik hier meteen weggaan. Maar ik kan bijna niet meer op mijn benen staan.

Ian moet dat hebben gevoeld, want hij ondersteunt me en neemt me mee naar ons bankje, waar ik tegen hem aan kruip en de rest van de wereld probeer te vergeten. Zijn hartslag voelt zo sterk, zo zeker, zo levend. Als ik opkijk, zie ik dat de anderen, die bij de koelkast staan, er nog erger aan toe zijn, vooral Jen en Daniella.

LEF zet de technomuziek weer aan. Ik zie op mijn mobiel dat we nog een heel uur te gaan hebben. Hoe kan dat? Ik hou het zelfs geen minuut meer vol, laat staan een heel uur.

Guy en Gayle verschijnen weer op de beeldschermen, dit keer in feest-kleding, alsof we op een oudjaarsfeest zijn. 'Gefeliciteerd, jullie zijn weer een stukje verder gekomen!' roept Guy vrolijk. 'Op naar de volgende ron-de!'

'Nee,' zeg ik.

Hij fronst zijn wenkbrauwen en ook die van Gayle schieten de lucht in. Een paar andere spelers draaien zich naar me om en kijken me ver-bluft aan. Micki balt haar vuisten. Ty ook. Maar Daniella en Jen knikken instemmend, wat hun dreigende blikken van hun partners oplevert. Op de schermen zien we weer onze foto's met daaronder de populariteits-percentages. Ik hoef niet eens te kijken, ik weet toch al dat mijn percen-tage weer omlaag gegaan is. En wat dan nog?

Ik haal diep adem. 'Jullie hebben geprobeerd me te vermoorden. Ik heb er genoeg van.'

Guy verschijnt weer in beeld. 'Je hebt volkomen gelijk.'

Echt waar?

Hij zwaait met zijn wijsvinger. 'Niet wat dat vermoorden betreft na-tuurlijk, gekkie. Dat kwam gewoon door de zenuwen en door het bier. Het lijkt erop dat je je dingen in je hoofd haalt. Heel bijzonder wat er met je kan gebeuren als je je opgesloten voelt in het donker. Maar wees even redelijk, jullie mankeren toch niks?'

Niemand geeft antwoord.

Dan komt Gayle naast hem in beeld. 'Het publiek vindt dat jullie wel een opsteker kunnen gebruiken om jullie enthousiasme aan te wakke-ren. En daar zijn wij het helemaal mee eens. Dus kijk maar eens op jullie telefoon.'

Nou nou, wat attent van het publiek. Ik zal ze bedankbrieven sturen, met anthraxpoeder erin. Maar hoewel ik niets meer met LEF te maken wil hebben, ben ik toch zó nieuwsgierig dat ik het niet kan laten om even op mijn telefoon te kijken. Op het scherm staat: DIT ZIJN DE KIJKERS! Als ik erop klik, zie ik een filmpje van Eulie en Liv.

Liv begint met een high five voor de camera. 'Vey, ik ben supertrots op je! Je bent echt het dapperste meisje dat ik ken.' Eulie valt haar bij. 'En een veel grotere ster dan je weet wel wie.' Ze zeggen dat al mijn vrienden voor me duimen en dat ze morgen een groot feest voor me organiseren.

Ze weten natuurlijk niet dat ik huisarrest krijg tot de zomer, maar ik ben toch blij dat niet iedereen mij inmiddels haat.

Ian en de andere spelers zitten ook naar filmpjes op hun telefoon te kijken. Alle gezichten klaren op, zelfs dat van Micki.

Gayle roept vanaf het scherm: 'En? Gaat het nu weer een beetje?'

Ik ben de enige die antwoord geeft. 'Niet zo.'

Ze glimlacht. 'Kijk dan maar eens wat er nog meer op je telefoon staat.'

Ik kijk en zie nog een bericht. Als ik dat lees, laat ik de telefoon bijna vallen. Ze hebben mijn finaleprijs uitgebreid met een zomerstage bij een van de topmodehuizen in New York. De andere spelers hebben blijkbaar vergelijkbare prijzen aangeboden gekregen, want iedereen begint te juichen en te fluiten.

Ian kijkt alsof hij zijn ogen niet kan geloven.

'Waar proberen ze jou mee om te kopen?'

'Gratis juridische hulp om onder de ouderlijke macht uit te komen.'

Als ik hem vragend aankijk, zegt hij alleen maar: 'Dat betekent voor mij de totale vrijheid. En jij?'

Ik vertel hem over mijn prijs.

Hij lacht vrolijk, alsof het opeens niet meer belangrijk is wat hem daarnet in die kamer is overkomen. 'Nog een uurtje met rottigheid die ze voor ons kunnen bedenken heb je daar zeker wel voor over, toch?'

'Ik weet het niet.' Hebben ze me daarnet nou wel of niet geprobeerd te laten stikken? Nu ik lekker dicht tegen Ian aan zit in deze goed verlichte kamer lijkt zoiets me onvoorstelbaar. Op de eerste plaats zouden ze er nooit mee kunnen wegkomen. Toch? Ik ben moe en gestrest en ze hebben me laten hallucineren. Dat doen ze met iedereen. Maar ze kunnen ons ook prijzen geven die je nergens anders kunt winnen. Met die stage in New York en de modeacademie heb ik het helemaal gemaakt.

Ian geeft me een kus op mijn wang. 'Wij zijn onstuitbaar.'

Ik rol met mijn ogen. 'Ja hoor, onoverwinnelijk.'

Guy klapt in zijn handen om onze aandacht te trekken. 'Is iedereen er klaar voor? Kunnen we door?'

'Ja!' roepen de anderen.

Ik heb er helemaal geen zin meer in, maar hun poging tot omkoping is geslaagd. Ik knik.

Gayle glimlacht. 'Fantastisch! Goed, dan gaan we nu beginnen aan de laatste fase van de grote finale!'

De beeldschermen worden zwart en terwijl we afwachten tot de presentatoren weer terugkomen om te vertellen wat we moeten doen, gaat de techno over in van die new age-muziek die je in elke yogastudio kunt horen. Ik word daar nog nerveuzer van dan van de opgefokte synthesizers, ook al heb ik besloten om door te gaan. Ik probeer diep adem te halen, maar dat lukt me niet goed. Een zweetdruppeltje rolt langzaam over mijn voorhoofd. De beeldschermen blijven treiterig lang leeg. Maar dan verschijnt er een tekst:

JULLIE HOEVEN ALLEEN MAAR EEN SLACHTOFFER TE KIEZEN

15

Iedereen begint door elkaar te praten en vragen te stellen, behalve Micki, die alleen maar grinnikt. Ik word opnieuw duizelig, alsof mijn hersens proberen op te stijgen. Knarsetandend hou ik mezelf in bedwang.

Ze willen een slachtoffer.

Hoe heb ik ooit kunnen denken dat ze mij een stage bij een beroemd modehuis zouden aanbieden en een complete beurs voor drie jaar modeacademie zonder dat ik dingen moest doen waar ik totaal krankzinnig van zou worden? Ik probeer overeind te komen.

Ian pakt me bij mijn pols en fluistert: 'Gooi die beurs niet zomaar weg.' Hij kijkt naar de camera. 'Jullie willen een slachtoffer? Waarvoor?'

Ty barst in lachen uit. 'Voor de lol natuurlijk, gast!'

Alle anderen zitten zwijgend naar de beeldschermen te kijken en wachten tot Guy of Gayle gaat uitleggen waar dat 'slachtoffer' voor nodig is. Maar de schermen blijven leeg.

Ian wrijft over zijn wang. 'Misschien is het een truc en kan het slachtoffer juist iets winnen.'

De anderen lachen schamper. Ik geloof het zelf ook niet.

Micki wijst met haar flesje bier, haar vijfde inmiddels, naar mij. 'Ik stem voor Vey. Vey Slachtvee. Of is het toch een afkorting? De v van verrader?'

Jen ligt met haar hoofd tegen Micki's schouder. Ze kijkt op en zegt: 'Ik stem ook voor verraadster Vey.'

Wat? En ik maar denken dat we daarnet, toen we die chocola aten, een beetje een band gekregen hadden. God, laat haar alsjeblieft aan een van de veiligheidsspelden in de wang van haar vriendin blijven hangen.

Ik doe mijn armen over elkaar en dwing mezelf om ook iets te zeggen, ook al vertrouw ik mijn eigen stem bijna niet meer. 'Dit is echt ziek, snappen jullie dat niet? Ze proberen ons nu voor de lol tegen elkaar op te stoken.'

Ty neemt een slok bier. 'Ja, duh. Maar we stemmen toch alleen maar? We gaan jou niet echt iets aandoen of zo, toch?' Hij spreidt zijn armen, met in elke hand een flesje bier, en draait zich traag om naar de anderen.

Micki knikt. 'Ja hoor. Tenzij Vey de Verraadster niet gaat stemmen en ervoor zorgt dat wij onze prijs niet krijgen. Want ja, dan gaan wij haar natuurlijk wel iets aandoen.'

Ian schudt vol walging zijn hoofd. 'Als iemand ook maar één vinger naar haar uitsteekt dan is-ie met mij nog niet klaar.'

Micki fladdert met haar vingers. 'Oeoeoe, stoere man! Denk je dat je haar daarmee in bed kan krijgen? Jullie hebben het vast nog niet met elkaar gedaan, of wel? En ik wil wedden dat ze nog maagd is, of niet soms? Wat is ze nou? Mol of Maagd?'

Ty knipoogt naar me. 'Ik wil ons schatje wel een plezier doen, dus ik stem op Ian, haar held.' Hij proost met zijn flesje en drinkt het leeg.

Dan klinkt de stem van Guy door de speakers, maar het scherm blijft donker. 'En jullie, Samuel? Daniella? Ian? Vey?'

Daniella tuit haar lippen en beweegt ze van de ene naar de andere kant. 'Klopt het dat je nog maagd bent, Vey?'

Ik kijk haar boos aan.

Ze haalt haar schouders op. 'Sorry. In elk geval wil ik best aardig doen, dus ik stem ook op Ian.'

Samuel kijkt naar zijn handen. 'Sorry, Vey. Ik stem op jou, maar alleen om een meerderheid te krijgen.'

De klootzak. Hij doet dat alleen maar omdat hij laf is, omdat ik minder bedreigend voor hem ben dan Ian. Dat is de beste strategie voor iemand die alleen speelt. Maar toch.

Ian stemt op Ty en ik op Micki. Alsof dat nog iets uitmaakt.

Dan wachten we vol spanning op wat er gaat komen. De andere spelers gaan weer op de banken rond de glazen tafel zitten. Er klinkt suikerzoete popmuziek uit de speakers, van die nummers die je in disco's voor alle leeftijden hoort. Maar in dansen hebben we allang geen zin meer.

Ian houdt zijn lippen tegen mijn oor. 'Ze proberen ons alleen maar bang te maken. Wacht maar af.'

'Als LEF die idioten echt op mij afstuurt, ben ik hier weg,' fluister ik terug. 'Dan maar geen prijzen.'

Hij geeft me een kus op mijn wang. 'Goed idee.'

Vijf lange minuten gebeurt er helemaal niets. Behalve dan dat Micki nog een biertje pakt en ik van de spanning zit te bibberen. Zeiden ze nou maar gewoon wat de laatste opdracht is, dan waren we ervanaf. Ian probeert me te troosten door me bemoedigend toe te fluisteren, maar hij is niet degene die de meeste stemmen heeft gekregen.

'Is er hier ergens een wc?' vraag ik aan de zwarte beeldschermen. Ze moeten toch een sanitaire stop kunnen inlassen? Maar ik kan me niet herinneren dat ik in de gang langs een andere deur gekomen ben die van een wc zou kunnen zijn.

Micki, die inmiddels ook op springen moet staan na al dat bier dat ze achterover heeft geslagen, wijst naar me. 'Als jij maar niet gaat proberen te ontsnappen, want ik weet je heus wel te vinden.'

Ian steekt zijn hand op. 'Hé, relax! Iedereen wil graag z'n prijs krijgen met zo weinig mogelijk gezeik.'

Dan klinkt Gayles stem door de speakers. 'Het toilet is in de muur achter je, Vey.'

Tuurlijk, weer een verborgen deur. Ik draai me om naar de muur waar de hokjes achter verborgen zitten van het zeven minuten-spel van eerder vanavond. En inderdaad, aan de linkerkant zien we een spiraal oplichten. Met trillende benen sta ik op en loop om de bank heen. Ik zie dat de andere spelers hun blik afwenden, alsof ik niet meer besta. Mijn god, is dat niet precies wat mensen in oorlogstijd doen? Hun slachtoffers depersonaliseren?

Ik druk op de verlichte spiraal waarna een deur opengaat. Daarachter is een kleine wc, uiteraard zonder ramen.

'Als je over vijf minuten niet terug bent, komen we je achterna,' zegt Jen. Ze kijkt vragend om goedkeuring naar Micki, die haar dat in de vorm van een luidruchtige kus geeft.

Ik trek me terug in de wc. Gelukkig gaat er automatisch een ventilator aan, waardoor eventuele gênante geluiden worden gecamoufleerd. Er zit geen slot op de deur, maar toch heb ik al in geen uren zo veel privacy gehad. Ik ga op het toilet zitten en steun voor de zoveelste keer vanavond met mijn hoofd in mijn handen. Nu ben ik dus het 'slachtoffer'. Wat dat ook mag betekenen. Gaan ze me op de grond gooien, zoals die mensen van de kuisheidsclub? Of mijn ogen uitkrabben zoals die hoeren dreigden te doen? Zouden ze mij net zo'n waardeloos gevoel geven als Syd en Tommy? Hoe ik ook mijn best doe om niet te gaan huilen: het gebeurt toch.

Ik bal mijn vuisten en bijt op mijn onderlip. Dit is stom. Het laatste wat ik nu kan gebruiken is dat Micki hier binnenkomt en ziet dat ik op de wc zit te janken. En misschien zouden ze dat dan wel filmen. Opeens dringt het met een misselijkmakend gevoel tot me door dat er hier ergens misschien ook wel een camera zit. Ik kijk naar het plafond en de muren, maar ik zie niks bijzonders, wat niet wil zeggen dat er niet ergens iets zit. Waarom heb ik daar niet eerder aan gedacht, voordat ik naar de wc ging? Wat heeft het publiek hiervan kunnen zien? Het publiek dat het niet nodig vond om mij uit die kamer met uitlaatgassen te redden?

Ik trek mijn shirt naar beneden en doe dan pas mijn slipje omhoog. Dan spoel ik de wc door en was mijn handen. In de spiegel zie ik een gezicht met starende bloeddoorlopen ogen en zwarte vegen make-up. Van dat opfrissen van eerder vanavond is weinig meer te zien. Ik plens wat koud water in mijn gezicht. Mijn ogen worden er wat minder rood door, maar de laatste mascara is nu weg, waardoor ik er nog veel meer uitzie als een schoolmeisje, zoals Ian plagerig tegen me zei. Ik zou het make-uptasje kunnen gaan pakken om mijn gezicht bij te werken, maar dat is natuurlijk precies wat LEF wil, dus dat doe ik niet.

Er wordt op de deur geklopt. 'Schiet op, ik moet ook,' zegt Daniella met haar zeurderige hoge stem.

'Ik kom er zo aan.' Ik klink schor, maar ik voel dat ik wel weer wat meer energie krijg. Ik haal diep adem, doe de deur open en kijk Daniella in het voorbijgaan vijandig aan. Ik kijk net zo vijandig naar de anderen, behalve naar Ian, plof neer op de bank en vloek inwendig als die weer enorm begint te wiebelen.

'Iemand heeft zitten janken!' zegt Micki spottend.

'Hou je kop,' zeg ik. 'Ik ben moe.'

Ze strijkt met haar hand langs de puntjes van Jens hanenkam. 'Ja, het is natuurlijk allang bedtijd voor jou.'

'Hoe meer je erop in gaat, hoe vervelender ze wordt,' zegt Ian. 'Let gewoon niet op haar, maar concentreer je op mij. Wij tweeën gaan winnen. Bedenk maar alvast hoe we het zullen gaan vieren.'

Terwijl ik naar hem luister, staar ik door de glazen tafel naar het donkerrode tapijt. Er zitten subtiele ronde vormen in die naar een punt in het midden onder de tafel leiden. Ik volg de ronde vormen en draaiingen met mijn ogen.

Mijn aandacht wordt afgeleid als ik de deur achter ons open hoor gaan.

Daniella komt uit de wc met een laag lippenstift op waar een prostituee nog bij zou verbleken, en gaat zitten. Een zwaar parfum walmt door de kamer en prikt in mijn neus. Een effectievere aanval op onze luchtwegen had lef nauwelijks kunnen bedenken.

Ik ga verder met mijn inspectie van het kleed. Er is iets wat mij eraan opvalt. Midden onder de tafel zit een soort cirkel van donkere ringen. Ik buig me naar voren om ze te bekijken en laat mijn handen voorzichtig op de hangende tafel rusten zodat hij niet heen en weer zwaait.

Er klinkt weer een piep uit de speakers en Guy zegt: 'Jullie zijn nu de laatste finalespelers die nog over zijn. De ogen van alle Kijkers zijn op deze kamer gericht!'

Jen en Micki zwaaien naar de camera's. Ik heb het gevoel dat ik alweer naar de wc moet. Waarom laten die presentatoren hun gezicht niet meer zien? Het is heel vervreemdend om wel steeds hun stemmen te horen maar ze niet te zien.

Gayle zegt op commanderende toon: 'Daniella, maak de groene kast open.'

Daniella springt op en klapt in haar handen. 'Nog meer lekkers!'

Wat zal het deze keer zijn? Whisky? Arsenicum? Ik wil het niet weten. Ik kijk weer naar de kringen in het kleed. Eigenlijk lijken ze meer op gaten. Gaten? Het is alsof ik een stomp in mijn maag krijg als het tot me doordringt wat dat is. Een afvoer. Waarom zou er in godsnaam een afvoerput in het midden van de vip-lounge zitten? In een rubberachtig rood kleed dat waarschijnlijk waterafstotend is?

Ik kijk op als ik hoor dat Daniella een kreet slaakt en de deur van de groene kast met een klap dichtslaat. Zonder na te denken wat dit voor haar boventanden betekent, bijt ze op haar roodgeverfde onderlip.

Ty slaat op de tafel. 'Hou op met dat dramatische gedoe. Wat zit erin?'

Ze lacht haar met lippenstift bevlekte tanden bloot en doet met trillende handen de kastdeur weer open, deze keer helemaal, zodat wij het allemaal kunnen zien.

Iedereen is er stil van.

Tegen de achterwand van de kast hangen zeven pistolen.

16

Twee seconden later sta ik bij de deur.

Micki is me te snel af en dringt zich langs Daniella en Ty naar voren. 'Jij gaat helemaal nergens heen, bitch!' Ze grijpt me bij mijn arm en draait die naar achteren.

Ik gil het uit en probeer de deurkruk te pakken. 'Als er een stelletje bezopen gekken met pistolen gaan zwaaien, ben ik weg.'

Ian springt ook op en probeert Micki in bedwang te houden. 'Laat haar los.'

Haar nagels boren zich door mijn jasje heen in mijn armen. 'Maar dat schijterige prinsesje gaat ons niet onze prijzen kosten.'

Jen en Ty komen ook op ons af en trekken Ian van ons weg. Hij probeert ze van zich af te slaan terwijl ik me los probeer te trekken. Maar Micki houdt me te stevig vast. Ze duwt me op de grond en gaat boven op me zitten. Mijn ruggengraat begeeft het bijna onder haar gewicht.

De veiligheidsspelden prikken in mijn wang als ze haar gezicht tegen het mijne drukt en haar vochtige, naar bier stinkende adem slaat me tegemoet. 'Je vindt het stiekem vast wel een beetje lekker als ik op je lig, kleine bitch, of niet?'

Ik probeer weg te komen, maar dat lukt me niet. Ze duwt mijn gezicht in het kleed, dat net zo rubberachtig ruikt als het eruitziet, en hier kennelijk alleen is neergelegd omdat het wasbaar is. Ik ril als ik eraan denk wat er allemaal voor viezigheid op zit.

De muziek gaat over in metal en een zware bas bonkt mee met mijn hartslag. Ik weet kreunend van inspanning een elleboog los te wurmen en geef Micki een por in haar ribben. Als reactie trekt ze keihard aan mijn haar, waar de tranen van in mijn ogen springen, maar waardoor ik wel even om me heen kan kijken. Samuel zit nog steeds rustig op de bank. Daniella zit in een hoekje met haar armen om zich heen en kijkt met grote ogen naar wat er allemaal gebeurt.

Links van me staan Ian, Ty en Jen elkaar te duwen en naar elkaar uit te halen. Als Ty zijn flesje bier zou wegzetten en serieus zou gaan vechten met Ian, kunnen we het verder wel vergeten. Ian begrijpt dat waarschijnlijk ook wel, want hij leunt tegen een muur en haalt met een beweging die in een film van Tarantino niet zou misstaan, met zijn voet uit naar Ty en trapt hem tegen zijn borst, waardoor Jen en hij allebei op de grond vallen. Yes! Nu kan in elk geval een van ons tweeën vluchten zodat dit afschuwelijke spel eindelijk stopt.

Ian rent naar de deur en rukt aan de deurkruk. En nog een keer. 'Wat is dit?'

Micki staat op, maar het zware gevoel op mijn borst verdwijnt niet als ik zie dat Ian tevergeefs de deur open probeert te krijgen. Er is iets helemaal mis. Ik kom overeind, maar Micki is al op Ian afgevlogen en trekt aan zijn haar. Hij slaat haar van zich af waardoor ze haar evenwicht verliest. Er ontstaat een domino-effect: zij valt tegen mij aan en ik weer tegen Ty en Jen, die ook net overeind waren gekomen. We liggen allemaal vloekend en tierend op de grond. Op de een of andere manier eindig ik boven op de kluwen als een lappenpop op een stel vechtende rottweilers. Ik krabbel overeind en ga naar Ian.

Zijn spierballen spannen zich terwijl hij de deur open probeert te krijgen. Maar hij krijgt er geen beweging in.

Hij draait zich om en zwaait met zijn vuist naar de dichtstbijzijnde camera. 'Jullie hebben ons opgesloten, stelletje klootzakken! Dat is ontvoering!'

Micki dringt zich tussen hem en de deur in en probeert het ook, maar het lukt haar evenmin om hem open te krijgen. Dan begint ze te lachen. Wie lacht er nou als je wordt ontvoerd?

Inmiddels klinkt er een vrolijk deuntje uit de speakers, maar dat wordt overstemd door een paar pieptonen. Op de beeldschermen verschijnt een bericht: DE DEUR ZIT KLEM. WE STUREN ZO SNEL MOGELIJK EEN MONTEUR.

Ik schreeuw naar de schermen: 'Dit kunnen jullie niet maken! Hier gaan we aangifte van doen!'

Ik wijs naar Micki. 'Om te beginnen tegen dit kreng.'

VEEL SUCCES. LIJKT ONS EEN KWESTIE VAN WELLES NIETES.

Zou het publiek deze teksten van LEF ook te zien krijgen? Of alleen een gekuiste versie om de organisatoren van het spel te beschermen? Misschien dat we daarom de gezichten van de presentatoren niet meer zien nu er wapens in het spel zijn. Bij die gedachte zakt de moed me in de schoenen.

Ik duik weg achter Ian, pak mijn telefoon en bel het alarmnummer. Micki krijgt een gruwelijke, agressieve blik in haar ogen en probeert mijn telefoon af te pakken, maar Ian houdt haar tegen. Niet dat ik daar iets mee opschiet. Mijn telefoon is geblokkeerd. Ik kreun van wanhoop, maar Micki en Ty beginnen te lachen.

Ik kan mijn ogen bijna niet geloven. 'Zijn jullie gek geworden of zo? We zitten hier opgesloten, en dan die wapens! Zijn Ian en ik de enigen die hier weg willen?'

Samuel kruipt weg in zijn bank. 'Ze hebben waarschijnlijk de slagpen eruit gehaald. Of er zitten losse flodders in.'

Ik spring bijna uit mijn vel. 'En jij durft daarop te vertrouwen?'

'Relax, niemand gaat hier echt schieten,' zegt Ty. 'Het is gewoon een spelletje.'

Daniella slaat haar hand voor haar mond alsof ze bijna moet huilen, maar ze zegt niets. Jen en Micki sabbelen op elkaars lip en giechelen. Weten zij soms iets wat ik niet weet?

Ik probeer mijn telefoon weer. Misschien kan ik de LEF-app verwijderen en weer toegang krijgen, maar daar is een wachtwoord voor nodig. Ik hou mijn telefoon omhoog naar de camera en roep: 'Hé! Haal die app eraf!'

Ik krijg natuurlijk geen antwoord. Ik wrijf over mijn bovenarmen en probeer niet in paniek te raken. De mouw van mijn jasje is gescheurd en in mijn rechterschouder zitten diepe krassen van Micki's scherpe nagels.

'Ik heb een dokter nodig!' roep ik. 'Jullie pitbull is uitgebroken.'

Micki legt met een dramatisch gebaar haar hand tegen haar voorhoofd. 'Ach, een schrammetje. Je had nog veel erger verdiend.'

De kast! Ik ren erheen, niet omdat ik die verbanddoos wil hebben, maar omdat ik de anderen wil beletten om bij de groene kast met pistolen te komen. Daniella heeft de deur inmiddels weer dichtgedaan.

Maar helaas is Ty me te snel af. Hij gaat voor me staan en torent boven me uit. 'O nee, vergeet het maar.'

Ik probeer langs hem heen te komen, maar hij is te groot. 'Ik heb een pleister nodig. En een inenting tegen hondsdolheid.'

Ian komt naast me staan. 'Hé, kom op, we zitten allemaal in hetzelfde schuitje. Laat haar er gewoon even bij.'

Ty steekt zijn arm uit. 'Ik pak wel een pleister voor haar. Voor het geval ze op het idee komt om een pistool te pakken en het slot van de deur af te schieten.' Hij kijkt me strak aan. 'Dat werkt trouwens niet. Hebben ze een keer getest op tv.'

Zo hé, wat een algemene ontwikkeling. Maar waarschijnlijk is dat het enige wetenschappelijke feit dat in die kop met zaagsel zit.

Mijn arm doet pijn. Misschien moet ik wel echt worden ingeënt tegen hondsdolheid. 'Luister, ik ben heus niet van plan om een pistool te pakken. Ik wil alleen iets hebben voor mijn arm. Maar je kunt me ook laten bloeden tot ik echt een dokter nodig heb en ze het spel moeten stoppen.' Al denk ik niet dat LEF zoiets ooit zou doen.

Ty zegt tegen de anderen dat ze mij in de gaten moeten houden. Hij trekt een la van de gele kast open en haalt er verbandgaasjes en wat andere verbandspullen uit.

Ian en ik gaan ermee op de bank zitten. Ian maakt de schrammen schoon met een ontsmettingsdoekje en doet er verbandgaas op. Aan de andere kant van de tafel drukt Jen een ijskompres tegen Micki's hoofd. Heb ík haar pijn gedaan? Mooi zo.

Ty zit met zijn armen over elkaar naar ons te kijken, alsof hij denkt dat we elk moment op de kast met pistolen af kunnen rennen. Daniella spint als een kat en strijkt door zijn haar, waarbij haar armbanden rammelen als de sleutelbos van een cipier. Links van Ian en mij zit Samuel, die niks zegt en ons door zijn brillenglazen aankijkt. Iedereen zit om de tafel, net als bij het Laatste Avondmaal, maar dan zonder eten. En zonder heiligen.

Er klinkt commerciële rockmuziek uit de speakers. Wie kiest de muziek die hier wordt gedraaid? Satan?

OKÉ SPELERS. HET IS TIJD DAT JULLIE JE PRIJZEN GAAN VERDIENEN.

Opnieuw worden de opdrachten alleen door teksten op de beeldschermen gegeven. Hoe onecht ik Guy en Gayle ook vond lijken: zonder hen voelt het hier toch nog geïsoleerder.

TY. LEG DE WAPENS OP DE TAFEL. VOOR ELKE SPELER EEN.

Dit vind ik echt niet leuk meer. Ty tuurt naar het beeldscherm alsof hij het niet goed kan zien. Misschien is hij analfabeet. Of heeft hij opeens een geweten gekregen.

JE KRIJGT EEN BONUS VAN HONDERD DOLLAR VOOR DE MOEITE.

Met een brede grijns staat hij op. Ik hou mijn adem in en bid dat er in plaats van pistolen opeens witte duiven in die kast blijken te zitten. Wat natuurlijk niet zo is.

'Niet doen, Ty!' roep ik. 'Dit is precies *Lord of the Flies*. LEF wil ons veranderen in een stel wilden. Laat zien dat je je eigen beslissingen neemt!'

Ty kijkt naar Ian. 'Hé, *bro*, kan jij die bitch van jou niet aan?'

Ians gezicht verstrakt. 'Ze heeft gelijk. Niet doen, Ty.'

'Mietje.' Hij pakt een pistool en strijkt over de loop. 'SIG Sauer P226. Lekker. De beste vriend van de mariniers.'

Hij stopt het pistool achter zijn broekriem, pakt er nog een en legt die voor Daniella op tafel. De volgende twee legt hij neer voor Jen en Micki, die tussen haar tanden fluit als ze het hare bekijkt. Ik deins terug als ze naar mij kijkt. Ty legt de rest van de pistolen voor Samuel, mij, en tot slot voor Ian op tafel. Die van mij en Ian heeft hij zo neergelegd dat de beide lopen elkaar raken.

Ik doe mijn armen over elkaar en roep zo hard en duidelijk als ik kan: 'Wie dit ziet: bel de politie! Wie dit ziet, bel de politie!' Het kan me niet schelen wat LEF daarvan vindt. Wat kunnen ze ook tegen me beginnen, nog een 'strafmaatregel' verzinnen? Overgaan op machinegeweren?

Ik blijf het roepen. LEF kan me niet blijven wegcensureren, zeker niet nu de andere finales voorbij zijn. Dan zouden ze niets meer hebben om uit te zenden. Uiteindelijk moeten ze ons laten gaan of de beelden van ons laten zien aan de Kijkers. In beide gevallen is het spel afgelopen. Dan maar geen modeacademie.

TIJD OM JE MOND TE HOUDEN, VEY.

'Tijd om met het spel te stoppen. Ik stop! Ik stop! Ik stop!' Dit roep ik afwisselend met smeekbedes aan het publiek om de politie te bellen. Ian doet met me mee.

KIJK OP JE TELEFOON.

Ik stop met roepen en zeg: 'Het kan me niks schelen wat jullie nu weer voor prijs beloven. De modeacademie en een stage is dit allemaal niet waard. Niets is dit waard.'

'Een reis naar Ierland met m'n pa voordat hij daar te ziek voor wordt, dat is dit meer dan waard. Dus hou je bek,' snauwt Ty.

KIJK OP JE TELEFOON. IETS WAT JE OUDERS GRAAG ZOUDEN WILLEN.

Wat, gaan ze mijn ouders er nu alweer bij betrekken? Ik kijk op mijn telefoon en zie een lang bericht. Als ik begin te lezen, kan ik mijn ogen bijna niet geloven. Dit lijken wel de aantekeningen van de psychiater met wie ik na 'het incident' moest praten. Ik lees allerlei dingen die ik heb gezegd en die zij blijkbaar op die rotcomputer van haar heeft gezet waarop ze zat te tikken terwijl ik maar doorkletste. Bijvoorbeeld welke muziek ik die avond in mijn auto op had staan. Ongelofelijk hoe veel informatie er in haar aantekeningen staat. Ik dacht dat ik zo slim was geweest om haar aandacht af te leiden van wat er die avond in de garage gebeurde door haar allerlei onzin te vertellen. Dat ik me bij Sydney zo onzichtbaar voelde, zelfs dat ik een keer met Jason Walker had gezoend en dat hij me toen per ongeluk Sydney noemde in plaats van Vey. Ik lees nog veel meer van dat soort vernederende dingen. Jezus, heb ik dat echt allemaal aan die psychiater verteld? En hoe zit het dan met mijn privacy? Met het medisch beroepsgeheim? En wat nog veel erger is: er staan ook aantekeningen in van een gesprek dat die psychiater met mijn ouders heeft gevoerd. En daarin vertellen ze hoe slecht het met hen gaat, en zelfs dat ze het niet meer met elkaar hebben gedaan sinds – o, nee, wat zullen ze het verschrikkelijk vinden als zulke persoonlijke dingen bekend worden.

Ik kijk naar de beeldschermen. Ian kijkt ook op van zijn telefoon. Ik zie dat hij een gekwelde blik in zijn ogen heeft.

ALS JIJ JE MOND HOUDT, DOEN WIJ DAT OOK.

Wat kan ik anders doen dan inderdaad maar mijn mond houden?

GOED. ELKE SPELER PAKT EEN PISTOOL. ALS EEN SPELER DAT NIET DOET, WORDT ZIJN OF HAAR WAPEN DOOR ONS AAN EEN VAN DE ANDERE SPELERS TOEGEWEZEN.

Micki pakt haar wapen het eerst. Iedereen volgt haar voorbeeld. Behalve ik.

Ik schraap mijn keel. 'Het is het niet waard. Laten we gewoon een biertje nemen en een beetje kletsen. Dan kan het toch nog leuk worden.'

Ian kijkt me aan. Ik zie een rimpel tussen zijn ogen. 'Pak het pistool, Vey.' Wow, over hem hebben ze dus nog meer shit gevonden waar ze hem mee kunnen chanteren. Of zou LEF hem nog een bonus hebben beloofd? Kon ik maar in zijn hoofd kijken en zien wat zijn drijfveren zijn.

De rillingen lopen me over de rug als ik naar het glimmende zwarte wapen kijk dat voor me op de tafel ligt. Mijn mond is kurkdroog. 'Dit is belachelijk.'

Ian kijkt naar de anderen rond de tafel. 'Ja, maar als jij je pistool niet pakt, ben jij straks de enige die ongewapend is.'

Ik voel me zo wanhopig dat ik bijna geen woord kan uitbrengen. Mijn lippen trillen, maar ik dwing mezelf om iets terug te zeggen. 'Dat is dan misschien nog het veiligst. Want zelfs zij zullen niet gauw op iemand schieten die ongewapend is.'

'Túúrlijk niet,' zegt Micki spottend.

JE HEBT DERTIG SECONDEN OM TE BESLISSEN.

'Wees verstandig, Vey,' zegt Gayle zacht door de speakers.

Verstandig, ja, dat had ik eerder op de avond moeten zijn.

Er komt een tikkende klok in beeld. Ik kijk om me heen. Micki en Ty strelen hun wapens alsof het huisdieren zijn. Zelfs Samuel houdt zijn pistool vast alsof hij niet anders gewend is. Dat zal wel door al die videogames komen die hij ongetwijfeld eindeloos vaak speelt. Daniella en Jen hebben hun pistool op schoot gelegd en houden zich gespannen vast aan de armleuning.

Ik zie op de klok dat ik nog maar twintig seconden heb.

'Je hoeft het niet te richten, maar pak het in elk geval,' zegt Ian.

'Zo palmen ze je in, met kleine stapjes,' fluister ik, hoewel iedereen me kan horen.

Ian klinkt gespannen. 'Niemand kan jou dwingen om te schieten, maar als jij dat pistool hebt, hebben zij er een minder.'

Micki en Ty staren me aan als een python die een konijntje wil pakken. Misschien moet ik dat pistool pakken en de camera's kapot schieten.

Nog tien seconden.

Er rolt een zweetdruppel van Ians voorhoofd. 'Vey, alsjeblieft, ik kan ons niet in m'n eentje beschermen.'

Ik wil het heel erg niet. Maar ik kan hier toch niet weerloos blijven zitten? Als er nog maar drie seconden op de klok staan, pak ik het pistool. Het is zwaar, vettig, en voelt absoluut niet nep. Ik leg het op schoot, of het een vetvlek op mijn rok achterlaat zal me een zorg zijn. Micki lacht schamper en kijkt spottend naar me.

FANTASTISCH JONGENS! DAN KUNNEN JULLIE NU ACHTEROVER LEUNEN EN NAAR EEN KORTE FILM KIJKEN. JEN. WIL JIJ NAAR DE ROZE KAST LOPEN, DAAR LIGGEN VERSNAPERINGEN IN.

Jen staat op, maar weet niet goed waar ze haar pistool moet laten en kijkt Micki vragend aan.

'Gewoon vasthouden, met de loop naar beneden,' zegt Micki.

Jen doet het en loopt op haar tenen naar de kast. De wildste fantasieën schieten door mijn hoofd over wat LEF onder 'versnaperingen' verstaat. Waarschijnlijk vergif. We hebben nog geen opdrachten gehad die met gif te maken hebben. Maar als ze de roze deur openmaakt, vult de geur van popcorn de kamer. Ik moet er bijna van overgeven. Ze pakt een bak uit de kast met een merknaam op de zijkant en zet die op tafel. Daarna gaat ze terug en pakt een bak met snoepgoed, ook met een duidelijk zichtbaar merk. Denken de sponsoren echt dat dit spel hun verkoopcijfers zal verhogen? Domme vraag.

Jen roept naar Micki: 'Er staat ook een koelbox met Red Bulls, wil je er daar een van, schatje?'

Natuurlijk wil ze dat, net als de anderen die al flink wat bier hebben gedronken. Alcohol en cafeïne, wat een topcombinatie.

Ty en Micki zijn de enigen die handenvol popcorn naar binnen werken. Samuel neemt schouderophalend een reep uit de bak. Als Jen weer zit, wordt het licht gedempt en wordt er op de schermen een film vertoond: *Wapeninstructies voor dummies.*

Er wordt vijf minuten lang uitgelegd hoe we het pistool moeten laden, de hamer moeten spannen en de slede naar achteren moeten trekken. Ik kan de neiging om te gaan gillen bijna niet onderdrukken. Straks gaan ze echt schieten! Ons bloed zal over de vloer stromen, in die afvoerput verdwijnen, en daarna zullen die psychopaten van LEF de kamer schoonspuiten voor de volgende groep spelers. Ik zit van angst zo hard te bibberen dat het pistool bijna van mijn schoot valt.

Ian pakt mijn hand vast. 'Dat is allemaal voor de show. Ze proberen ons gewoon bang te maken.' Probéren? Zelfs híj ziet spierwit en ik voel dat zijn hartslag erg snel is.

STRAKS KOMEN WE BIJ HET LEUKE GEDEELTE, MAAR NU EERST EEN HUIS-HOUDELIJKE MEDEDELING. ER IS IEMAND DIE NOG EEN STRAFMAATREGEL VERDIENT VANWEGE EERDERE ONDERMIJNENDE ACTIVITEITEN.

Dat kunnen ze toch niet menen? Wat kan er nu in godsnaam erger zijn dat dit? Ik kan zelf ook wel een paar antwoorden op die vraag bedenken, maar dat zijn mogelijkheden waar ik niet eens aan durf te denken.

Tussen de luidruchtige uitroepen van Micki door hoor ik ergens achter een van de verborgen deuren het geluid van voetstappen en stemmen. Een van de deuren springt met een klikgeluid open en er komen twee geblinddoekte mensen half struikelend de kamer binnen.

Het pistool dat ik op schoot heb, lijkt opeens vijf kilo zwaarder als ik zie wie dat zijn.

Tommy en Sydney.

17

Ik schrik enorm en spring op. 'Nee! Ga terug nu het nog kan!'

Ze trekken hun blinddoek af en knipperen verdwaasd tegen het felle licht. De deur achter hen gaat langzaam dicht.

Ik ren naar ze toe en wijs naar de deur. 'Ga terug!'

Ze kijken zenuwachtig achterom, maar de deur valt net in het slot. Micki en Ty, die zijn opgestaan, waarschijnlijk om mij tegen te houden, gaan met een tevreden gezicht weer op de bank zitten.

Sydney kijkt om zich heen met een verwarde blik die ik nog nooit bij haar heb gezien. Als ze ziet dat ik een pistool vasthoud, verandert die verwarring in ontzetting. 'Die is toch niet echt, hè?'

Ik hou het wapen achter mijn rug. 'Dat weet ik niet.'

Tommy kijkt met een mengeling van walging en nieuwsgierigheid om zich heen. Dan kijkt hij hoofdschuddend naar mij met een ik-zei-het toch-blik. De andere spelers blijven zitten, eten popcorn en kijken alsof mijn vrienden en ik de nieuwe attractie zijn.

Syd komt naar me toe en blijft vlak voor me staan. Haar ogen boren zich in de mijne. 'Je bent veel te ver gegaan. Waarom ben je niet gestopt nadat je dacht dat je uitlaatgassen inademde? Shit, Vey, ze hebben je gewoon laten hallucineren!' Ze pakt me bij mijn arm en trekt me mee naar de deur waar ze net uit gekomen zijn.

Ik loop met haar mee. 'Hoeveel heb je gezien? Hebben jullie nog gehoord dat ik vroeg of iemand de politie wilde bellen of hebben ze dat eruit geknipt?'

Ze geeft geen antwoord en bonst op de deur. 'Oké, en nu laten jullie ons weer gaan!'

Er klinkt een piep en de beeldschermen lichten op. Ze kijkt op het scherm dat vlak boven ons hangt. Ik sla mijn arm om haar schouder en zet me schrap voor het bericht, dat ongetwijfeld niet erg prettig zal zijn. Ik ben bang dat Syd ervan door het lint zal gaan.

DEZE DEUR HEEFT EEN TIJDSLOT EN KAN PAS OVER 30 MINUTEN WORDEN GEOPEND, TENZIJ ZICH EEN CALAMITEIT VOORDOET. DE SPELERS KUNNEN JE WIJZEN WAAR JE IETS TE DRINKEN KUNT NEMEN. DOE ALSOF JE THUIS BENT!

Sydney slaat tegen de deur. 'Ik wil helemaal niet doen alsof ik thuis ben! En trouwens, wapens zíjn een calamiteit!' Ze voelt met haar vinger in de nauwelijks zichtbare spleet naast de deur, maar ze krijgt er geen beweging in. Ze loopt naar de hoofddeur aan de andere kant van de kamer en voelt aan de deurkruk. Als ze die deur ook niet openkrijgt, bonst ze er keihard op en schreeuwt: 'Jullie hebben ons wijsgemaakt dat Vey in de problemen zat en dat Tommy en ik haar moesten komen ophalen! Dat hebben we gedaan, dus nu moeten jullie ons laten gaan. En anders bel ik mijn vader, die is advocaat!'

Micki barst in lachen uit en vraagt aan de andere spelers of ze nog een biertje willen. Ze staat op en als ze ons passeert doet ze pesterig alsof ze op hoge hakken over een catwalk loopt.

Syd pakt haar telefoon en vloekt als ze ziet dat ze geen bereik heeft. Ze loopt naar me toe. 'Geef me je mobiel.'

Ik krijg een zwaar gevoel op mijn borst. Dit is blijkbaar mijn strafmaatregel. Ze vinden het dus nog niet genoeg om mij in gevaar te brengen of mijn ouders de stuipen op het lijf te jagen. LEF speelt met mijn schuldgevoelens, waar bij Steenbokken niet veel voor nodig is. En bij mij al helemaal niet, omdat ik me vlak voordat deze finale begon al zo schuldig voelde. Ik kan de gedachte nauwelijks verdragen dat het mijn schuld is dat mijn vrienden terechtkomen in deze hel, waar ze nu nog niets vanaf weten. Als hun iets overkomt...

Ik laat mijn hoofd hangen. 'Niet één mobiel doet het hier, jullie kunnen ons hier niet weg krijgen en we kunnen niemand aanklagen. Niet zolang we de Kijkers kunnen entertainen. En nu hebben ze ons ook nog die wapens gegeven en ons naar een instructiefilmpje laten kijken. Ik vind het verschrikkelijk dat jullie hierbij betrokken zijn geraakt.'

Tommy krijgt een harde blik in zijn ogen en kijkt naar Ian, die overeind komt van de bank achter de koffietafel. 'Dit is allemaal jouw schuld, klootzak!' Hij doet een stap naar voren.

Ian houdt zijn wapen langs zijn zij, maar zijn ogen schieten vuur. 'Blijf waar je bent!'

Ik ga voor Tommy staan. 'Heb je niet gekeken of zo? Zolang we hier opgesloten zitten, mag je blij zijn dat Ian ons beschermt.'

Tommy lacht schamper en duwt me opzij. 'Wat je beschermen noemt! Jij zou hier in je eentje nooit naartoe zijn gegaan!'

Ik leg mijn handpalm tegen zijn borst. Die voelt verrassend genoeg net zo stevig als die van Ian. 'Niemand heeft mij met een wapen bedreigd. Tot nu toe. Ian zit net als ik gevangen in dit afschuwelijke spel. En jij en Sydney nu helaas ook. God, ik wou dat jullie hier niet naartoe gekomen waren.'

Sydney zet haar handen in haar zij, precies zoals in de tweede scène van het eerste bedrijf. 'Daar is het nu een beetje te laat voor.'

'Waarom hebben jullie de politie niet gebeld als jullie me wilden helpen?'

Ze zucht geïrriteerd. 'De politie? Voor een spel? Iedereen weet toch dat het doorgestoken kaart is.'

Nu ben ik geïrriteerd. 'Geloof je dat nog steeds?' Ik kijk naar Tommy. Die zou beter moeten weten.

Zijn wangen kleuren. 'Bij de finale in Colorado zijn ze gaan parachutespringen, toen gingen alle parachutes open. Jullie worden expres bang gemaakt.'

'Of het nu echt is of nep, het voelt net zo afschuwelijk, geloof mij maar,' zeg ik. 'Dus we worden er allemaal in geluisd?'

Tommy loopt langs me heen naar Ian. 'Jouw spelpartner heeft er weinig aan gedaan om dat te voorkomen. Wist je trouwens dat hij op een paar rare filmpjes op internet staat? Ik heb een paar akelige sites gevonden en volgens mij staat hij daar ook op. Ik zal er een gezichtsherkenningsprogramma op loslaten om het te bewijzen.' Hij pakt zijn telefoon en draait zich naar mij om. 'Kijk maar.'

Ik probeer zijn telefoon af te pakken. 'En ik dacht dat jij ook geen bereik had! Bel de politie! Nu!'

Micki en Ty springen op van de bank, maar Tommy drukt zijn telefoon tegen zich aan en kijkt verbluft. 'Ik héb ook geen bereik. Ik had dat film-pje eerder vanavond gedownload.' Hij klikt ergens op en laat ons op zijn scherm kijken.

Ian loopt rood aan. 'Dat is bullshit!'

Ik zie een donkere opname van een paar halfblote mensen die met el-kaar worstelen. Of zoiets. Ik duw zijn telefoon weg. 'Dit is niet het mo-ment om rare internetfilmpjes te bekijken.'

Tommy zet het filmpje niet uit. 'Nee, maar je moet wel weten met wie je te maken hebt en wie je kunt vertrouwen.'

Micki lacht en tuurt naar het beeldscherm. 'Wat is er, kan onze heilige maagd niet tegen bloot?'

Er klinkt weer een piep uit de speakers en iedereen kijkt naar de beeld-schermen.

GENOEG GEKLETST. DIT IS JULLIE VOLGENDE OPDRACHT. RICHT JE PIS-TOOL OP DEGENE DIE JULLIE ALS SLACHTOFFER HEBBEN GEKOZEN OF OP EEN VAN DE NIEUWE AANWEZIGEN.

Sydney draait zich op haar stilettohakken om. 'Wel godver...'

Ik slaak een kreet en het wordt me zwart voor de ogen. Betekent dit voor mij het einde? Of moet ik een van mijn vrienden zien sterven? Ik krijg een brok in mijn keel. Waarom ben ik na afloop van het toneelstuk niet gewoon in het theater gebleven om mijn ouders te begroeten? Zoals elke normale dochter zou doen?

Micki en Ty leunen achterover en gebruiken de leuning van de bank om hun armen op te laten rusten terwijl ze hun pistool richten. Micki houdt het met twee handen vast, Ty richt zijn wapen met één hand heel trefzeker op mij. Twee pistoollopen staren mij en Ian strak aan.

Samuel haalt diep adem en richt zijn wapen op mij. 'Sorry, Vey. Maar ik beloof je dat ik nooit de trekker zal overhalen.'

'Nou, dat is een hele geruststelling.' Mijn stem klinkt een octaaf hoger dan anders. Ik overweeg om naar de wc te vluchten, samen met mijn vrienden, maar er zit geen slot op de deur.

'Pak je pistool,' zegt Ty tegen Daniella.

Ze doet haar armen over elkaar. 'Ik weet het niet, hoor. Ik vind het eng worden.'

Ty klemt zijn kaken op elkaar. 'Ik dacht dat jij meer voorstelde, slappe-ling.'

Ze draait zich langzaam naar ons om, bijt op haar onderlip en pakt dan het pistool met twee handen vast, een om het handvat en een onder de loop. Dankzij die instructiefilm weet ik hoe alle onderdelen heten. Zou dat het laatste zijn wat ik ooit nog zal leren?

Daniella jammert zacht en veegt haar wang af met haar schouder. Ze trilt, waar haar armbanden van rinkelen en blijven rinkelen. Ik krijg er de zenuwen van.

'Goed zo,' zegt Ty.

Micki fluistert iets in Jens oor en sabbelt aan haar oorlel. Jen zucht en pakt dan haar pistool. Nog een pistool dat op mij wordt gericht en nog een op Ian.

Ik kijk naar hem. In zijn hals zie ik een ader kloppen. Met een trage beweging pakt hij zijn pistool en richt het op Ty.

Het wordt zo stil in de kamer dat ik de lampen aan het plafond hoor zoemen.

Ik wil me het liefst op het kleed laten zakken, hoe vies ik dat ook vind, maar ik moet nadenken. 'Sydney en Tommy, dit is niet jullie gevecht, gaan jullie maar daar staan.' Ik wijs naar de deur.

Dan loop ik om de tafel heen, terug naar onze bank, die aan de andere kant van de kamer staat, tegenover de deur waar ik Tommy en Sydney naartoe heb gestuurd.

Maar ze lopen achter mij aan.

Ik draai me om en zeg: 'Niet doen, dan hebben die rotzakken alleen nog maar meer mensen om op te schieten. Ik dacht dat jullie slimmer waren.'

Tommy buigt zich naar me toe en fluistert: 'Slim genoeg om de politie te bellen voordat we hier naartoe gingen. Het is gewoon een kwestie van tijd voordat ze hier zijn. We hoeven alleen maar tijd te rekken.'

Ik kan het wel uitschreeuwen van opluchting. Maar zou LEF dit niet gehoord hebben? Ik weet niet eens of dat goed of juist slecht zou zijn. 'Had ik kunnen weten. Je bent fantastisch, Tommy. Maar ga nu alsjeblieft samen met Sydney bij de deur staan. Als we hier weg zijn, zal ik alle filmpjes bekijken die je me wilt laten zien.'

Hij pakt Sydney bij haar arm en probeert haar mee te nemen naar de deur, maar dat lukt natuurlijk niet. Ze trekt zich los en legt haar handen op mijn schouders. Ze doet alsof ze zich totaal niet bewust is van de pistolen die op ons gericht zijn.

Haar ogen zijn vochtig, maar haar make-up zit nog steeds perfect. 'Vey, je hebt je vanavond gedragen als een regelrechte bitch, maar ik ben gekomen om je te helpen, niet om in een hoekje weg te kruipen.'

'Je hebt helemaal gelijk, Syd, ik heb me afschuwelijk gedragen. Ik zal het proberen goed te maken. Maar als je me echt wilt helpen, blijf dan alsjeblieft bij me uit de buurt. Echt. Alsjeblieft, doe het voor mij!'

Ze geeft geen krimp. Maar hoe kan ze dekking zoeken als ze zó vastbesloten is om mij te beschermen?

Het licht wordt zwakker.

Ik duw haar naar de deur. 'Doe het, voordat ze het licht uitdoen en je in de vuurlinie staat. Daar help je niemand mee.'

Ze trilt een beetje, maar ik weet niet of dat van angst of van frustratie is. Dan wint haar gezonde verstand het. Ze loopt naar de deur, gevolgd door Tommy, die nog eens omkijkt naar Ian en mij.

Ik loop naar de bank, maar bots tegen de hangende glazen tafel, die heen en weer zwaait. Samuel houdt het blad met zijn vrije hand tegen. Ik ga niet op de bank zitten, maar kruip erachter weg, en laat mijn arm met het pistool op de rugleuning rusten. De dunne rugleuning kan een kogel waarschijnlijk niet tegenhouden, maar toch voelt het veiliger om ergens achter te zitten. Ik richt op Micki, die met een gemene grijns op mij richt. Ik kan bijna niet geloven dat ik dit echt doe.

Ian staat nog steeds midden in de kamer. Als het licht nog verder wordt gedempt, loopt hij ook om de tafel heen en kruipt weg achter de bank van Samuel. Waarom heb ik er niet aan gedacht om tegen Tommy en Sydney te zeggen dat ze daar achter moesten gaan zitten, zodat ze in elk geval een beetje dekking hebben? Alweer laat ik de mensen van wie ik hou in de steek. Mijn vrienden zien er heel kwetsbaar uit, zoals ze daar ineengedoken bij de deur staan.

De andere spelers vinden het blijkbaar een goed idee van Ian en mij – ook al zullen ze dat nooit hardop toegeven – want ze staan op en kruipen achter hun eigen bank weg. Omdat Ian al achter Samuels bank zit, loopt hij snel om de tafel heen en gaat bij Daniella en Ty zitten. Nu zijn we verdeeld in twee kampen, vijf tegen twee, elk aan een kant van de koffietafel.

Dit innemen van de posities duurde niet lang, maar LEF is blijkbaar ongeduldig geworden, want we horen alweer de piepjes en er verschijnt een tekst op de schermen.

SPAN DE HAMER VAN JE PISTOOL.

Op de beeldschermen zien we een animatiefilmpje van een pistool dat wordt doorgeladen, voor het geval we dat niet meer hebben onthouden van de instructiefilm.

Ik word misselijk. Ik druk mijn benen stevig tegen elkaar aan om te zorgen dat ze niet zo trillen. 'Denken jullie echt dat jullie hiermee weg kunnen komen? Als deze pistolen geladen zijn en er iemand geraakt wordt, dan is dat het einde van LEF.'

HELEMAAL NIET HET EINDE, JUIST GOEDE RECLAME. Die tekst verschijnt op het beeldscherm tegenover ons, het paneel dat Ian en ik kunnen zien, maar niet op het scherm rechts. Sydney en Tommy proberen reikhalzend te lezen wat er staat, maar de tekst verdwijnt te snel.

'Dat is zeker een grapje,' zeg ik in de camera. 'Zelfs als niemand jullie kan vinden, dan nog zullen jullie geen deelnemers meer kunnen krijgen.'

De andere spelers kijken verbaasd naar me. Zou de tekst ook niet op het beeldscherm boven mijn hoofd te zien zijn geweest?

Op het scherm tegenover me verschijnt heel kort de tekst: ER ZIJN GENOEG MENSEN DIE WILLEN WINNEN.

Ik weet diep in mijn hart dat dat waar is, ook al wil ik nog zo graag van niet. Want ik heb vanavond zelf ook mijn grenzen verlegd in de hoop die beurs te winnen voor de modeacademie.

Als ik dan toch geen enkele invloed heb op LEF, kan ik misschien beter proberen om de andere spelers te bewerken. Die denken waarschijnlijk dat ik gek geworden ben, omdat ze denken dat ik tegen lege beeldschermen praat. 'Kom op, jongens, laten we hiermee stoppen. Ze willen dat wij elkaar neerschieten. Als reclame voor LEF. Denken jullie dat ik overdrijf? Kijk dan maar eens naar dat gat in het kleed onder de tafel. Dat is een afvoerputje. En weet je waar het voor is? Om deze kamer schoon te spuiten. Als alles straks onder het bloed zit.'

Micki lacht schamper. 'Nee hoor, voor als watjes zoals jij het in hun broek hebben gedaan.'

Ze strijkt met haar duim langs de achterkant van haar pistool, wat een harde klik geeft. Jen knijpt haar ogen dicht, doet ze pas na lange tijd open, ontwijkt mijn blik en spant dan ook de hamer van haar pistool. Klik, klik, klik.

Ty trekt zijn wenkbrauwen op naar Daniella. 'Waar wacht je op?'

'Zijn ze geladen?' roept ze.

WAT DENK JE ZELF? Nu doen alle beeldschermen het opeens weer. Zouden er ook berichten op de schermen zijn verschenen die ik niet heb gezien maar de anderen wel?

'Ik heb geen ervaring met wapens. Wat als het zomaar afgaat?'

'Dat gebeurt alleen als je de trekker overhaalt, sukkel,' zegt Ty geïrriteerd. 'Als je de hamer spant, gaat het pistool echt niet zomaar af.'

'En dat zou alleen erg zijn als er echte kogels in zitten,' zegt Samuel.

Hè? Denkt hij nog steeds dat deze pistolen niet met echte kogels geladen zijn? Wat zouden de Kijkers denken? Er is nog steeds geen politie binnengevallen om ons te redden. Denkt iedereen echt dat dit een soort lasergame of paintball is? Dat wij hier straks met hooguit wat blauwe plekken weer uit komen? Er zijn vast een hoop sadisten onder de Kijkers die willen dat het echt is. Maar ook een hoop mensen, onder wie mijn vrienden, die vol afschuw toekijken. Vol afschuw en machteloos, want niemand weet waar we zijn.

Ik weet niet meer precies wat er in de instructiefilm werd gezegd over doorladen en kogels, maar ik weet wel dat als je de hamer van een pistool spant, je een stap dichter bij het afvuren ervan bent. En Daniella weet dat ook. Ze heeft zwarte mascaravlekken onder haar ogen. Maar ze is waarschijnlijk nog het bangst dat zij het volgende slachtoffer wordt als ze de kans op het winnen van prijzen voor de anderen verpest, want ook zij spant braaf de hamer van haar pistool.

'Vey?' vraagt Ian.

Ik denk er hetzelfde over als Daniella; ik wil ook liever niet die hamer spannen en het pistool op iemand richten. Maar als er iets raars gebeurt, wil ik mezelf – en mijn vrienden – wel kunnen verdedigen. Ik hou mijn adem in en haal mijn duim over het uitsteeksel aan de achterkant van het pistool. Klik.

Micki's bovenlip krijgt een glans die ik er eerder niet op heb gezien. Ze transpireert. Mooi zo. Ze is bang.

'Hoe lang moeten we zo blijven zitten?' roept Jen nerveus.

Er komt geen antwoord.

'Ze zeiden alleen maar dat we de hamer moesten spannen, maar niet hoe lang,' zegt Ian. 'En dat hebben we gedaan, dus nu kunnen we ons pistool weer vergrendelen met de spanhendel en het op de grond richten voordat er ongelukken gebeuren.'

Samuel knikt. Ik wou dat hij ook iets zei.

We kijken allemaal naar de beeldschermen in de verwachting dat LEF nu wel met een tekst zal komen.

Ian kijkt naar de spelers aan de overkant van de tafel. 'Als ik nou tot drie tel, kunnen we ze tegelijk vergrendelen. Laten we alsjeblieft hiermee stoppen voordat het te laat is.'

Hij haalt adem. 'Een.'

Jen kijkt vragend naar Micki, die mij strak blijft aankijken.

'Twee.'

Het zweet staat me in de handen. Het is zo stil in de kamer, ik hoor niets, geen muziek, zelfs niet het gekraak van een stoel.

Ian haalt nog eens diep adem. Zouden wij straks de enigen zijn die ons pistool weer vergrendelen? Ik kan bijna geen adem meer krijgen en ik ben bang dat ik elk moment kan gaan flauwvallen.

'Drie.'

Ik beweeg mijn duim naar de spanhendel, maar voordat ik iets kan doen, gaat plotseling het licht uit. Het is aardedonker in de kamer. Dan gaat er een stroboscooplamp aan. Mensen beginnen te gillen. En er klinken schoten.

18

Ik duik instinctief weg. Het metalen pistool is zwaar en glad in mijn zweterige handen, maar ik hou het toch hoog boven mijn hoofd op de rugleuning van de bank in de aanslag. Mijn hart bonkt in mijn borstkas alsof het daaruit wil ontsnappen. Als het oorverdovende lawaai is weggeëbd, hoor ik een muziekje dat je eerder op een linedanceavond zou verwachten. Jie-ha. Wat een zieke grapjas die zoiets verzint.

Mijn rechterarm voelt verkrampt, bijna gevoelloos, dus ik laat het pistool zakken. Ik zou het ding het liefst op de grond willen leggen, maar ik moet mezelf beschermen tegen al die andere wapens die vast nog steeds op mij gericht zijn.

'Is er iemand gewond?' vraag ik zacht, want ik wil niemand aan het schrikken maken en daardoor nog meer schoten uitlokken.

'Nee,' zegt Ian, ergens links van me.

Iets harder, om boven het geluid van de banjo's uit te komen, vraag ik: 'Tommy? Syd?'

Ik hoor geritsel in de verste hoek van de kamer, en daarna de stem van Syd, zo kristalhelder als altijd: 'Wij hebben niks.'

Ik zucht van opluchting.

'Moet je niet vragen of wij niks hebben?' vraagt Micki op een spottend zangerig toontje.

'Ik ga ervan uit dat jullie niks hebben, want ik was niet degene die schoot.'

'Ja ja, dat zal wel, of was het soms dat mooie vriendje van je?'

Ik hoor dat Ian gaat verzitten. 'Nee, sommige mensen kunnen hun vinger in bedwang houden.'

Ty lacht. 'Maar dat zei ze niet.'

Dan zegt Samuel iets, voor het eerst in wat wel uren lijken. 'Ik hoorde vijf schoten. Ik heb niet geschoten. En het kwam niet naast mij vandaan, dus jullie moeten het wel geweest zijn.'

'Mijn pistool is koud, kom maar voelen,' zegt Ian boos.

En dat moet Micki natuurlijk weer zonodig dubbelzinnig opvatten. 'Wist ik wel, dat zijn pistool koud was. Met zo'n frigide vriendin.' God, zij denkt ook alleen maar aan seks. Waarom geeft ze trouwens niet gewoon eerlijk toe dat ze in paniek is geraakt en heeft gevuurd? Tenzij... ik begin van woede te trillen als ik aan een andere mogelijkheid denk.

Ik schraap mijn keel zodat ik net zo helder en duidelijk klink als Sydney. 'Misschien heeft LEF die schoten wel afgevuurd. Of misschien hoorden we ze alleen maar en hebben ze kruitdampen via de airco naar binnen gepompt. Hoe dan ook: ze proberen ons zó bang te maken dat wij ook gaan schieten. Snappen jullie? Want we zitten in de finale.'

Het blijft even stil. Waarschijnlijk snapt iedereen dat dit waarschijnlijk is zoals het is gegaan.

'In het donker, en met dat stroboscooplicht, konden wij niet zien wie er wel of niet schoot.'

'Die klootzakken.' Jen snikt. 'Hé, doe nu het licht maar weer aan! Zo kunnen de Kijkers ons niet zien.' Ik vind Jen er helemaal geen type voor om te gaan huilen. Maar ik vind mezelf er ook helemaal geen type voor om met een pistool te lopen zwaaien.

'Het stinkt hier naar pis,' zegt Ty.

Ruik ik daar boven de geur van popcorn en vuurpijlen uit inderdaad een vage ammoniastank? Getver.

LEF doet waarschijnlijk stiekem iets met het licht, want hoewel ik de lampen niet zie branden, zelfs niet heel zwak, kan ik nu wel de vorm van mijn armen onderscheiden. Ik ga rechtop zitten, vooral om zo weinig mogelijk in contact te zijn met dat vieze kleed, maar ook om de halfduistere kamer in te turen. De glazen koffietafel is onzichtbaar, maar als ik goed kijk, zie ik vaag de stalen kabels waarmee hij aan het plafond is opgehangen.

OKÉ. GEEN UITVLUCHTEN. JULLIE MOETEN NU OPNIEUW JE WAPEN RICHTEN. DE OPDRACHT IS SIMPEL. JULLIE HOUDEN JE DOELWIT TIJDENS DE LAATSTE TWINTIG MINUTEN VAN HET SPEL VOORTDUREND ONDER SCHOT.

Ik denk aan de finale die ik vorige maand heb gezien, toen een van de deelnemers op de dakrand van een wolkenkrabber stond. Toen was ik er nog van overtuigd dat daar een vangnet onder zat. Terwijl de deelnemers daar stonden te bibberen, liet LEF steeds fragmenten zien van eerdere opdrachten. Waarschijnlijk doen ze dat nu ook bij ons. Ter verhoging van de sadistische feestvreugde.

Nu mijn pupillen aan het duister gewend zijn, zie ik dat Ty boven de rugleuning van zijn bank uitkomt en zijn pistool op Ian richt. Hij sist iets naar Daniella, die ook tevoorschijn komt en haar pistool op Ian richt. Jen en Micki richten hun wapen op mij, althans op mijn bank, wat op hetzelfde neerkomt. Samuel ook. Ian richt op Ty.

Ik hou mijn pistool op schoot en probeer te bedenken wat ik moet doen. Ik voel aan het pistool en vind de spanhendel. Zal ik die overhalen? Maar ik moet mezelf beschermen en de anderen hebben hun pistool ook niet vergrendeld, ook al heeft LEF niet gezegd hoe lang we het doorgeladen moesten houden. Ik heb eigenlijk geen keus. Als ik mezelf en mijn vrienden wil verdedigen, moet ik dit perverse spelletje wel meespelen. Ik ga op mijn knieën zitten en laat het pistool op de rugleuning rusten.

We wachten af. Opnieuw wordt het aardedonker en zwijgt de muziek, waardoor minieme geluidjes hoorbaar worden; het gezoem van de lampen, het geluid van water dat ergens in het gebouw door de leidingen stroomt, een snelle ademhaling, een lichaam dat beweegt. De duisternis is ondoordringbaar, lijkt een levend wezen dat mijn ogen, neus en mond binnendringt. Ik wil het wegduwen, maar het heeft me in zijn greep. Mijn borstkas lijkt open te willen barsten om mijn pompende hart vrij te laten. Ik krijg de hik, en kan die niet in bedwang houden. Iemand aan de overzijde van de grens lacht. Micki.

Ik hoor dat Ian een eindje mijn kant op schuift en fluistert: 'Doe je hoofd even naar beneden. Concentreer je op je ademhaling, probeer lang en diep in te ademen.'

Ik doe wat hij zegt, maar blijf mijn wapen op Micki gericht houden. Die kutopdracht kan me niks meer schelen, maar als Micki gaat schieten, moet ik terugvechten. Ik haal een paar keer diep adem en na ongeveer een minuut heb ik mezelf weer onder controle. Maar mijn hoofd bonkt, dus ik laat het pistool met één hand los om mijn slaap te masseren. Dit kan toch allemaal niet echt gebeuren? Dit moet toch wel een verschrikkelijke nachtmerrie zijn? Ik probeer me voor te stellen dat ik ergens anders ben.

Opeens moet ik denken aan een les van mijn natuurkundeleraar over kwantummechanica. Iets over een kat. De kat van Schrödinger. Dat ging erover dat gebeurtenissen slechts waarschijnlijk of mogelijk zijn totdat ze werkelijk gebeuren. Of tot iemand ziet dat ze gebeuren. Een wetenschapper genaamd Schrödinger beweerde dat als zijn kat in een stalen ruimte werd opgesloten, niemand zeker kon weten of hij dood was of leefde tot er iemand in die ruimte keek. Ik vraag me af of de Kijkers pas zeker weten wat er hier met ons gebeurt als iemand deze duivelse kamer opent.

Nee, hou op, zeg ik tegen mezelf. Ik moet anders denken, op een manier waardoor ik het ongecontroleerde bonzen van mijn hart weer onder controle krijg. De duisternis om ons heen is ondoordringbaar en misschien wel oneindig. Ik zou dood of levend kunnen zijn. Oké, ik kies levend. Nu ik toch bezig ben, stel ik me voor dat ik op een zwoele maanloze nacht onder een zachte deken lig, vlak bij een jongen die warm en lief is. Als hij me vasthoudt, voel ik zijn hart kloppen van passie, niet van angst.

Ik begin al bijna in deze wensdroom te geloven als het licht weer zwak begint te branden. Aan de overkant van de kamer zijn nog steeds drie pistolen op mij gericht. De droom spat uiteen. De tranen springen me in de ogen en ik krijg buikpijn van de spanning.

Dat wordt alleen nog maar erger als ik Sydney hoor zeggen: 'Oké, dat hebben we nu vier minuten volgehouden. We kunnen toch wel iets interessanters doen dan in het stikdonker met pistolen naar elkaar wijzen?' Ik hoor een trilling in haar stem die ik er nooit eerder in heb gehoord.

Hield ze zich maar stil. Maar zij is er geen type voor om in stilte te lijden.

Ty grinnikt. 'Je mag wel even hier komen zitten en laten zien aan wat voor interessants je dacht. Ik heb nog een hand vrij.'

Er wordt driftig gefluisterd in de hoek waar Syd en Tommy staan.

Ik krijg kippenvel. 'Syd, blijf waar je bent!' roep ik. Ik zou het liefst naar haar toe willen gaan om haar tegen te houden, als dat tenminste niet zou betekenen dat er een paar pistoollopen van richting veranderden.

'Hoe heet jij?' vraagt ze.

'Ty. En Ty vindt het *time to party*!'

Ik kom wat meer overeind. 'Syd, blijf waar je bent!'

Echt iets voor Syd om de touwtjes in handen te nemen. Maar dit is wel even iets anders dan een toneelstuk op school. Hier kan ze zich met al haar charmes niet uit kletsen. En mij ook niet. Ik moet bijna kotsen als ik me voorstel dat Ty haar met zijn vuile vingers aanraakt. En Daniella? Die zou best eens jaloers kunnen worden en tot de conclusie komen dat het toch heel handig is dat ze een pistool in haar handen heeft.

Micki kreunt. 'Jezus, die vriendin van de heilige maagd is nóg irritanter dan de maagd zelf. Misschien moeten we een nieuw slachtoffer kiezen.'

'Ja, echt iets voor jullie om iemand te kiezen die zich niet kan verdedigen,' zeg ik. 'Maar vergeet niet wie jouw hoofd onder schot heeft.'

Ik kan bijna niet geloven dat ik dat zei, maar Micki blijft mij onder schot houden in plaats van Syd. Ik vind het afschuwelijk dat Syd hier naartoe is gekomen en nu door mijn schuld in zo'n gevaarlijke situatie is terechtgekomen. Mijn dappere, koppige, beste vriendin, die nu al urenlang dat stomme korset aanheeft en daar vast enorme rugpijn van heeft gekregen.

Ik veeg mijn tranen weg. 'Syd, blijf alsjeblieft bij Tommy, oké?' Hij zal haar toch wel verteld hebben dat hij de politie heeft gewaarschuwd? Tenzij hij bang is dat zij dat er op een verkeerd moment uitflapt.

'Misschien moeten wij ook een pistool krijgen,' zegt Tommy.

Nee! Hoe kan hij dat nou zeggen? Vooral nu de politie hier elk moment kan zijn. Of rekent hij daar juist op? In dat geval wil hij dus alleen maar stoer doen met die vraag. En op wie denkt hij daarmee indruk te maken? Dit publiek is het niet waard.

'Er zijn hier al meer dan genoeg pistolen,' roep ik. 'Doe alsjeblieft niet mee aan die zieke show!'

Ik krijg een pijnscheut in mijn rechterarm. Misschien omdat ik het pistool zo lang en zo krampachtig vasthoud. Ik weet niet hoe lang ik dat nog kan volhouden. Hoe lang moeten we nog, een kwartier? Als ik moe word, geldt dat vast ook voor de anderen. Straks doet LEF die stroboscooplampen weer aan of maken ze ons op een andere manier aan het schrikken om te proberen of ze ons de trekker kunnen laten overhalen. Hoe vermoeider we worden, hoe eerder we een fout kunnen maken.

Opnieuw wordt het aardedonker.

'Dit moet zo snel mogelijk ophouden,' fluister ik tegen Ian. Voordat iemand kramp krijgt en zijn spieren niet meer onder controle heeft. Voordat Sydney naar Ty loopt en er nog veel meer problemen komen. Voordat LEF iets doet waardoor het pas echt goed uit de hand loopt. En ik heb het gevoel dat ze dat elk moment kunnen doen.

'Ik ben iets aan het bedenken,' fluistert Ian terug.

'Wat dan? Op de grond duiken en er maar het beste van hopen?' Het komt er bitser uit dan ik het bedoel, maar hopeloosheid brengt het ergste in een mens naar boven.

Hij zucht. 'Er zat zeker geen raam in de wc, hè?'

Kan hij echt niks beters verzinnen? 'Nee, natuurlijk niet. Er zit nergens een raam in dit spookhuis.' Terwijl ik dit zeg, gaan er allerlei beelden door mijn hoofd: spookhuizen, griezelfilms, verborgen deuren, ramen, wapens. Wij zijn de acteurs in deze krankzinnige voorstelling. En onze perverse Kijkers kunnen ons overal ter wereld begluren, terwijl ze zich bezatten, weddenschappen afsluiten, wachten tot er bloed vloeit.

Als ik denk aan de Kijkers en het publiek, is het alsof er een idee vlak buiten mijn bereik op me ligt te wachten. Maar wat? Ik kan het gevoel niet van me afschudden dat ik bijna de oplossing heb gevonden; hetzelfde gevoel als wanneer ik naar een mooie lap stof kijk en ik al helemaal voor me zie wat ik ervan kan maken. Denk na! Kon ik maar ongemerkt in deze kamer op onderzoek uit gaan. Misschien zou ik dan een van die verborgen deuren open kunnen krijgen. Hoeveel hebben we er tot nu toe gezien? Negen? Ik tuur in het donker en probeer iets te zien waar ik misschien wat aan heb. Waarschijnlijk worden we in het donker gefilmd met infraroodcamera's en worden er close-ups van ons gemaakt. Om te laten zien hoe bang we zijn. Dat vinden ze vast spannend. En de psychopaten onder de Kijkers stellen zich dan voor dat ze bij ons in deze ruimte zitten en onze angst kunnen ruiken. Ik zie mensen voor me die joelen en schreeuwen om bloed, net als in een Romeinse arena, waar de keizer vanuit zijn vergulde troon het slagveld overziet.

De adem stokt in mijn keel. Dat is het!

Sommige Kijkers willen de beste plaatsen. Er zijn altijd mensen die geen genoegen nemen met minder dan de skybox. De muur links van ons ziet er anders uit dan de andere muren. Daar zit maar één deur, een echte, terwijl er in de andere muren vreemde, verborgen schuifpanelen zitten. En toen Ian en ik hier naartoe liepen, kwamen we langs een merkwaardige rij stoelen in de hal. De voorste rij.

Opeens weet ik zeker dat het zijden wandtapijt dat daar tegenover hing niet alleen maar voor de versiering is: het is een gordijn, een groot gordijn, dat nu is opgehaald voor deze krankzinnige voorstelling. En die glimmende wand naast de deur is helemaal geen muur: het is zo'n ruit waar je maar via één kant doorheen kunt kijken, zoals ze ook op politiebureaus hebben. Er zitten mensen op maar een paar meter afstand naar ons te kijken. Ik weet het zó zeker dat het lijkt alsof ik ze in mijn nek voel ademen.

Zal ik tegen Ian zeggen wat ik vermoed? Maar als het nu waar is wat Tommy heeft gezegd, dat Ian me heeft gemanipuleerd om met dit spel mee te doen omdat hij een internetberoemdheid wil worden? Misschien had Micki toch gelijk toen ze zei dat er misschien een mol in het spel zit. Hoe kan Ian anders die dure privéschool waar hij op zit betalen? Syd vond hem ook nogal vaag, en zij heeft veel mensenkennis. Toch? Heeft iemand die mij als beste vriendin uitkiest eigenlijk wel echt mensenkennis? Ik, die aan haar loyaliteit twijfelde en zich heeft aangemeld voor een verraderlijk spel dat ons misschien allebei het leven gaat kosten?

Maar Ian is vanavond wel een steunpilaar voor me geweest. En ik heb iemand nodig om mij hieruit te bevrijden. Tommy kan zich best vergissen met die rare websites waar Ian volgens hem op staat. Hij heeft zich ook vergist toen hij dacht dat de politie hier elk moment kon binnenvallen. Misschien heeft hij op internet gezien wat hij wilde zien, niet wat er echt was. Toch is hij de slimste jongen die ik ken. Zou hij zich echt zó sterk kunnen vergissen? Ik bijt op mijn nagels. Er is geen tijd meer om daarachter te komen. Ik moet op mijn gevoel afgaan.

Ik hou mijn hand voor mijn mond en fluister mijn vermoeden tegen Ian, in de hoop dat hij echt aan mijn kant staat.

'Dat is krankzinnig,' fluistert hij terug, maar ik hoor aan hem dat hij twijfelt. 'Maar stel dat het waar is, wat hebben wij er dan aan?' Gelukkig bazuint hij mijn vermoedens niet rond.

Ik schud mijn hoofd, gefrustreerd dat hij het niet snapt. Of misschien niet wil snappen? Zou hij mijn plan zelfs gaan dwarsbomen?

'We kunnen die ruit kapotschieten,' zeg ik zacht.

Het blijft even stil. Dan antwoordt hij: 'Als je dat doet, kun je iemand raken die erachter zit. Of misschien ketst de kogel af op het glas en wordt een van ons geraakt. In beide gevallen niet zo'n goed idee.'

Ik weet eigenlijk niet of het publiek het niet verdient om een kogel om de oren te krijgen, maar dat zeg ik voorlopig maar niet. 'En als we nou eens een van de banken tegen de ruit gooien?'

'Die zijn te groot en er zitten geen wieltjes onder. Die kunnen we er nooit hard genoeg tegenaan gooien.'

Verder hebben we niets, behalve bierflesjes en popcorndoosjes. En onze medespelers, van wie ik er graag een paar door die ruit zou willen smijten. Konden we die rare glazen tafel maar losmaken.

Opeens krijg ik een idee. We hoeven die tafel helemaal niet los te maken. Hij zit met kabels vast aan het plafond en kan als een soort projectiel heen en weer worden geslingerd. En omdat de banken aan weerszijden ervan staan, is er niets wat in de weg staat. Ik fluister mijn idee in Ians oor. Hij vindt het eerst maar niks, maar wat is het alternatief? Zachtjes bespreken we de beste manier om ons plan ten uitvoer te brengen zonder dat de anderen op ons zullen schieten. Als we iets hebben bedacht dat uitvoerbaar lijkt, hoor ik een zacht klikgeluid.

'Wat is dat?' vraag ik.

'Ik heb mijn pistool vergrendeld,' fluistert hij.

Ik krijg een beklemmend gevoel op mijn borst, want ik voel me nu nog kwetsbaarder. Maar hij heeft gelijk. Als we proberen te ontsnappen, moeten we daarbij niet per ongeluk iemand neerschieten. En LEF heeft niet gezegd hoe lang we ons pistool doorgeladen moesten houden, dus zolang we onze wapens op de anderen gericht houden, kunnen ze niet lastig gaan doen en heeft ons plan meer kans van slagen. Ik vergrendel mijn pistool ook, maar ik hou het op Micki gericht.

'Klaar?' vraagt hij.

Ik moet wel, er is anders geen tijd meer. Sydney kan elk moment naar Ty toelopen, wat de andere spelers die aan zijn kant staan zou kunnen irriteren. Of misschien dat LEF opeens de muziek keihard zet, of de sprinklers aanzet, of iets anders doet waardoor er iemand gaat schieten.

'Showtime,' zeg ik tegen Ian.

Hij buigt zich nog dichter naar me toe. 'Ik wil eerst even iets zeggen: ik weet niet wat voor gemene truc die Tommy heeft uitgehaald met dat internetfilmpje, maar het is in elk geval nep.'

Ik heb geen idee meer wat waar is en wat niet. Tommy is heel technisch, dus hij kan een filmpje vast heel goed met een of ander programma trukeren. Maar wat Ian online doet, maakt mij nu helemaal niet uit. Het enige wat van belang is, is dat we hier wegkomen, voordat er ongelukken gebeuren. Toch snap ik wel dat hij het wil rechtzetten en er niet mee wil blijven zitten. Ik snap het, want ik wil ook iets opbiechten.

'Ik heet niet echt Vey,' fluister ik terug. 'Mijn echte naam is Venus. Dan weet je dat, voor het geval dat... En je moet Syd beschermen, wat er ook gebeurt.'

'We redden het wel, Venus.' Hij drukt zijn lippen op de mijne.

Echt? En Syd en Tommy ook? Ik zou er heel wat voor overhebben om weer in de coulissen te staan terwijl Sydney en Matthew elkaar die toneelkus gaven. Dat zou me nu niets meer kunnen schelen, al duurde die kus voor altijd.

Ik haal diep adem. 'Oké, actie!' Alleen jammer dat we Tommy en Sydney niet meer van ons plan op de hoogte kunnen brengen.

We schuiven iets naar links. Ian begint te lachen, eerst zacht, dan steeds harder. De rillingen lopen me over de rug, zo angstaanjagend klinkt het, ook al weet ik wat er gaat gebeuren. Niemand schiet. Tot nu toe gaat alles goed.

'Wat is er zo grappig?' vraagt Ty.

'Wij,' zegt Ian. 'We zitten hier maar als een stel bange kleine konijntjes in het donker. We kunnen niks beginnen, dus waarom zouden we geen mooie voorstelling geven voor ons publiek? Als we het goed doen, krijgen we misschien nog wel meer prijzen.' Hij schuift langs me.

Ik pak met één hand zijn T-shirt vast en hou met mijn andere het pistool op Micki gericht totdat we om de bank heen zijn en bij de tafel staan. Ian knijpt even in mijn hand voordat hij me loslaat, waarna hij om de tafel heen loopt naar de kant van onze vijanden. Ik blijf aan deze kant staan en voel in de lucht tot ik de kabel te pakken heb waar het glazen blad aan is bevestigd. Hopelijk doet Ian aan zijn kant hetzelfde, maar dat kan ik in het donker niet zien. Als hij me toch gaat verraden, zal ik dat snel genoeg te weten komen.

'Iemand zin in een potje schommelen?' vraagt Ian, en hij geeft de tafel een duw.

'Wat doe je, we moeten elkaar onder schot houden, sukkel!' roept Micki.

Ik verbijt me en probeer vrolijk te blijven klinken. 'Wel eens van multitasken gehoord?'

'Wat doen jullie?' vraagt Syd.

Ik ruk tegelijk met Ian aan de stalen kabel aan mijn kant. 'Als LEF tevreden is over onze voorstelling, laten ze jou en Tommy misschien gaan.'

De zware glazen tafel schommelt tussen ons in van de ene naar de andere kant. Ik hou mijn pistool dicht tegen me aan, zodat de kabels er niet tegenaan botsen.

Ian begint weer te lachen. 'Wil iemand ook nog even schommelen voordat Vey en ik erop klimmen?'

'Die kabels houden jullie vast niet,' zegt Samuel zenuwachtig.

Ik kreun. 'Je bedoelt toch niet dat ik te dik ben, hè?'

Ian en ik zwaaien het blad nog harder heen en weer. De kabels kraken.

'Laatste kans!' roept Ian. 'Kom op, Micki, echt iets voor jou en Jen.' Inmiddels raakt de tafel de muur al. Hopelijk merkt niemand het.

Ik heb het gevoel dat LEF elk moment kan ingrijpen en ons op de een of andere manier kan tegenhouden. Of misschien schieten de kijkcijfers door onze mysterieuze actie wel zó hard omhoog dat de sponsoren er meer dan tevreden mee zijn.

'Bij de volgende keer,' fluistert Ian.

Nu komt het. Als ik me heb vergist en mijn plan mislukt, weet ik niet meer hoe ik mijn vrienden moet redden. Mijn knieën worden slap door de angst voor wat er gaat komen. Ze begeven het bijna, zoals ze deden toen ik auditie deed voor het toneelstuk van school. Zoals ze bijna deden voordat ik die kan water over me heen gooide in de koffiebar. Zoals ze altijd dreigen te doen als ik in het middelpunt van de belangstelling sta. Ik probeer me schrap te zetten. Deze keer moet ik sterk zijn en mag ik niet falen.

Als de tafel weer naar ons toe zwaait, haal ik diep adem, verzamel moed en trek uit alle macht aan de kabel. Doet Ian hetzelfde, of zou hij hem opeens tegenhouden, en laten zien aan welke kant hij werkelijk staat?

Maar nee; de kabels piepen en het zware glazen tafelblad vliegt door de lucht en ramt tegen de wand aan die, zo hoop ik vurig, eigenlijk een ruit is.

Er klinkt een oorverdovende knal door de kamer. En dan hoor ik het heerlijkste geluid dat ik de hele avond heb gehoord: het gegil van de Kijkers aan de andere kant van de glazen wand.

Welkom bij onze voorstelling, klootzakken.

19

'Godverdegodver, wat gebeurt er?' schreeuwt Micki.

'Oeps,' zegt Ian.

Ik grijp het tafelblad vast als het weer terugzwaait en samen met Ian geef ik er weer een keiharde duw tegenaan waardoor het dikke glas nog eens tegen de gebroken wand vliegt. Dan klinken er opeens schoten. Ik duik weg terwijl het stroboscooplicht weer aangaat en er opnieuw schoten klinken. Zijn die echt? Het gegil in elk geval wel.

Tussen de lichtflitsen door zie ik dat het licht van de hal de kamer in schijnt. Is dit nu de spannende ontknoping waar die Kijkers in de skybox op zaten te wachten? Ik word opeens ontzettend kwaad op het publiek, dat zó dichtbij was, maar niets heeft gedaan om ons te hulp te komen.

Als het stroboscooplicht stopt, werpt het licht uit de hal een vaag schijnsel in de kamer. Daardoor wordt het voor ons makkelijker en moeilijker tegelijk; Ian en ik kunnen nu wel zien wat we doen, maar de anderen ook.

Ty komt achter de bank tevoorschijn. Hij wijst met zijn wapen van Ian naar mij en weer terug. 'Wat doen jullie nou, klootzakken!'

'Wat LEF ons heeft opgedragen,' zeg ik. 'Hebben jullie die opdracht niet op je mobiel gekregen?' Ian en ik geven nog een duw tegen het tafelblad. Zelfs als de andere spelers niet doorhebben dat wij het spel saboteren, dan weet LEF dat natuurlijk wel. Het kan alleen nog maar een kwestie van tijd zijn voordat ze met een of andere strafmaatregel komen. Of erger. Omdat het geen zin meer heeft voor de show mijn pistool op iemand te richten, stop ik het weg in de band van mijn rok, zodat ik twee handen vrij heb voor de volgende duw.

De tafel raakt de glazen ruit weer, op ongeveer een halve meter hoogte, en het gat in de wand wordt nog groter. We zien meer licht en horen meer geschreeuw. Ik had liever gewild dat het tafelblad dwars door de ruit de hal in was gevlogen en in dat stomme publiek terecht was gekomen, dat zich, aan het gegil te horen, in veiligheid probeert te brengen.

Dan verschijnt er opnieuw tekst op de schermen, dit keer in grote letters. POGING TOT SABOTAGE, RICHT JULLIE PISTOLEN OP DE ANDERE DEELNEMERS OF IEDEREEN IS ZIJN FINALEPRIJS KWIJT! En er klinkt een langgerekte sirene.

Micki springt op en kijkt stomverbaasd naar het gat in de wand, maar ze blijft me onder schot houden. Ian en ik rammen het tafelblad nog één keer tegen de wand en dan rent Ian naar mijn kant van de tafel. Een stuk glas brokkelt af, waardoor het gat in de wand nu ongeveer een halve meter in doorsnee is.

'Hou daarmee op, idioten, of ik schiet!' gilt Micki.

Ian pakt mijn kabel vast en we geven de tafel nog een duw, maar het blad beweegt nu scheef. 'Wij zijn niet meer gewapend, dus je gaat ons in koelen bloede neerschieten?'

Ik hou mijn adem in. Gaat ze dat echt doen?

Haar gezicht vertrekt tot een woedende grimas. 'Ik geef jullie nog één kans om op te houden met dat gekloot met die tafel en weer mee te doen met het spel!'

Ty komt naast haar staan. 'En ik ook!'

Ian en ik proberen de tafel nog eens tegen de wand te duwen, maar omdat hij scheef gaat, raakt hij de wand veel minder hard dan eerst.

'Jullie kunnen het publiek nooit wijsmaken dat jullie dat uit zelfverdediging hebben gedaan, we hebben niet eens een wapen vast. En Tommy heeft de politie gebeld voordat hij met Syd hier naartoe ging. Je denkt toch niet dat je daarmee wegkomt?' Ik kijk naar Jen en Daniella in de hoop dat ze onze kant zullen kiezen, maar ze houden hun pistool nog steeds min of meer op ons gericht.

'Dus jij denkt dat je mij kunt naaien?' Micki springt over haar bank heen.

Ik deins weg. Ze schiet niet op mij, maar grijpt naar de kabel die Ian vasthoudt en weet te voorkomen dat hij de tafel nog een keer naar de wand zwaait. Dat is mijn kans om naar het gat te rennen.

Ian vliegt er ook op af, gevolgd door Tommy en Syd. Ik trap tegen de rand, waardoor er nog een groot stuk glas afbrokkelt. Het gat reikt nu tot mijn knieën en is ruim een halve meter breed. Maar het heeft scherpe randen die zo te zien dwars door je botten kunnen snijden.

In de hal hoor ik een Kijker roepen: 'Rennen! Die etters komen eruit!'

Micki vliegt Ian aan en ik trap nog eens tegen de onderrand van het gat en weet weer een stuk los te krijgen. Sydney probeert het ook, maar kan met haar stilettohakken niet veel kracht zetten. Tommy doet niets, maar staat alleen verbijsterd toe te kijken, totdat Ty hem een misselijkmakende doffe dreun geeft.

Hij kreunt. 'Hou op! Hier heb ik niet voor getekend. Jullie moeten ophouden!'

Dit verbaast me, want hij en Syd hebben helemaal nergens voor getekend. Ze komen ons toch alleen maar helpen? Maar daar trekken Ty en LEF zich vast geen moer van aan.

Ian pakt Micki vast, tilt haar op en zwaait haar opzij, waardoor ze met haar benen Ty raakt, die net Tommy bij de wand wegtrekt. Jen trekt Syd aan haar haar en ze gaan elkaar te lijf. Daniella duikt ineen en drukt haar handen tegen haar oren. Zit ze nu te huilen? Dat is in elk geval beter dan aanvallen.

Ik trap nog een keer tegen de glazen wand. Ian blijft Micki vasthouden en haar voeten of die van Tommy raken Ty in zijn kruis, want hij slaat dubbel en laat Tommy los, die daardoor in een hoopje op de grond valt.

'Help eens!' roep ik naar Samuel. Ik weet nog een brokstuk los te krijgen. Had ik maar stevige schoenen aangetrokken, dan zou het een stuk beter gaan.

Samuel schudt zijn hoofd. 'Ik ga mijn toekomst niet verpesten, Vey.'

Dat kan hij toch niet menen? 'Als wij hier blijven, is er voor ons helemaal geen toekomst, sukkel! Je denkt toch niet dat LEF ons zomaar laat gaan? Het duurt maar een paar seconden om iemand te vermoorden.'

Mijn volgende trap tegen de ruit is harder en er breekt een stuk glas ter grootte van Samuels gezicht af. Het gat in de wand reikt nu bijna tot op de vloer. Inmiddels komt Ty weer overeind. Tommy ligt vlak voor hem te kreunen op de grond en ziet er niet uit alsof hij hem nog kan tegenhouden. Ian zwaait Micki nog steeds rond, waarbij hij haar tegelijk in bedwang houdt en als wapen probeert te gebruiken om Ty bij mij vandaan te houden, maar dat kan hij nooit langer dan een paar seconden volhouden. Ik raak in tijdnood.

Om mijn handen te beschermen, trek ik ze zo ver mogelijk terug in de mouwen van mijn jasje en ga op mijn knieën zitten. Dan kruip ik op handen en voeten door het gat weg. De scherpe punten aan de bovenrand haken aan mijn jasje, maar het dikke brokaat voorkomt dat mijn rug aan flarden gaat. Ik kruip de inmiddels verlaten hal in. Als ik naar rechts ga, kom ik bij de gesloten deur aan het einde van de gang; dat zou een uitgang maar ook een executiekamer kunnen zijn. Als ik naar links ga, kom ik bij de receptie, waar de Kijkers me misschien staan op te wachten.

Terwijl ik sta te twijfelen, voel ik opeens dat er aan mijn been getrokken wordt. Ik val op de grond en kijk recht in het woedende gezicht van Ty. Ik ben wijdbeens op mijn kont terechtgekomen, en Ty kan recht in mijn kruis kijken, maar in plaats daarvan kijkt hij naar mijn gezicht. Zijn ogen schieten vuur. Ik zie dat de wand vanaf deze kant inderdaad een enorm raam is waardoor je de hele kamer kunt zien. Boven het raam hangen verscheidene monitoren die elk vanaf een andere camerapositie de ruimte in beeld brengen.

Ty trekt aan mijn been. Met mijn andere been trap ik hem tegen zijn gezicht. Hij slaakt een kreet en hapt naar adem, maar laat niet los. Ik probeer hem nog een keer te schoppen, maar daar is hij op voorbereid en hij grijpt me ook bij mijn andere enkel vast. Met een gemene grijns laat hij zich met zijn zware lijf op mijn voeten vallen en drukt ze in het rubberachtige tapijt. Scherpe glassplinters prikken in mijn kuiten.

Ty houdt me tegen de grond gedrukt. 'Dit hou ik de hele nacht vol,' zegt hij. 'Of anders sleur ik je gewoon weer naar binnen.'

O god, nee, als hij me door dat gat in het glas naar binnen trekt, wordt ik levend aan mootjes gesneden. Ik probeer iets naar rechts te bewegen om het wandkleed te grijpen dat aan de zijkant van het raam hangt, maar ik kan er niet bij. Dan probeer ik mijn hand achter mijn rug te doen om het pistool te pakken dat nog in de band van mijn rok zit, maar mijn jasje zit helemaal gedraaid waardoor ik er niet bij kan. Gelukkig zit de zak met mijn telefoon aan de voorkant. Ik stop mijn hand in mijn zak, maar betwijfel of het wel zin heeft om de politie te bellen. Voor zover ik alweer bereik heb.

Ty heeft blijkbaar in de gaten wat ik van plan ben, want hij verplettert me bijna terwijl hij op zijn knieën gaat zitten en me een paar centimeter verder richting de kamer sleurt. Ik graai in de zak van mijn jasje naar mijn telefoon, maar voel opeens iets anders: de button van de verkiezingscampagne! Ik had nooit gedacht dat ik Jimmy Carter ooit nog eens zó dankbaar zou zijn! Ik grijp de button vast, maak hem open en duw de pin in Ty's wang.

Hij gilt het uit. 'Godver, vuile bitch!'

De schop tegen zijn gezicht was niet hard genoeg om te zorgen dat hij me losliet, maar met die kleine button bereik ik dat wel. Ty grijpt naar zijn wang, waardoor ik mijn benen los kan trekken en temidden van de scherpe glasscherven kan opstaan. Snel kijk ik naar mijn handen. Er zit maar één glasscherf in, vlak bij mijn linkerduim, en die veroorzaakt een scherpe, stekende pijn. In mijn kuiten voel ik minstens tien wondjes, maar ik heb geen tijd om daar nu naar te kijken. Ty probeert ook door het gat te kruipen, maar zijn schouders zijn te breed om er zonder ernstige verwondingen doorheen te komen.

'Rennen, Vey!' hoor ik Ian schreeuwen. 'Als een van ons ontsnapt, is het game over!'

Na alle moeite die ik heb gedaan om uit de kamer te ontsnappen, sta ik toch even te weifelen; ik wil het liefst bij Ian, Sydney en Tommy blijven, maar ik weet niet goed hoe. Het voelt als verraad om ze nu in de steek te laten. Maar ik kan ze het best helpen als ik nu hulp ga halen.

Ty gaat staan en schopt weer tegen het glas. 'Jij gaat eraan, bitch.'

Ik ren weg.

'Ik ga de politie halen!' roep ik terwijl ik wegren in de richting van de receptie. Dan gaat opeens het licht uit in de gang. Ik bots pijnlijk tegen de muur, grijp naar mijn schouder maar ren door, aangevuurd door het geluid van harde trappen tegen het glas.

Dan klinkt er een pistoolschot, waarna het doodstil blijft.

Nee!

'Kom terug, bitch, we gaan door met het spel, of anders is de volgende kogel voor een van je vrienden!' brult Micki.

Mijn mond voelt kurkdroog. Zou ze dat echt doen? Ze heeft eerder op de avond niet geschoten, maar nu is ze ten einde raad.

'Rennen, Vey!' roept Sydney.

Ian valt haar bij. 'Het spel is toch al afgelopen!'

Is dat zo? Maar wat zullen Micki en Ty doen als ik niet terugga? En wat zullen ze doen als ik wél terugga? Mijn hoofd zegt me dat Ian gelijk heeft, maar het voelt als verraad. Achter me hoor ik het geluid van glas dat wordt verbrijzeld. Ty is vast bijna door de wand heen. Ik ren door, maar bots tegen iets met scherpe hoeken aan. De balie. Ik ben bijna bij de uitgang. Dan denk ik opeens aan mijn telefoon. Ik haal hem hoopvol uit mijn zak, maar als ik er één blik op werp, wordt die hoop de bodem ingeslagen. Ook hier heb ik nog steeds geen bereik.

In elk geval kan ik de telefoon gebruiken om me bij te lichten. Ik zie de deur al waar we eerder op de avond door naar binnen zijn gekomen, maar dan hoor ik achter me geschreeuw en weer een pistoolschot.

O god, nee! Maar als Micki echt het onvoorstelbare heeft gedaan, maak ik het alleen maar erger als ik nu terugga. Ik doe de deur open die naar de kleine hal bij de liften leidt en word verblind door het plotselinge licht, hoewel hier nog steeds alleen maar sfeerverlichting brandt. Dan zie ik nog net dat de deuren van een van de liften met daarin een stuk of zes Kijkers dichtgaan. Zes grauwe gezichten staren me aan. Een man van in de vijftig en met achterovergekamd haar en een leren maatjasje aan, werpt me een handkus toe.

De klootzak. Ik herken die vent: hij was een van de begeleiders van de kuisheidsclub, en heeft Ian en mij het bowlingcentrum uit gegooid.

Ik ren erheen, pak mijn pistool en druk de loop nog net tussen de spleet in de liftdeuren. De stalen deuren krassen tegen het staal van mijn pistool. De Kijkers gillen en drukken zich tegen de wand van de lift. Nu vinden ze zo'n pistool opeens niet meer zo leuk. De liftdeuren haperen even en schuiven dan weer open.

Ik richt mijn pistool op de kerel die me een handkus toewierp. 'Geef je telefoon hier,' zeg ik.

Hij haalt zijn schouders op. 'Die moesten we afgeven aan de chauffeur. LEF wilde niet dat we filmpjes zouden maken.'

Shit. Zal ik zeggen dat ze de lift uit moeten komen en daarna zelf naar beneden gaan om te kijken waar de politie blijft? Maar daar is misschien geen tijd meer voor.

'Oké, kom eruit. Alleen jij.'

De man leunt tegen de liftdeur, doet zijn armen over elkaar en lacht. Ongelofelijk, maar hij lacht echt. De smerige rotzak. 'Jij schiet toch niet.'

Ik duw mijn voet tussen de deuren zodat ze niet weer dicht kunnen gaan. Zal ik het met een van de anderen proberen? Ze verdienen het allemaal. Maar ik kan gewoon niet uitstaan dat die ene kerel me zo arrogant aankijkt.

Ik ondersteun het pistool met mijn andere hand en blijf hem onder schot houden. 'Maar dit zijn toch nepkogels, of niet? Dus waarom zou ik niet schieten? Er gebeurt toch niks, dus dat durf ik wel.' Ik span de hamer.

Hij likt nerveus aan zijn lippen. 'Het leuke is juist dat we niet zeker weten of het echt is. Maar ik wil er iets onder verwedden dat je het toch niet doet. Agressie staat niet in jouw profiel.'

Ik knik. 'En jij weet zeker dat mijn profiel in de afgelopen uren niet ingrijpend is veranderd? Als ik kan voorkomen dat een van mijn vrienden gewond raakt, dan vind ik het geen probleem om daarvoor een lichaamsdeel van jou te raken waar je misschien erg aan gehecht bent. Dus kom op.'

Hij kijkt omlaag en dan weer naar mij met een grijns die al mijn alarmbellen doet rinkelen. 'Jij gaat me niet bedreigen, hè, kleine meid?'

'Eén,' zeg ik, en ik richt op zijn knie.

De dikke vrouw die naast hem staat geeft hem een por. 'Ga nou maar mee. lef lost het wel voor je op, ze willen vast niet hun grootste investeerder kwijt.'

Hij wordt rood. 'Hou je domme kop.'

'Twee,' zeg ik, en ik mik een beetje hoger op zijn been. De liftdeur gaat weer dicht, maar als ik mijn voet uitsteek, gaat hij weer open.

De man staart me giftig aan.

'Goed dan,' zeg ik, en ik span mijn vinger om de trekker. 'Dr...'

'Oké, oké, klein kreng.' Hij komt zó snel naar me toe dat ik even bang ben dat hij mijn pistool gaat afpakken.

'Rustig! Anders schiet ik alsnog. Lijkt me heerlijk, na wat ik heb meegemaakt.' Vreemd genoeg denk ik dat op dat moment echt. En dat ziet hij waarschijnlijk in mijn ogen, want hij doet wat ik zeg. Wat is er vanavond in godsnaam met mij gebeurd?

Ik loop achteruit terwijl hij de lift uit komt. We staan tegenover elkaar. De liftdeuren achter hem gaan dicht. Hij heeft een strakke, goedverzorgde huid en die zogenaamde casual broek kost volgens mij minstens vijfhonderd dollar. Zo rijk, en dan geeft hij het op zo'n perverse manier uit. Ik krijg steeds meer zin om hem te vernederen.

'We gaan terug naar de kamer,' zeg ik. 'Lopen.'

Ik laat hem een stukje voor me uit lopen. Hij doet de deur met houtsnijwerk open. In de gang erachter is het nog steeds donker, maar bij het schaarse licht dat van de hal met de liften naar binnen schijnt, zie ik dat Ty aan komt strompelen. Hij houdt zijn hand tegen zijn bovenarm gedrukt. Hij heeft kennelijk weten te ontsnappen. Als hij ons ziet, verschijnt er een glimlach op zijn gezicht. Ik tuur in het donker om te zien of er iemand achter hem aan komt, maar ik zie niks.

Ik ga achter de man staan. 'Ga terug, Ty, anders schiet ik deze vent neer. Hij is een hoge pief van LEF, hij was zelfs undercover bij een van onze vorige opdrachten. Dus als hem iets overkomt, kun je je prijs wel vergeten.'

Ty lacht. 'Denk je dat je mij in de maling kunt nemen?'

De man recht zijn rug. 'Waag het niet om dichterbij te komen. Als zij me neerschiet, zullen jullie daar allemaal zwaar voor moeten boeten.'

'Maar...' Ty kijkt vertwijfeld. 'Mijn arm...'

'Terug!' zegt de man, die duidelijk gewend is om bevelen uit te delen.

'Wie is er geraakt?' vraag ik.

'Heb ik niet op gelet,' antwoordt Ty. De klootzak.

Ik kijk voorzichtig langs de man en zie dat Ty inderdaad terugloopt. Er drupt iets donkers van zijn arm. Nou, hij weet in elk geval waar hij de verbanddoos kan vinden. Vanuit de kamer hoor ik geschreeuw en kabaal.

'En nu?' vraagt de man.

'Zet die deur helemaal open, dan hebben we meer licht.'

Hij doet het.

'Loop door naar de receptie en dan door de gang naar de kamer. Geen onverwachtse bewegingen, maar ook geen getreuzel.'

Hij loopt door. Ik blijf een paar passen achter hem, hou hem onder schot en doe mijn telefoon aan om me bij te schijnen. Ik tuur om hem heen om te zien of er niet iemand anders aankomt. Uit de spelkamer klinkt geschreeuw. Heeft LEF soms versterking gestuurd?

'Syd, Tommy, Ian? Gaat het?'

'Ja, goed!' roept Sydney terug. 'Als die gestoorde meid tenminste niet weer in het plafond schiet.'

Ik haal opgelucht adem. Godzijdank. Als we bij de glazen wand zijn, zeg ik tegen Ty dat hij naar binnen moet kruipen.

'Waarom? Ik dacht dat je niet door wilde met het spel.'

'Doe wat ze zegt,' zegt de man.

Ty kruipt door het gat in de glazen wand. Het is nog steeds donker in de kamer, maar op de monitoren die boven de wand hangen, zie ik groen-achtige beelden van de kamer, wat mijn eerdere vermoeden bevestigt dat LEF ons in het donker met infraroodcamera's filmt. Micki en Ian staan op en kijken verbaasd wat er op de gang gaande is.

'Wat gebeurt er verdomme allemaal?' Micki gaat op haar knieën zitten en kijkt door het gat. Waarom is zij niet achter Ty aan de kamer uit gekropen? Denkt ze soms dat ze nog een kans maakt zolang ze in de kamer blijft? Wat zouden ze haar nog meer beloofd hebben, behalve die Harley? Een vechthondenimperium?

'Ian, Tommy en Sydney, kom naar buiten,' zeg ik op dwingende toon.

Micki gaat staan en pakt het pistool van Jen. 'De volgende keer is het geen waarschuwingsschot.' Op een van de monitoren boven de glazen wand zie ik dat ze op Syd richt.

'Als je niet doet wat Vey zegt, krijgt geen van jullie de beloofde prijs,' zegt de man. 'Daar kan ik voor zorgen.'

Ty steekt zijn hoofd weer door het gat in de wand. 'Wie ben jij, de baas van LEF of zo?'

'Nee, maar ik kan je verzekeren dat ze mij wel te vriend willen hou-den.'

Het blijft een tijdje stil. Iedereen wacht tot LEF via de beeldschermen bevestigt wat de man zegt, maar er komt geen reactie. Waarschijnlijk zijn ze veel te druk met het bedenken van een nieuwe strategie. Of het in-schakelen van versterking. Op de monitoren zijn alleen de spelers in de kamer te zien.

Micki houdt Syd nog steeds onder schot. 'Zo te horen interesseert dat ze niet,' zegt Micki ijzig. 'Misschien kan het ze niet schelen of je neergeschoten wordt of niet.'

De man wordt nerveus. 'Maar mij wel. En ik heb de middelen om ervoor te zorgen dat jullie je prijzen krijgen.'

Er klinkt geroezemoes in de kamer.

'Kun je dat garanderen?' vraagt Ty.

'Als zij me neerschiet, garandeer ik je dat jullie niks krijgen. En als ze dat niet doet, zal ik degenen belonen die mij helpen. Zoals ik degenen zal straffen die dat niet doen.'

Dan zegt Micki bits: 'Maar ze hebben ons een wapen gegeven. Dus misschien wil LEF wel dat wij jou neerschieten. En daarna de heilige maagd Vey en haar vriendjes.' Ze richt door het gat in de wand haar pistool op de man.

'Ben je stoned of zo?' vraagt Ian. 'Alles wat in deze kamer gebeurt, gaat online. En wordt opgenomen. Wil jij de rest van je leven achter de tralies, of gechanteerd worden door de mensen die in het bezit van die beelden zijn en die dreigen dat je anders de bak in draait?'

Ik blijf de man onder schot houden. 'Bovendien schieten wij terug, en dan is het zelfverdediging. Niet dat dat wat uitmaakt, want ik zie hier geen camera's in de gang. Dus ik ben de enige die nu niet gefilmd wordt.' Mijn stem klinkt ijzig, en zo voel ik me ook.

'Ik weet het niet,' zegt Ty.

'Nou, ik wel,' zeg ik. 'En ik heb er genoeg van. Ik ga deze klootzak zijn verdiende loon geven. En daarmee voorkomen dat jullie je prijs krijgen.'

Ik zie dat de man verkrampt. 'Ik pak nu mijn portefeuille,' zegt hij. 'Die zit vol geld en creditcards. Die mogen jullie gebruiken.' Hij pakt zijn portefeuille en gooit hem op de grond.

Micki staart ernaar en probeert waarschijnlijk te bedenken of ze hem snel genoeg kan weggrissen voordat ik de man neerschiet. Of haar.

Ik kom in de verleiding om haar aan te moedigen, maar ik laat haar even nadenken. Ze mag dan gemeen zijn, maar volgens mij is ze niet dom.

Dan laat ze haar pistool zakken. 'Gaan jullie dan maar, stelletje etters.' Jen probeert haar te omhelzen, maar ze duwt haar van zich af.

Een paar seconden later komt Tommy naar buiten, gevolgd door Syd en Ian.

Voordat we weglopen, wijs ik naar de portemonnee. 'Haal je rijbewijs eruit.'

'Waarom? Daar kun je niks voor kopen.'

Nee, inderdaad. Alsof ik iets zou willen kopen met het geld van zo'n freak.

'Doe wat ik zeg.' Ik zal hem eens laten voelen hoe het is als je privacy geschonden wordt.

Hij knielt, haalt een kaartje uit de portemonnee en legt de portemonnee zelf weer terug op de grond. In het schaarse licht van mijn mobiel en het schijnsel van de monitoren kan ik niet goed zien of dat zijn rijbewijs is of zijn lidmaatschapskaart van Freaks International, maar hij snapt vast wel dat hij mij niet voor de gek moet houden. Hij reikt me het kaartje aan.

Ik laat hem niet zo dichtbij komen dat hij het pistool uit mijn hand kan schoppen, dus ik zeg dat hij het aan Tommy moet geven. Dan lopen we de gang door; ik voorop maar achterstevoren zodat ik de man onder schot kan houden. Ian loopt achteraan en houdt zijn pistool ook op hem gericht.

Als we bij de liften zijn, roep ik door de gang: 'Als jullie die kamer verlaten voordat wij het gebouw uit zijn, gaat hij er alsnog aan.' Ik doe de deur van de gang dicht en stel me voor dat de anderen daar in het donker naar de portemonnee van de man graaien.

Ian wil op de knop van de vip-lift drukken, maar ik roep dat hij dat niet moet doen. 'Deze hele verdieping is in handen van LEF. Als ze versterking sturen, of als die chauffeurs beneden gewapend zijn en naar ons toe komen, dan gaan ze vast met die lift.'

Dan drukt Ian op de knop van de lift waar PERSONEEL op staat. We schrikken als de deur met een ping openschuift, maar gelukkig staat er niemand in. Toch ben ik er nog niet gerust op dat LEF geen gewapende kerels op ons afstuurt. Of misschien staan die ons zelfs wel in de nachtclub op de begane grond op te wachten.

'Zit mijn taak als gijzelaar er nu op?' vraagt de man.

Ik aarzel. Als we iemand van LEF tegenkomen, zou het dan een voordeel zijn dat we hem nog bij ons hebben? Ik denk van niet, want als hij echt zo belangrijk was, waren ze hem vast allang te hulp geschoten. Maar als er beneden politie staat, al dan niet omgekocht, dan maakt het waarschijnlijk geen goede indruk als ik een gijzelaar onder schot houd.

'Blijf hier maar,' zeg ik.

We stappen in de lift en ik druk op de knop van de begane grond. Als we maar geen toegangscode nodig hebben.

Zodra de liftdeur dicht is en de lift in beweging komt, word ik door Sydney en Ian besprongen voor een groepsknuffel. We kunnen nog steeds niet geloven dat we eindelijk uit die kamer ontsnapt zijn. Hoe lang zal het nog duren voordat de andere deelnemers het opgeven en ook weggaan?

Ik zie over Syds schouder dat Tommy een beetje ongemakkelijk in de hoek staat. Er gaat een steek van sympathie door me heen voor mijn steun en toeverlaat, al zie ik opeens weer zijn strakke gezicht voor me toen Ian en ik die opdracht in het theater moesten doen. Dat vergeet ik maar gauw, want nu is hij me immers te hulp geschoten. Als Sydney en Ian me loslaten, ga ik naar Tommy en omhels hem ook. Hij lijkt verbaasd, maar slaat dan zijn armen om me heen. Op dat moment voel ik ergens ter hoogte van zijn middel een zacht getril. Ik trek mijn arm terug. Wat is dat?

Tommy duwt me van zich af en doet een stap naar achteren. Hij bloost en kijkt schichtig naar zijn broek.

Ik pak zijn arm vast. 'Je telefoon doet het weer, hij staat op de trilstand! Ik voelde het! Neem op!'

Zijn mond lacht, maar zijn ogen doen niet mee. 'Die hebben ze dan zeker net weer aangezet.' Hij haalt zijn telefoon uit zijn zak en leest wat op het beeldscherm staat.

Ik kijk op mijn telefoon, maar die is nog steeds geblokkeerd, net als die van Ian en Syd. De enige telefoon die het doet, is die van Tommy.

'Waarom bel je de politie niet?' vraag ik.

Hij prutst met zijn telefoon. 'Eh, ja, zal ik doen.'

'Schiet op, zo moeilijk is dat toch niet?' Waarom aarzelt hij zo? Opeens vallen de chaotische gebeurtenissen van de afgelopen uren op hun plek. 'Maar Tommy, je hád de politie toch al gebeld? Toch?'

Hij staart naar zijn telefoon. 'Ja, tuurlijk. Misschien hebben ze het verkeerde adres of zo. Die gps is veel minder nauwkeurig dan de meeste mensen denken.'

'Maar jij bent wel nauwkeurig. Dus jij hebt het vast goed doorgegeven.' Ik zie alles wat er vanavond is gebeurd opeens heel scherp. 'Geef die telefoon eens?'

Hij toetst iets in. 'Ik zei toch dat ik ging bellen?'

'Geef hier!'

'Geef hier!' praat hij me met een hoog stemmetje na. 'Je lijkt wel iemand uit een van die toneelstukken waar je geen rol in kon krijgen.'

'Tommy, ik wil nu die telefoon.'

'Geef hem aan haar!' zegt Ian. Hij drukt op het knopje waarmee de deuren gesloten worden om te voorkomen dat de liftdeur opengaat.

'Hou jij je erbuiten!' Tommy veegt het zweet van zijn voorhoofd. 'Vey, ik ben hier gekomen om jou te helpen, en nu vertrouw je me opeens niet meer?'

'Ik weet niet wat je hier kwam doen. Maar dat je de politie niet hebt meegenomen is ronduit stom. En stom past niet in jouw profiel, Tommy. En je bent ook geen waaghals. Maar berekenend ben je wel. Ik wil wedden dat jij degene bent die LEF heeft verteld waarom ik boos was op Sydney. Liv en Eulie zouden me nooit verraden. En hoeveel mensen weten wat voor sticker ik op de volumeknop van mijn stereo heb? Jij hebt dat allemaal verteld, klootzak!'

Hij snuift verachtelijk en zegt hoofdschuddend: 'Alsof ik hier de grootste klootzak ben.'

Ik word witheet van woede. En dan doe ik iets wat ik met Sydney heb gerepeteerd voor het ninja-toneelstuk waarvoor ze auditie deed: ik haal uit met mijn voet en raak hem in zijn kruis.

Als hij dubbelklapt, trek ik de telefoon uit zijn handen. Ik zie meteen dat die vol met sms'jes van LEF staat, wat een bewijs is van mijn vermoedens. 'Gemene klootzak die je bent! Dus jij hebt mij verraden voor een bréédbeeldtv?'

Hij kijkt me met bloeddoorlopen ogen aan. 'Die tv kan me gestolen worden. Wij hebben er thuis wel drie. Maar jij bent niet de enige die er meer dan genoeg van heeft om altijd maar in de schaduw te staan!'

Ik ga zo dicht mogelijk bij de liftdeur staan en toets het alarmnummer van de politie in, die hopelijk snel een einde aan deze ellende zal maken. Tommy blijft in de hoek van de lift staan terwijl ik de politie vertel over de wapens in de vip-lounge.

'Ik zei toch dat hij een klootzak was,' zegt Ian.

Tommy slaat met zijn vlakke hand tegen de muur en kijkt Ian woest aan. 'lef heeft jou alleen maar gekozen in plaats van mij omdat ze wisten dat jij Veys hart zou breken.'

Sydney kijkt Tommy stomverbaasd aan. 'Had jij dan ook meegedaan aan de voorrondes? Hoe kan het dan dat niemand wist dat jij een filmpje hebt geüpload?'

Tommy geeft geen antwoord.

Ik kan mijn oren niet geloven en ik kan hem wel iets doen. Dus hij heeft mij bedrogen omdat lef Ian heeft uitgekozen in plaats van hem? Wat ontzettend kinderachtig.

Ian opent de liftdeur. We stappen de lift uit en komen in een hal waar niet veel bijzonders te zien is. Wel horen we het zware gedreun van een bas achter een deur aan het eind van de hal. Voordat de liftdeur dichtgaat doe ik een stap terug naar Tommy en zeg tegen hem dat hij me het rijbewijs van de lef-investeerder moet geven. Hij gooit het me toe. Ik stop het kaartje in mijn zak en loop met Syd en Ian weg. Wanneer de liftdeur achter me dichtgaat, zeg ik over mijn schouder: 'Game over, Tommy.'

20

'Welke deur?' vraagt Ian.

Sydney kijkt me afwachtend aan, wat ik niet van haar gewend ben.

De verste deur zou een buitendeur kunnen zijn, maar kan ook rechtstreeks naar een stel freaks van LEF leiden. En wie weet hoe lang het duurt voordat de politie hier is? Ik doe de deur open waar muziek achter klinkt. Daarachter bevindt zich een balkon dat uitkijkt op een grote dansvloer. Ian en ik kijken elkaar aan en verbergen snel ons pistool in onze kleren.

We gaan via een wenteltrap naar beneden, onopgemerkt door de mensen op de dansvloer. We zien eruit als een paar slechtgeklede kinderen die te jong zijn voor een nachtclub, maar die hier stiekem naar binnen zijn geslopen. Behalve mijn bloedende hand en mijn gescheurde jasje is er niet veel bijzonders aan ons te zien. We lopen tussen de dansende en drinkende bezoekers door alsof dit een doodnormale zaterdagavond is. Ik hou mijn ogen strak gericht op het bordje boven de uitgang.

Als we halverwege zijn, wijst een vrouw naar ons en roept: 'Hé, dat zijn die mensen van LEF!'

De muziek wordt zachter gedraaid en iedereen kijkt naar ons. Een jongen pakt zijn telefoon en vraagt: 'Wat doen jullie hier? Is het spel afgelopen? Ze laten alleen nog maar flashbacks zien sinds jullie die tafel tegen de wand hebben gegooid. Wow, dat was echt waanzinnig!'

Ik kijk hem verbluft aan. 'Hebben jullie ons dan gezien?'

'Ja, iedereen hier.' Hij wijst op een groot scherm waar nu een filmpje van Ty en Daniella op te zien is dat is gemaakt toen ze samen in dat kamertje zaten. Het is een infraroodopname, dus het beeld is vaag en groenig. Niet dat ik daar een scherpe opname in kleur van zou willen zien.

'Dus jullie hebben gewoon toegekeken terwijl wij hier boven opgesloten zaten en er pistolen op ons werden gericht? Waarom zijn jullie ons niet te hulp gekomen?'

'Ja zeg, dat doen de producers van dat programma toch wel?' Hij wijst met zijn telefoon naar mij en roept naar zijn vrienden: 'Yo, ik zei toch dat ze in de kamer boven zaten? Die tafel die herkende ik gewoon!'

Iedereen komt om ons heen staan, noemt ons bij de naam, vraagt dingen, lacht. Twee meisjes vragen om mijn handtekening en hun vriendjes proberen me op hun schouders te tillen, maar daar steekt Ian een stokje voor.

Ik ben totaal verbijsterd. Waarom doen die mensen alsof ze ons kennen? Alsof wij hun beste vrienden zijn. Het is niet te bevatten dat ik een paar verdiepingen hoger nog voor mijn leven vocht, terwijl zij ons als een bron van vermaak beschouwden, en er verder niet over nadachten wat er met ons gebeurde.

Ian en Syd proberen me mee te trekken naar de uitgang, maar ik duw ze van me af, negeer de mensen die 'Hé, Vey!' naar me roepen en loop door het gedrang naar de dj. Op de schermen zien we nu een filmpje van Ian, die in een kleine ruimte zit en naar een beeldscherm staart waar een vaag zwart-witfilmpje op te zien is. Daarop zie ik een lange man die een klein jongetje slaat en hem meesleurt naar een auto. Daarna komt Ian in beeld, die geschokt naar het filmpje kijkt. Is dat een oud familiefilmpje? Wie filmt er nou een vader die zijn kind slaat? Geen wonder dat Ians prijzen allemaal te maken hebben met ontsnappen en met vrijheid. Ik kijk naar de echte Ian, die inmiddels naast me staat en zijn tranen wegknippert.

'Dat jochie, ben jij dat?'

Hij schudt zijn hoofd. 'Nee, maar dat had wel gekund.'

De dj verwelkomt ons met een brede grijns en roept in zijn microfoon: 'Kijk wie onze vip-gasten van vanavond zijn!'

Ik pak de microfoon en vraag of hij de muziek zacht kan zetten. Omdat ik een beroemdheid ben – zolang als het duurt – doet hij wat ik vraag.

Na alle theatervoorstellingen die ik vanuit de coulissen heb gezien, zou ik toch aan microfoons gewend moeten zijn, maar toch voelt het heel raar om er zelf een in mijn hand te hebben. Ik blaas erop om zeker te weten dat hij aan staat en zeg dan: 'Hallo, ik ben Vey.'

'Hallo Vey!' roepen enkele tientallen clubbezoekers terug.

Ik wijs naar het scherm. 'Jullie hebben vanavond gezien dat ik in LEF speelde en dat leek jullie vast een coole manier om mooie prijzen te winnen. Maar de waarheid is anders. Dat spel heeft ons bijna het leven gekost. Want wat daar gebeurt is niet nep, maar echt. Dus doe er nooit aan mee, en kijk er nooit meer naar.'

Een paar mensen zijn naar de bar gelopen om iets te drinken te halen. De anderen staren me aan, grinniken, fluisteren iets tegen elkaar, of kijken verbaasd. Ik herken de vrouw van het bowlingcentrum met de rode krullen. Ze stond toen aan onze kant, misschien dat zij wel naar me zal luisteren. Maar ze pakt haar telefoon en filmt me. Iedereen doet dat. De zaal verandert in een zee van armen met mobieltjes.

Ik had wel dood kunnen zijn, en zij reageren door mij te filmen? Ik krijg zin om de microfoon naar ze te gooien en ik moet echt mijn best doen om mijn tranen te bedwingen. De mythe dat iemand die een foto van je maakt een stukje van je ziel steelt, voelt opeens als de waarheid; ik heb het gevoel dat mijn ziel uit me gezogen wordt en verdwijnt in die honderden camera's die alles zien, die alles willen filmen wat ik doe, die mijn angst willen vangen, mijn woede.

Daar sta ik dan, met een leeg en wezenloos gevoel.

De dj zet de muziek weer hard en als Ian en Syd me meetrekken, laat ik me door hen meevoeren naar de uitgang. We banen ons een weg tussen mensen door die naar ons roepen, die vragen hoe het nu echt was, die ons telefoonnummer willen weten, onze webpagina, of die zeggen dat we moeten lachen voor de zoveelste foto. Mensen trekken aan mijn jasje, grijpen me bij mijn arm, aaien zelfs over mijn hoofd alsof ik een poedel ben. En dan word ik opeens de lucht in getild en meegevoerd door een zee van gillende Kijkers. Ik sla om me heen en roep dat ze me neer moeten zetten, en na een tijd word ik inderdaad hardhandig op de grond gegooid. De man die ik een klap in zijn gezicht heb gegeven, wrijft over zijn wang en scheldt me uit voor verwaande bitch. Hoe vaak heb ik dat woord vanavond al gehoord? Het doet me niets meer.

Ian trekt me met zich mee. Als we bijna bij de uitgang zijn, zwaait de deur open en komen er twee politieagenten binnen die zeggen dat ze de manager willen spreken. Ik heb de hele avond op de politie gewacht, maar nu wil ik niets liever dan weg uit dit gekkenhuis. Ik denk niet dat de anderen nog steeds daar boven in die kamer zitten. En anders zitten ze daar waarschijnlijk de rest van het bier op te drinken. Ik kan die agenten in elk geval het rijbewijs van die LEF-investeerder en het pistool geven, maar als ik die twee dingen wil pakken, ontdek ik tot mijn verbijstering dat ik ze allebei kwijt ben. Zou ik ze in het gedrang verloren zijn? Of heeft iemand ze afgepakt zonder dat ik het merkte? In opdracht van LEF? Ik huiver bij de gedachte dat die klootzakken dus nog steeds bepalen wat er gebeurt. Zouden die agenten misschien ook op hun loonlijst staan?

Ian en Syd denken waarschijnlijk iets vergelijkbaars, want we lopen alle drie naar buiten, de ijskoude nachtlucht in, en rennen naar Ians Volvo. Het verbaast me dat zijn banden niet lek zijn gestoken, maar wat me niet verbaast is dat er van Tommy's auto geen spoor te bekennen is.

Omdat Syd met Tommy was meegereden, stapt ze nu bij ons in de Volvo. Ze zegt dat als ze zelf met de auto was gekomen, ze nu toch liever niet alleen naar huis zou willen gaan.

Maar ik heb me nog nooit zo alleen gevoeld als nu. Vanavond moeten er duizenden mensen naar ons gekeken hebben, van wie de meesten er niet bij hebben stilgestaan dat de spelers echte mensen van vlees en bloed zijn.

Een Kijker rent naar onze auto en slaat tegen de ruit, smeekt of hij nog een foto mag maken. Ik schud mijn hoofd en kijk de andere kant op. Hij roept: 'Hé, wie denk jij wel dat je bent!'

Daar heb ik even helemaal geen idee meer van.

Ian rijdt met een snelle manoeuvre weg om een paar andere volhardende Kijkers te snel af te zijn. Onderweg zeggen we geen van drieën iets. Zelfs Sydney zwijgt, en zit stilletjes peinzend op de achterbank met haar armen om zich heen. Zou ze het zichzelf verwijten dat ze vanavond met Tommy is meegegaan? Dat die haar heeft bedrogen, terwijl ze van zichzelf vindt dat ze zo veel mensenkennis heeft? Over mensenkennis gesproken: ik ben er nog steeds niet helemaal van overtuigd dat Ian niet toch voor LEF werkt, of dat hij inderdaad een of andere internetexhibitionist is, zoals Tommy me wilde doen geloven. Ik weet na vanavond niet meer of ik op mijn gevoel af kan gaan en hem echt kan vertrouwen.

Ik werp hem een zijdelingse blik toe. 'Ian, ik wilde je nog iets vragen.

Hoe kan het eigenlijk dat jij zo'n dure privéschool kunt betalen?'

Hij kijkt een beetje uit het veld geslagen, maar knikt dan alsof hij wel begrijpt waarom ik die vraag stel. Hij laat zijn schouders zakken. 'Ik krijg financiële hulp,' zegt hij. 'En ik bezorg ontzettend veel pizza's. Cool, toch?'

Ik leg mijn hand even op zijn arm. 'Ik vind het jammer voor je dat je die prijzen niet hebt gewonnen. Ik weet dat het veel voor je betekende. Je vrijheid...'

'Weinig kans dat we die prijzen ooit echt gekregen zouden hebben. En wat mijn vrijheid betreft: een spel waarbij ze spelers wapens in handen geven, heeft weinig met echte vrijheid te maken.'

Sydney schraapt haar keel. Ik kijk achterom en zie dat ze iets tegen me zegt in gebarentaal: *Hij is geweldig!*

Op een bepaalde manier weet ik dat ze gelijk heeft. Alles wat Ian vanavond heeft gedaan bewijst dat hij een fantastische jongen is. Maar stel dat dat allemaal voor de show was? Stel dat het zijn echte opdracht was mijn hart te breken, zoals Tommy beweerde?

Ik heb barstende koppijn. Ik weet dat ik mijn ouders moet bellen, maar ik wil het liefst even helemaal niemand zien of spreken, en weer iets terugkrijgen van de privacy die ik vanavond ben kwijtgeraakt. De rest van de rit naar Sydneys huis zwijgen we.

Als ze uitstapt, stap ik ook uit.

Ik kijk naar de grond. 'Het spijt me allemaal zo verschrikkelijk...'

Ze zucht. 'Ik geloof dat ik wel snap waarom je hebt meegedaan. Maar het belangrijkste is dat je ons uiteindelijk hebt gered. We zijn er goed van afgekomen.'

Ik kijk op. Hoewel Ian in de auto vast niet onze zachte stemmen kan horen, zegt ze iets tegen me in gebarentaal: *sister*.

Ik zeg hetzelfde tegen haar. Dan nemen we afscheid en ik kijk haar na terwijl ze naar de voordeur loopt.

Ian wil me naar huis brengen, maar ik vraag of hij me naar mijn auto bij het bowlingcentrum wil brengen. Het is misschien koppig van me, maar ik wil deze avond graag eindigen zoals ik eraan ben begonnen en het heft weer in eigen handen nemen.

Bij het bowlingcentrum is de neonverlichting uit. Er zijn geen leden van de kuisheidsclub meer, geen Kijkers. De parkeerplaats is leeg, afgezien van mijn auto en een gedeukt busje.

Ian lijkt opeens een stuk ouder dan toen we elkaar hier uren geleden ontmoetten. 'Zal ik achter je aan naar huis rijden, om zeker te weten dat je veilig bent?'

'Dat is heel lief van je, maar jij bent net zo moe als ik. Ga jij ook maar naar huis, en bel me morgen even op. Of eigenlijk vandaag. Als we wat hebben geslapen.'

Hij grinnikt. 'Moet je me wel je telefoonnummer geven.'

De hele wereld heeft gezien hoe ik werd geterroriseerd, heeft kennis kunnen nemen van allerlei persoonlijke dingen, tot en met mijn cupmaat. Maar de partner met wie ik het spel heb gespeeld, weet nog niet eens mijn telefoonnummer. Krankzinnig.

Als we telefoonnummers hebben uitgewisseld, buigt hij zich naar me toe en kust me zacht. 'Het enige goede aan vanavond ben jij.'

Ik knik en stap uit. Ik wil hem graag geloven, maar ik blijf de zeurende angst houden dat hij alleen maar zo lief doet omdat hem een of andere prijs beloofd is. Misschien worden we wel gefilmd vanuit dat busje. Ik walg van mezelf, van mijn paranoïde gedachten, maar ik ben te moe om ze te verdringen. Het enige wat ik kan doen is afwachten, dan kom ik er vanzelf wel achter wat Ians werkelijke gevoelens zijn.

Later. Als dit allemaal voorbij is.

21

Een maand later

Ik ben geen ochtendmens, maar ik begin eraan te wennen. Bij het ochtendgloren is alles zo kalm dat ik ga geloven dat alles op een dag weer normaal zal zijn. Maar net als bij de kat van Schrödinger is er maar één manier om daarachter te komen: ik moet mijn hoofd naar buiten steken en zelf kijken. Ik wacht tot na het ontbijt, tot ik ben aangekleed, voordat ik mijn telefoon aanzet. Ik wil het liefst de kalme vredigheid nog wat langer bewaren, maar ik ben ook wel benieuwd.

Mijn aandacht wordt getrokken door één sms, die bijna verloren gaat in de stroom van honderden sms'jes en vriendschapsverzoeken. Zo veel berichten krijg ik elke dag. Het leven is nog steeds een gekkenhuis met al die aandacht van honderden mensen.

En daar probeer ik gebruik van te maken.

Ik stuur mijn wekelijkse bericht naar alle nieuwe telefoonnummers en alle ThisIsMe-pagina's die ik in de afgelopen week heb verzameld. De meeste mensen zullen mijn sms waarschijnlijk negeren, maar een aantal hopelijk niet.

LIEVE ALLEMAAL

HET SPEL LEF HEEFT MIJ BIJNA HET LEVEN GEKOST. HET ENIGE DOEL VAN DE MAKERS IS WINST MAKEN. ZE DENKEN DAT ZE ZOMAAR SPELERS KUNNEN VERNEDEREN EN MISBRUIKEN OMDAT NIEMAND ZICH DAARAAN STOORT EN OMDAT NIEMAND ZE KAN OPSPOREN. DAAR VERGISSEN ZE ZICH IN.

ZE KUNNEN ZICH NIET ALTIJD VERBORGEN HOUDEN. NIET VOOR ONS ALLEMAAL!

DUS PROBEER ZE OP TE SPOREN, VRAAG VRIENDEN OM JE TE HELPEN. WE

Als ik het sms'je heb gestuurd, zet ik mijn telefoon uit. En als ik me kan beheersen, zet ik hem pas de volgende dag weer aan. Mijn docent fashion design vindt me ouderwets. Maar ik probeer alleen maar niet gek te worden.

Ik doe mijn haar in een staart en loop naar de garage. Ik heb 's avonds en in het weekend huisarrest, zo ongeveer tot ik oud genoeg ben om te mogen stemmen, maar ik mag wel drie keer per week 's ochtends vroeg gaan hardlopen. Ik stap in mijn auto en rij naar het bos. Als ik er ben, staat er al een degelijke grijze Volvo op de parkeerplaats.

Ian staat naast zijn auto en doet stretchoefeningen. Ik zie zijn gebruinde en gespierde armen en benen; ik word zelf ook al een beetje gespierder door het rennen en de fitnessoefeningen die ik doe. Ik vind dat het mooiste fashion statement dat er is. Als ik ben uitgestapt, zoenen we elkaar en daarna gaan we op de stoeprand onze kuitspieren stretchen.

'Misschien hebben we beet,' zeg ik. Ik heb het over een sms die ik vanochtend kreeg.

'Wie, die man of die vrouw?'

'Gayle. Die in het echt Jordan heet, als die gezichtsherkenningssoftware het tenminste goed heeft.'

Hij glimlacht. 'Aha. Tommy dus.'

Nadat Tommy uitgebreid zijn excuses had aangeboden, heeft hij mijn vriendschap herwonnen, ook al blijf ik nog steeds op mijn hoede. Maar hij is onmisbaar in de strijd tegen LEF. Ik ben er echt van overtuigd geraakt dat hij niet kon weten dat het allemaal zó uit de hand zou kunnen lopen. Bovendien was hij niet de enige die zich die avond in mensen heeft vergist, en die zich heeft gedragen op een manier die niet bij zijn karakter past.

Ian en ik lopen naar een boom om nog wat stretchoefeningen te doen voordat we een eind gaan rennen. De eerste week na het spel werden we tijdens ons rondje hardlopen voortdurend lastiggevallen door Kijkers die ons filmden omdat ze daar in de aftergame allerlei prijzen mee konden winnen. Tommy ontdekte zelfs een gps-zendertje op de bumper van mijn auto.

Aan de politie hebben we niet veel. Onvoldoende bewijs, zeggen ze. De andere spelers houden vol dat die pistolen niet echt waren en dat er sap in de bierflesjes zat. Ik weet zeker dat ze zijn betaald om dat te zeggen. En die griezel van een investeerder, die zich had binnengedrongen in de kuisheidsclub, houdt natuurlijk ook zijn mond.

Maar wij vechten terug. En erg veel mensen doen met ons mee, onder wie een Kijker die een filmpje naar ons heeft geüpload met een fragment waarop de presentatoren van de finale te zien zijn. Dat is een filmpje van een filmpje, dus nogal wazig, maar Tommy heeft het zo goed mogelijk opgepoetst om het met een herkenningsprogrammaatje te vergelijken met miljoenen andere beelden op internet. Guy en Gayle zijn waarschijnlijk niet de hoofdverantwoordelijken en werden vast gewoon betaald voor hun werk, maar toch is het de moeite waard om ze op te sporen omdat ze ons kunnen leiden naar de grote bazen die erachter zitten.

Ian en ik komen langs een bloeiende kamperfoeliestruik en ik snuif de zoete zomergeur op. Maar dan deins ik terug als er een magere vent achter een boom vandaan springt en zijn telefoon op ons richt.

Ian blijft vlak voor hem staan. 'Hé, gast! Als je nou gewoon eerst even vraagt of je een foto mag maken! Vinden we heus wel goed.'

En dat is zo. Want wij hebben iets geleerd over beroemd zijn. Als je veel moeite doet om beroemd te worden en om zo vaak mogelijk in de publiciteit te komen, verliezen de mensen vanzelf hun belangstelling. Daarom poseren Ian en ik altijd als ons dat wordt gevraagd. Hoe vaker we dat doen, hoe minder populair we hopen te worden.

Maar deze man vroeg het niet. En daar zitten natuurlijk strafmaatregelen aan vast. Ian en ik pakken allebei onze telefoon en filmen deze Kijker.

Hij houdt zijn handen voor zijn gezicht. 'Wat is dit, wat doen jullie?'

Ian grijnst. 'Dat is voor een nieuwe site. LOOK WHO'S STALKING.'

De man rent vloekend weg. Dat ging goed, beter nog dan anders. Mijn filmpje is waarschijnlijk nogal vaag omdat ik nog steeds een telefoon met waardeloze camera heb. Maar er zijn ergere dingen.

Een kilometer verderop stoppen we even bij een bankje. Ian trekt me naar zich toe en geeft me een warme, verrukkelijke kus, maar ik kan het niet laten om schichtig om me heen te kijken. Ik wil zeker weten dat we echt alleen zijn.

We zouden graag wat meer privacy willen, maar dat is bij Ian of bij mij thuis uitgesloten. En zelfs op de meest afgelegen parkeerplaatsen worden we nog belaagd door freaks die hun camera tegen de ruit houden. Ik snap best dat dat meisje uit de vorige spelronde, Abigail, zich een week in dat natuurpark in Virginia heeft schuilgehouden. En ook al wil ik nog zo graag dat LEF nooit meer gespeeld wordt: ik hoop stiekem toch een beetje dat de liveshow van aanstaande zaterdag doorgaat, alleen maar omdat alle aandacht dan op de volgende spelers wordt gericht in plaats van op ons. Hoe vreselijk ik dat ook van mezelf vind.

Als er een paar hardlopers aan komen, staan we op en rennen verder. Het belooft een heldere, zonnige dag te worden. Misschien kunnen Syd en ik vanmiddag in de lunchpauze met een paar mensen van de fotografieclub haar portretfoto's gaan maken. En vanavond ga ik weer verder met mijn portfolio. Wij proberen zelf wel onze dromen uit te laten komen, daar hebben we LEF niet voor nodig.

Ons rondje hardlopen is maar al te snel weer voorbij. Ian en ik nemen afscheid met een lange kus en dan stap ik in mijn auto. Als ik wegrijd, valt het me op dat het in de auto een beetje naar eten ruikt. Alsof hier iemand een hamburger heeft gegeten. Is die geur door de ventilatieroosters naar binnen gekomen? Snel kijk ik over mijn schouder om er zeker van te zijn dat er niemand achterin zit. Dat is natuurlijk niet zo, maar toch blijf ik het ongemakkelijke gevoel houden dat ik ogen in mijn rug voel prikken. Zal die achterdocht ooit verdwijnen?

Thuis word ik opgelucht begroet door mijn ouders, zoals altijd als ik ben gaan hardlopen. Ik weet dat het ze heel veel moeite kost om me dit kleine beetje vertrouwen te schenken, dus ik doe er alles aan om dat niet te beschamen. Ik heb ze alles wat er met LEF is gebeurd verteld. Een bijkomend voordeel daarvan was dat ze nu eindelijk geloven dat ik ontzettend graag wil blijven leven. Volgens mij geloven ze nu eindelijk dat het echt een ongeluk was wat er toen in de garage is gebeurd. Als ik geluk heb, maken ze een uitzondering en mag ik volgende maand met Ian meehelpen aan een project voor daklozen waar hij mee bezig is.

Mijn moeder wijst naar de gang. 'Heb jij iets besteld? Toen ik vanochtend de plantenbakken buiten water ging geven, stond dat voor de voordeur.'

Alsof ik geld heb om iets te bestellen: ik ben hard aan het sparen voor mijn studie. Ik kijk op het tafeltje bij de voordeur en zie een pakketje. Het is toch veel te vroeg voor de post? Misschien stond het al sinds gisteren op de stoep. De afzender is een dure winkel in New York. En op het poststempel staat ook New York, dus de kans dat er een bom in zit lijkt me niet groot. Daar ga ik weer, met mijn achtervolgingswaanzin.

Ik maak het pakketje open. Tussen een berg piepschuimkorrels ligt een tweede pakketje. En daarin zit een fluwelen zak met een logo dat ik ken omdat ik er op internet urenlang naar heb gestaard. Met trillende handen haal ik de flamingoroze schoenen eruit. De schoenen die LEF me heeft beloofd als beloning voor mijn eerste opdracht. Dat is vreemd. Ze hebben me heel duidelijk gemaakt dat ik geen enkele prijs meer zou krijgen nadat ik uit de liveshow was ontsnapt. Zou dit misschien een vergissing zijn?

In een van de twee schoenen zit een klein, zilverkleurig envelopje en daarin zit een briefje waar ik zó van schrik dat ik even moet gaan zitten.

IK KRIJG ER NOOIT GENOEG VAN OM NAAR JOU TE KIJKEN EN IK KAN NIET WACHTEN TOT IK JE WEER ZIE SPELEN.

Ik kijk naar de schoenen, die ik opeens erg lelijk vind. Ik leg ze in de doos met spullen die mijn moeder vandaag naar het Leger des Heils gaat brengen. Morgen loopt er een dakloze vrouw apetrots rond op dure merkschoenen. Als ik weer in de kamer kom, krijg ik kippenvel van een geluid dat me heel bekend voorkomt. Mijn telefoon gaat. Maar ik hoor niet mijn oude, vertrouwde ringtoon.

In plaats daarvan hoor ik het gejengel van een verwend klein kind.

Woord van dank

Ik heb erg veel steun en aanmoediging gekregen bij het schrijven van dit boek. Mijn hartelijke dank aan mijn familie en vrienden, ver en dichtbij, die me jarenlang hebben aangemoedigd terwijl ik mijn droom verwezenlijkte om een roman te schrijven. Jullie steun en enthousiasme heeft me door veel moeilijke dagen heen geholpen.

Ik bedank mijn redacteur bij Dial, Heather Alexander, die dit verhaal met haar goede raad naar een hoger plan heeft getild dan ik voor mogelijk had gehouden. Ook bedank ik Andrew Harwell, wiens visie op *Lef* dit boek ook na zijn vertrek bleef beïnvloeden.

Veel dank ben ik verschuldigd aan mijn uitzonderlijke agent, Ammi-Joan Paquette, die met haar scherpe blik en slimme aanwijzingen heeft geholpen om het manuscript vorm te geven en die altijd even enthousiast was. Had elke auteur maar zo'n agent!

Enorm veel dank aan de vele sparring partners die dit verhaal hebben zien ontwikkelen van een ruwe schets tot iets publicabels. Ik bedank mijn lokale schrijversclub waarvan de leden nooit om een goed idee verlegen zitten en die me al bij vijf manuscripten hebben gesteund: Annika de Groot, Lee Harris, Christine Putnam en Lesley Reece. Mijn online beoordelaars die me hebben gestimuleerd om een beter begin van het verhaal te bedenken, waardoor Vey in het theater terechtkwam: Kelly Dyksterhouse, Kristi Helvig (die ook heeft proefgelezen), Joanne Linden, Mary Louise Sanchez en Niki Schoenfeldt.

Ik bedank mijn zussen en mijn nicht die hebben proefgelezen en advies hebben gegeven toen ik het niet meer zag zitten: Mary Ryan, Rachel Ryan en Madeline Anderson (die gekluisterd is aan haar telefoon waardoor ik op het idee kwam om een verhaal te schrijven waarin telefoons zo'n belangrijke rol spelen). Mijn broer-van-een-andere-moeder, Tim

Beauchamp, die ik dag en nacht kan bellen als ik een of ander technisch detail moet weten. In dit boek was dat het gebruik van pistolen. Als ik daar toch iets verkeerds over heb geschreven, is dat mijn fout, niet de zijne.

Een van mijn grootste fans vanaf het allereerste manuscript is mijn lieve vriendin Lisa Berglund, die zeker wist dat er op een dag een boek van mij zou worden gepubliceerd. De enige schaduw die over dat succes valt is dat zij het niet meer met me kan vieren. Als er een leesclub in de hemel is, weet ik zeker dat zij die leidt.

Tot slot bedank ik mijn man en kinderen, die me altijd hebben gesteund, hoe vaak ze 's avonds ook te horen kregen: 'mama moet naar de koffiebar om te schrijven'. Ze stimuleren me enorm en denken met me mee door tekeningen te maken van hoe een scène er volgens hen uitziet of door met me te discussiëren over verhaalideeën. Ik hou onuitsprekelijk veel van ze. En volgens mijn berekeningen hebben ze nog ongeveer 1509 achterstallige warme maaltijden van me tegoed.